LE POUVOIR CITOYEN

La société civile canadienne et québécoise face à la mondialisation

Sylvie Dugas

Avec la collaboration de Ian Parenteau

LE POUVOIR CITOYEN

La société civile canadienne et québécoise face à la mondialisation

FIDES

Conception graphique : Gianni Caccia
Mise en pages : Folio infographie

Catalogage avant publication de Bibliothèque et Archives Canada

Dugas, Sylvie, 1955 19 nov. –

Le pouvoir citoyen : la société civile canadienne et québécoise face à la mondialisation.

(Points chauds)
Comprend des réf. bibliogr.
ISBN 2-7621-2687-8

1. Participation sociale – Canada. 2. Mondialisation. 3. Société civile – Canada. 4. Groupes sociaux – Canada. 5. Antimondialisation. I. Parenteau, Ian, 1973- . II. Titre. III. Collection: Points chauds (Montréal, Québec).

HN110.Z9 C6 2006 302'.14'0971 C2006-940116-0

Dépôt légal : 1er trimestre 2006
Bibliothèque nationale du Québec

Les Éditions Fides remercient de leur soutien financier le ministère du Patrimoine canadien, le Conseil des Arts du Canada et la Société de développement des entreprises culturelles du Québec (SODEC).
Les Éditions Fides bénéficient du Programme de crédit d'impôt pour l'édition de livres du Gouvernement du Québec, géré par la SODEC.

IMPRIMÉ AU CANADA EN MARS 2006

INTRODUCTION

Le processus de mondialisation, dont les enjeux sont variés, soulève aujourd'hui des espoirs mais aussi une multitude d'interrogations. L'intensification des rapports mondialisés et leur médiatisation accrue bouleversent les rapports entre la société civile, l'État et le capital. Même s'ils bénéficient de ses retombées économiques, de nombreux citoyens sentent s'effriter leur pouvoir dans le cadre de la mondialisation. Les firmes privées multinationales industrielles et financières, dont les dirigeants cherchent à satisfaire la cupidité de leurs actionnaires (individus et investisseurs institutionnels), jouent maintenant un rôle prédominant dans la gouverne de l'économie mondiale. Au plan politique, les États – en concurrence directe entre eux pour séduire les investisseurs étrangers – tentent de s'entendre pour mettre en place des mesures visant à laisser le champ libre aux entreprises.

Devant les changements incessants apportés par le processus de libéralisation, plusieurs s'interrogent sur le rôle de l'État dans la protection de l'intérêt général. L'action des élus correspond-elle aux besoins et aux aspirations des citoyens, eux qui sont à la fois producteurs, salariés, consommateurs et actionnaires ? Existe-t-il des contrepouvoirs aux puissants acteurs privés multinationaux ? L'État est-il en mesure de réguler leurs activités pour assurer la protection de l'environnement et des droits humains ? Les citoyens comprennent-ils bien les objectifs de la mondialisation, sont-ils adéquatement informés des impacts de ce processus sur leur propre existence, et peuvent-ils intervenir ? Certes, les forums publics orchestrés par les gouvernements, les tribunes médiatiques ou les sondages donnent la parole aux citoyens et se font le relais entre la population et les décideurs. Mais force est de constater que la liberté d'expression et le droit à l'information ne sont que l'une des composantes de la démocratie. Devant la complexité des enjeux actuels, de plus en plus de gens manifestent un appétit réel pour la chose publique et tentent d'accroître leur participation civile pour faire valoir leurs opinions et défendre leurs intérêts.

Ils veulent savoir ce qui se trame dans les coulisses du pouvoir, ils désirent intervenir dans la prise de décision et bâtir une relation interactive avec les pouvoirs publics et les entreprises pour redessiner les contours du monde. Alors qu'ils s'investissent de moins en moins dans les partis politiques, ils sont de plus en plus nombreux à préférer débattre des questions de l'heure sur des terrains non partisans. Plusieurs sondages démontrent d'ailleurs que les citoyens font maintenant davantage confiance aux organisations non gouvernementales (ONG) qu'aux politiciens pour protéger l'environnement, assurer le respect des droits humains et venir en aide aux démunis ou aux réfugiés. Le fait qu'aucun des grands partis ne semble en mesure de mettre en œuvre une politique sociale plus inclusive ou d'assurer un développement durable suscite l'appréhension d'un pan important de la population. En effet, les programmes électoraux et les politiques budgétaires des grands partis politiques, tous ouvertement inspirés de la pensée libérale, prônent de plus en plus les vertus du marché en fustigeant l'interventionnisme étatique. La révolution du bon sens de Mike Harris, la cure minceur de Ralph Klein, les compressions budgétaires draconiennes de Gordon Campbell, la « réingénierie » de Jean Charest, ces programmes politiques ont tous pour origine idéologique la doctrine néolibérale telle que promue par les institutions financières internationales et l'économisme des écoles de management. C'est à la suprématie de cette idéologie que s'attaquent actuellement les nouveaux mouvements sociaux, qui veulent infléchir la tendance au laisser-faire économique.

La mondialisation, un phénomène séculaire

La mondialisation est un phénomène historique déjà vieux d'un demi-millénaire. Il débute à la même période que le système économique capitaliste. Or les deux phénomènes sont pourtant distincts, car ce qui est mondialisé n'a pas toujours pour origine le capitalisme. La mondialisation n'est pas uniquement économique : l'universalisation des droits de l'homme, par exemple, a été rendue possible grâce à la mondialisation. En revanche, la globalisation est une stratégie de développement capitaliste basée sur les principes libéraux. Les locuteurs francophones préfèrent souvent au terme globalisation celui de mondialisation marchande ou libérale.

La globalisation est un phénomène multidimensionnel qui implique non seulement le libre échange de biens et services, mais aussi la mobilité du capital productif et la circulation des capitaux financiers. Elle est conçue par les entrepreneurs comme une stratégie d'intégration, à l'échelle du globe, de l'ensemble des mécanismes de production et de distribution afin d'accroître leurs profits. Cette stratégie sous-entend un accroissement des investissements directs étrangers par le biais de la délocalisation d'entreprises dans des pays sélectionnés pour profiter de meilleures conditions possibles (bas salaires, déréglementation, qualité des infrastructures, taille du marché, etc.). En 2000, les échanges intrabranche dans les entreprises des pays de l'OCDE représentaient en moyenne 60 % de leur commerce manufacturier total! La globalisation implique aussi la financiarisation de l'économie, c'est-à-dire la nécessité pour les firmes de créer de la valeur pour leurs actionnaires et la place prépondérante des activités spéculatives dans ce contexte.

Les globalistes plaident donc pour l'abolition de toutes formes d'entraves à la finance et au commerce – qu'elles soient d'origine tarifaire, phytosanitaire, culturelle ou identitaire – et pour la mise en concurrence de toutes les sphères de la vie humaine à travers la marchandisation. Les partisans de la libéralisation estiment que celle-ci bénéficie à long terme à toutes les populations en réduisant les prix des produits et services et en haussant les niveaux de vie grâce à une concurrence accrue, aux économies d'échelle et à la spécialisation découlant des avantages comparatifs de chaque nation. Les transferts technologiques augmentent aussi la productivité des économies les moins développées. En outre, le retard des pays pauvres permet au capital de prendre de l'expansion en profitant des disparités de développement et en exploitant les ressources naturelles partout sur la planète, tout en relevant le niveau de vie des plus démunis.

Avec l'érosion de l'État keynésien et la crise des taux d'intérêts des années 1980, le monde s'est tourné vers un nouveau système international, caractérisé par l'accélération de toutes les formes de globalisation. Afin de réduire la présence de l'État dans l'économie nationale, conformément aux principes libéraux, les institutions financières internationales et les gouvernements du Nord ont élaboré à Washington un plan de développement en dix points qui sera appelé « Consensus de Washington[1] ». Ce plan se concrétise, à partir des années 1980, par une série d'instruments politiques et de projets d'aide au développement appliqués par la Banque mondiale et le Fonds monétaire international (FMI). Ces mesures comprennent notamment l'ouverture des frontières, la réduction des déficits budgétaire et commercial, la privatisation des services publics, la promotion des investissements étrangers et la protection des droits de propriété intellectuelle. Dans les pays en développement, l'application de programmes d'ajustements structurels devant faciliter la réduction de la pauvreté et le commerce deviendra le fer de lance de ces nouvelles politiques. Cependant, la crise asiatique mettra en relief les insuffisances des plans d'ajustements structurels. On assiste alors à l'élaboration d'un post-Consensus de Washington, où la libéralisation serait vue comme un moyen pour atteindre le développement mais non une finalité en soi. Situé dans la foulée de cette réflexion, l'agenda pour le développement du cycle de Doha évacuera toutefois ce débat.

La globalisation sonne donc en principe le glas de la philosophie keynésienne, qui prône l'intervention de l'État dans la sphère économique afin de contrecarrer les conséquences de l'imperfection des marchés, comme le chômage ou la constitution de monopoles naturels. Les modèles axés sur la planification économique et le protectionnisme ont en effet démontré leurs limites en Union soviétique et en Amérique latine. Mais dans les faits, la plupart des pays occidentaux – dont le Canada – ont encore des économies mixtes où le pouvoir d'intervention étatique demeure important. Par ailleurs, le marché concurrentiel se résume à environ une douzaine d'oligopoles dans presque tous les secteurs, qui contrôlent de 50 % à 90 % de la production

1. Selon l'UNESCO, le Consensus de Washington est un accord tacite entre le FMI, la BM et les organes économiques internationaux qui estiment qu'une bonne performance économique demande un commerce libéralisé, une stabilité macroéconomique et un État « en retrait » qui s'abstient de réguler l'économie. L'expression « consensus de Washington » a été utilisée pour la première fois en 1989 par l'économiste John Williamson pour désigner ces dix recommandations à l'usage des États désireux de réformer leurs économies. Voir « Avatars du Consensus de Washington », *Le Monde diplomatique*, mars 2000, p. 20.

mondiale. Les prix des produits et services sont ainsi déterminés par les grandes firmes en fonction de la réaction probable de leurs principaux concurrents à l'offre et à la demande[2]. La globalisation suscite donc beaucoup d'inquiétudes, car elle a un impact sur l'emploi, les conditions de travail, les revenus et la protection sociale, tout comme sur la sécurité, la culture et l'identité, l'inclusion et l'exclusion. « Le processus actuel de mondialisation génère des déséquilibres entre les pays et à l'intérieur des pays. Des richesses sont créées, mais elles ne sont d'aucun profit pour trop de pays et trop de personnes[3]. »

Les répercussions politiques de la mondialisation

Ceux qui contestent aujourd'hui la globalisation sont nombreux et leurs revendications sont diverses. En dépit des réels bénéfices générés par les échanges commerciaux, la liste des torts qui sont reprochés à ce processus économique – violations des droits des travailleurs, dommages environnementaux, inégalités sociales, notamment – est déjà longue et elle continue de s'allonger. La volatilité des marchés induite par la spéculation sur les taux de change et les taux d'intérêt a des répercussions palpables : la crise du peso mexicain de 1995, suivie de celles de l'Asie de l'Est en 1997, de la Russie et du Brésil en 1998, en sont les malheureuses illustrations. Les scandales d'Enron, de WorldCom ou de Norbourg ont aussi démontré l'existence de la corruption dans les plus hautes sphères de la finance, minant la confiance de nombreux investisseurs dans les activités boursières.

---

2. Charles-Albert Michalet, *Qu'est-ce que la globalisation ? Petit traité à l'usage de ceux et celles qui ne savent pas encore s'il faut être pour ou contre*, Paris, La Découverte, 2004, 211 p.

3. *La mondialisation peut et doit changer ; il est urgent de repenser la gouvernance mondiale*, résumé du Rapport de la Commission sur la dimension sociale de la mondialisation, 24 février 2004.

Il faut reconnaître que la libéralisation des échanges commerciaux et financiers est à l'origine d'une crise de la gouvernance mondiale. Engagés dans une dynamique libéralisation, les États restreignent généralement l'information concernant les négociations commerciales et tiennent rarement un référendum populaire sur ces questions[4]. Quoique ce ne soit pas toujours le cas au Canada, les bureaucraties se montrent souvent réticentes à consulter le public. À ce jour, quelque 2000 traités internationaux engageant la société tout entière sur des questions reliées au prix des marchandises, à l'emploi ou aux conditions de travail ont été négociés et signés par de nombreux gouvernements dans le monde, sans que les conséquences de ces négociations n'aient été débattues dans leurs parlements ou par le biais de référendums[5].

Par ailleurs, l'administration de la gouvernance mondiale repose aujourd'hui entre les mains d'institutions internationales et supranationales dont la crédibilité démocratique est remise en question. En premier lieu, l'ONU, la Banque mondiale, le FMI, l'OMC, l'Organisation de coopération économique et de développement (OCDE) et la Bank for International Settlements (BRI) sont fondés sur le concept d'État-nation, lequel n'a cessé de perdre du pouvoir au profit des acteurs privés et des mécanismes de marché. En second lieu, les mécanismes décisionnels de ces institutions internationales sont questionnables. « Bien que l'OMC regroupe 140 États-membres, près du tiers d'entre eux n'ont aucun représentant permanent à Genève et les capacités de bon nombre d'autres délégations sont

4. Jan Aart Scholte, *La société civile et la démocratie dans la mondialité de la gouvernance*, document de travail du Centre for the Study of Globalisation and Regionalisation, nº 65/01, janvier 2001, p. 14.

5. D'après Jules Duchastel, directeur de la Chaire Mondialisation, démocratie et citoyenneté de l'UQAM. Entrevue réalisée en juillet 2003.

gravement surutilisées. Presque tous les États du monde sont membres du FMI et de la Banque mondiale. Pourtant, le régime des quotas fait que les cinq États qui y détiennent la plus forte participation financière monopolisent aujourd'hui 40 % des voix, alors qu'au plus bas de l'échelle, 33 États de l'Afrique francophone ne détiennent ensemble que 1 % des voix[6]. Aux Nations Unies, le principe "un État, une voix" à l'Assemblée générale n'est pas une formule démocratique vraiment satisfaisante, puisqu'il donne à la Chine et à Sainte-Lucie un poids équivalent. Le veto des cinq membres permanents du Conseil de sécurité n'a pas non plus de justification démocratique[7]. »

De leur côté, les organisations supranationales (G8, Forum économique mondiale, Organisation de coopération Asie-Pacifique, Sommet des Amériques, etc.) excluent la plupart des États du monde, même si leurs décisions ont des répercussions à l'échelle du globe. À l'inverse, les recommandations qui émanent des grands forums de l'ONU n'ont pas force de loi et les États signataires trahissent souvent leurs engagements. Ajoutant à la faiblesse de représentativité des institutions de gouvernance mondiale, les citoyens participent peu à l'élaboration des processus mondialisants. « Les arrangements actuels visant à réguler, à l'échelle de la planète, les communications, les organisations internationales, les marchés mondiaux, la finance mondiale et ses monnaies, la production mondiale et l'écologie reposent – au mieux – sur un très maigre consentement des populations concernées. En général, la participation populaire, la consultation, la transparence et l'imputabilité laissent à désirer dans tous les secteurs des politiques mondiales[8]. » Chaque individu contribue et

6. D'après le *Rapport annuel 2000*, Fonds monétaire international, Washington, 2000, p. 176-179.
7. Jan Aart Scholte, *op. cit.*, p. 15.
8. *Ibid.*, p. 12.

bénéficie cependant des effets de la mondialisation à travers les gestes qu'il pose en tant que consommateur, travailleur, actionnaire ou producteur.

Il est de notoriété publique que la liberté économique favorise l'avènement ou le renforcement de la démocratie dans les pays en développement. Mais en donnant aux pouvoirs exécutifs et au secteur privé une place prédominante, la mondialisation accentue la crise de légitimité qui frappe aujourd'hui le système représentatif ou parlementaire, affaibli entre autres par une participation des électeurs à la baisse, notamment chez les jeunes. La démocratie représentative, le principe directeur de notre système politique actuel, ne permet pas non plus la participation pleine et entière des citoyens aux institutions publiques et aux nouveaux espaces de délibération internationaux. La classe ouvrière, les Autochtones, les couches issues de l'immigration et les femmes demeurent sous-représentés[9]. L'augmentation de l'absentéisme électoral et du vote protestataire, l'anomie politique et les cas plus fréquents de prévarication chez les fonctionnaires témoignent de la nécessité de revoir les règles de représentativité démocratique et de questionner les mécanismes de décision. Ceux-ci ont en effet permis, contrairement à l'esprit démocratique qui anime pourtant les instances décisionnelles, d'éloigner le citoyen des centres de pouvoir.

La libéralisation des échanges induit également une réduction du pouvoir des assemblées législatives et sa concentration chez l'exécutif, notamment au Canada. D'une part, la centralisation des pouvoirs à Ottawa sous le gouvernement libéral a amoindri le pouvoir des gouvernements provinciaux en raison de l'empiètement fédéral dans leurs champs de compétence. D'autre part, le rôle des parlementaires s'estompe face

9. Alain Gresh, « Représentants du peuple ? », *Pour changer le monde*, Manière de voir, nº 83, octobre-novembre 2005, p. 18-19.

à celui des pouvoirs exécutifs (ministres et cabinet fédéral) qui sont les seuls habilités à négocier, à signer et à refuser les accords commerciaux. Une fois l'accord négocié et signé par le gouvernement fédéral, les clauses de son application sont rarement ratifiées par la Chambre des communes et l'Assemblée nationale, quoique le gouvernement du Québec ait voté une loi exigeant l'approbation par l'Assemblée nationale de tout accord international important. Les députés et les gouvernements provinciaux, à qui les citoyens ont pourtant délégué leurs voix, sont tenus à l'écart des discussions.

Aujourd'hui, de plus en plus de Canadiens et de Québécois considèrent que les élus n'ont pas reçu le mandat de négocier en leur nom des clauses qui portent sur la privatisation de l'eau, des services publics, de la santé ou de l'éducation. Ces « marchandises » figurent pourtant sur la liste des services visés par la prochaine vague de libéralisation de l'OMC. Dans le cas canadien, il faut ajouter que le rapatriement de la Constitution en 1982 et l'enchâssement de la Charte des droits et libertés ont entraîné un processus de judiciarisation du politique. Cela explique aussi en partie le recul démocratique et accentue la crise de légitimité de l'État. Les tribunaux décident en effet de questions sociales importantes, comme le mariage entre conjoints de même sexe, la décriminalisation des drogues douces et l'inadéquation du système de santé public à répondre aux besoins des malades. Dans la cause du Dr Jacques Chaoulli, par exemple, la Cour suprême a invalidé certaines dispositions de la Loi québécoise sur l'assurance maladie et ouvert la voie aux assurances privées.

Les mesures néolibérales adoptées par les politiciens pour favoriser la croissance économique ont de nombreuses conséquences pour les citoyens et pour l'État. Impliquant une diminution de la taille des appareils gouvernementaux et l'adoption de politiques budgétaires plus austères, les accords commerciaux menacent la pérennité des mesures de protection sociale mises en place durant la période de l'État-providence – universalité des soins de santé et d'éducation, mesures d'aide à la recherche d'emploi, aide sociale, aide financière aux étudiants, aux familles et aux personnes âgées. La préservation de ces acquis est l'une des principales réclamations de la société civile canadienne et québécoise.

En bref, l'émergence de nouvelles institutions de gouvernance sur les plans intergouvernemental, supranational ou privé, de même que la multiplication des échanges et des flux financiers défient aujourd'hui la souveraineté des États. La démocratie avait été conçue à l'origine pour protéger à la fois la société civile contre les intrusions de l'État et l'État contre les débordements du peuple. Si le retrait étatique peut sembler positif à maints égards, il incite toutefois les associations (travailleurs, environnementalistes, défenseurs des droits humains, femmes, Autochtones, etc.) à solliciter un réel débat public et à revendiquer une meilleure participation dans les différents lieux de pouvoir œuvrant hors de la sphère publique de délibération pour défendre leurs intérêts et influencer la prise de décision. Comme le disait Émile Durkeim : « Un peuple est d'autant plus démocratique que la délibération, la réflexion, l'esprit critique jouent un rôle plus considérable dans la marche des affaires publiques. » Cette dernière réclamation est d'ailleurs centrale dans le discours de la société civile : l'individu en démocratie est d'abord citoyen et ensuite employé, client, consommateur ou actionnaire, contrairement à ce que véhicule le discours libéral.

* * *

Ce livre explore le nouveau rôle que jouent les organisations civiles au Canada et au Québec, notamment celles se réclamant du mouvement altermondialiste.

Dans le premier chapitre, nous tentons de déterminer l'identité des nouveaux acteurs sociaux, de cerner leur degré de représentativité et d'apprécier leur légitimité en tant qu'interlocuteurs de la mondialisation libérale. Dans le deuxième chapitre, nous nous interrogeons sur l'apport idéologique et les valeurs collectives véhiculées par ces nouveaux mouvements qui revitalisent le débat actuel, en opposition avec les doctrines libérales. Nous tentons ainsi d'évaluer non seulement la pertinence de leurs revendications et des solutions de rechange qu'ils proposent à la mondialisation marchande, mais aussi leur écho dans le reste de la société.

Dans le troisième chapitre, nous analysons les diverses stratégies utilisées par les organisations de la société civile pour attirer l'attention du public et des décideurs. Dans le quatrième chapitre, nous évaluons le type de participation des ONG et des divers groupes sociaux au sein des instances décisionnelles, dans le cadre de la relation privilégiée qui existe entre le pouvoir public et le secteur privé. Nous tentons dans le cinquième chapitre de cerner les résultats de leur action et de mesurer leur influence auprès des têtes dirigeantes œuvrant au sein des entreprises, de l'administration publique et des institutions supra-étatiques. Nous concluons cet essai en relevant les défis auxquels font face, d'un côté, les organisations de la société civile pour affirmer leur présence dans le contexte actuel, et de l'autre, les pouvoirs publics et privés pour s'ajuster aux demandes de ces nouveaux acteurs sociaux.

1

Les organisations de la société civile dans un monde globalisé

Depuis un quart de siècle, les Canadiens et les Québécois se définissent de plus en plus comme des citoyens du monde. « Entourée de symboles et d'événements mondiaux, la génération actuelle voit, beaucoup plus que ses aînées, le monde comme une maison planétaire[1]. » Pour apporter leur contribution, de plus en plus de Canadiens – des Maritimes à la Colombie-Britannique – s'investissent comme bénévoles dans des organisations civiles vouées à la défense des démunis, des droits humains ou de l'environnement. Les organisations sociales et les ONG occupent depuis longtemps certains terrains d'action restés hors de la portée de l'État afin d'améliorer la vie de la collectivité. À titre d'exemple, il existe plus de 200 organisations de coopération internationale au Canada. Les banques alimentaires canadiennes servent chaque mois des repas gratuits à 770 000 personnes[2], dont 40 % sont des enfants.

La moitié des Canadiens jouent un rôle actif au sein d'une organisation quelconque de la société civile[3]. Chaque Canadien contribue en moyenne une somme d'environ 250 $ par année aux ONG et la moitié des citoyens estiment que celles-ci sont plus efficaces que

---

1. Jan Aart Scholte, *op. cit.*, p. 7.

2. « En campagne contre la faim pour la Journée mondiale de l'alimentation », CCNMatthews, 13 octobre 2004.

3. *La société civile et le changement mondial*, sous la direction de Alison Van Rooy, Rapport canadien sur le développement 1999, Institut Nord-Sud, p. 2, 11 et 12.

les gouvernements, les entreprises ou les universités dans le domaine de l'aide aux plus défavorisés[4]. Pour l'Institut Nord-Sud, un centre de recherche qui se penche sur les diverses réalités du développement, « ces organisations populaires [...] s'efforcent de changer quelques aspects de la société, dont les politiques gouvernementales, les valeurs culturelles, les pratiques de l'entreprise ou les activités des organisations intergouvernementales[5] ».

La prise de conscience des inégalités sociales dans le monde a récemment donné naissance à un mouvement de contestation, porté par une communauté nationale et internationale civile qui milite pour l'introduction de profondes réformes dans l'organisation et la gestion de l'économie mondiale. L'engagement des citoyens pour une économie plus humaine basée sur l'égalité traduit également leur volonté de redynamiser la démocratie, dont les fondations se fragilisent. Le projet politique de la société civile altermondialiste vise en particulier à « résoudre un ensemble de maux économiques et sociaux entraînés par les gouvernements et le marché : pauvreté, oppression, sous-développement et déficit démocratique[6] ». Pour Patrick Viveret, le mouvement altermondialiste milite principalement pour que l'humanité soit dorénavant pensée comme « un sujet capable de vivre autrement [que ce que nous laissent croire les globalistes] sa propre histoire, d'assurer les conditions de son autogouvernance et de son autoémancipation, et par conséquent devenir

---

4. Selon les données du Conseil canadien de coopération internationale, 1999.

5. *La société civile et le changement mondial*, *op. cit.*, p. 8-9.

6. *Réapprendre la démocratie*, document de formation du Centre international de solidarité, 2002, p. 16.

7. Patrice Viveret dans Christophe Aguiton *et al.*, *Où va le mouvement altermondialisation ? et autres questions pour comprendre son histoire, ses débats, ses stratégies, ses divergences*, Paris, La Découverte, 2003, p. 21-22.

sujet de sa propre histoire[7] ». La société civile dans son ensemble s'oppose aussi à l'individualisme et propose des solutions collectives au désengagement social. Pour le sociologue Robert Ratner : « Les mouvements sociaux sont les moteurs d'un sens communautaire authentique capable de renverser les tendances atomisantes de la globalisation économique[8]. » Vaste programme !

Quelques précisions conceptuelles s'imposent cependant pour bien saisir le sens de cet engagement social. Il est courant de confondre citoyenneté et société civile, or ces deux entités sont pourtant distinctes. La notion de société civile renvoie à l'ensemble de la communauté politique à l'extérieur de l'État. Cette définition va bien au-delà des ONG formellement organisées, accréditées auprès des autorités et gérées par des professionnels. « La société civile existe du moment que des associations bénévoles – de quelque sorte qu'elles soient, y compris les associations de gens d'affaires – cherchent délibérément à exercer une influence sur les règles qui régissent la société[9]. » Ainsi appartiennent à la société civile les groupes de pression ou associations militant pour la protection de droits humains ou de l'environnement, les organisations non gouvernementales (ONG), les organismes à but non lucratif (OBNL) et communautaires, les organisations religieuses, les fondations philanthropiques, les syndicats, les établissements d'enseignement et les groupes de réflexion. Des individus célèbres s'associent aussi à certains groupes pour faire la promotion de causes diverses. Les Richard Desjardins, Marie Tifo, Daniel Lemire, David Suzuki, Alain Picard et Yves Michaud militent pour la préservation des forêts et des rivières, contre la

8. R. S. Ratner, « Many Davids, One Goliath », *Organizing Dissent. Contemporary Social Movements in Theory and Practice*, William K. Carroll (dir.), Garamond Press, 1997, p. 271-86.

9. Jan Aart Scholte, *op. cit.*, p. 5.

pauvreté, pour le respect des droits humains, de l'environnement, le maintien de la paix et la protection des petits investisseurs.

Alors que la citoyenneté est l'élément central de la démocratie – en ce sens que les citoyens exercent un pouvoir souverain à travers le droit de vote –, la société civile constitue le contrepoids central de l'État, qu'il soit démocratique ou non. En effet, le secrétaire général de l'Organisation des Nations Unies, Kofi Annan, disait en 1998 qu'une « société civile forte favorise la responsabilité citoyenne et permet l'existence d'un régime démocratique, alors qu'une société civile faible encourage l'autoritarisme, lequel maintient la société dans sa faiblesse. Pour être effective, la démocratie requiert un État de droit qui protège les droits des citoyens et assure une participation citoyenne garante de la liberté[10] ». C'est dans le but d'exprimer aux élus leurs doléances sociales et politiques face aux conséquences de la mondialisation que se sont constitués les mouvements sociaux actuels au Canada, au Québec et ailleurs dans le monde.

Pour notre part, nous nous intéressons particulièrement à la société civile qui milite, selon l'expression consacrée, pour le « bien commun global et la justice sociale » de façon engagée. Cette nuance est essentielle pour deux raisons. D'abord, elle permet de s'interroger sur les objectifs des nouveaux mouvements qui questionnent la mondialisation. Elle permet également de se pencher à la fois sur les actions et les discours des nouvelles branches de la société civile et celles des groupes militants plus traditionnels. Dans l'analyse de la vague de contestation actuelle, on dénote l'existence de deux pôles de la société civile : l'un émergent, soit le camp altermondialiste dans son ensemble ; l'autre plus traditionnel, soit les syndicats et les groupes pro-

10. Déclaration de Palatino, Sao Paulo, 14 juillet 1998.

gressistes. Selon la nature des dossiers, les ONG peuvent adhérer à la fois à ces deux pôles ou à un en particulier.

Nous ne nous penchons donc pas spécifiquement sur les activités des ONG, OBNL et associations qui font la promotion – souvent par le biais d'études scientifiques – de la libéralisation sans concession de l'économie mondiale, quoique nous fassions état des arguments qu'elles évoquent. En effet, l'Institut Fraser et l'Institut économique de Montréal[11], par exemple, émettent des rapports qui jouissent généralement d'une bonne diffusion et ont déjà été largement commentés. C'est d'ailleurs en partie pour dévoiler leurs mythes et expédients que militent les groupes altermondialistes comme ATTAC. Nous confronterons toutefois les thèses défendues par les partisans d'un « nouveau monde » à celles des adeptes du libéralisme et du libertarisme, qui militent pour la liberté individuelle et le retrait de l'État dans la gestion de l'économie. Nous excluons toutefois de cette étude les groupes de la société civile qui ne font pas la promotion du bien commun, lequel s'inscrit à notre avis dans une logique d'ouverture, et non de particularisme. Notre étude ne porte donc pas, par exemple, sur les groupes religieux qui prônent l'abstinence comme seul moyen de contrôle des naissances ou qui prêchent pour l'interdiction d'octroyer le droit d'affirmation sexuelle aux gais et lesbiennes. Enfin, sont exclus les groupes minoritaires qui font la promotion de valeurs marginales, comme les groupes racistes et les groupes intégristes.

La montée en force de la société civile engagée

Pour permettre à la société civile internationale de s'exprimer sur la scène internationale, l'ONU avait établi en 1948 des critères de participation des ONG à

---

11. Deux groupes de réflexion économique qui font l'apologie de la mondialisation libérale.

ses activités. À cette époque, seulement 41 d'entre elles étaient accréditées au Conseil économique et social. Aujourd'hui, elles sont plus de 2000 à être inscrites. Les groupes sociaux et les syndicats de pair avec les organisations patronales, font aussi partie intégrante de l'Organisation internationale du travail (OIT). Ce n'est toutefois pas le cas de toutes les institutions onusiennes : l'Union internationale des télécommunications, par exemple, est composée de membres provenant essentiellement des gouvernements et des représentants du secteur privé. Les ONG n'ont été invitées à participer qu'au Sommet mondial sur la société de l'information[12].

Au milieu du siècle, la société civile était encore un concept vague. Plus tard, dans les années 1970, la lutte des ouvriers polonais pour se libérer de la dictature communiste, incarnée par le mouvement Solidarnósc, a mené à la résurgence des mouvements sociaux dans les pays de l'Est. Ces mouvements populaires ont contribué à la chute du Mur de Berlin et à la fin des régimes communistes, démontrant la force de l'unanimité de la société civile. En Amérique latine, la réintégration de la société civile à la vie collective et la restauration de la culture publique ont aussi été prioritaires à partir de la moitié des années 1980, signalant la fin des régimes autoritaires. Cette période avait été marquée par une importante réduction des libertés civiles et une absence totale de liberté d'association.

Toutes ces influences ont ranimé la société civile à l'échelle de la planète. À partir des années 1980, les institutions de développement économique – notamment la Banque mondiale – s'ouvrent graduellement à la participation des organisations de la société civile. Les thèmes universels traités lors des grandes confé-

---

12. Jean-Louis Fullsack, *L'UIT, la vieille dame des télécommunications, dans la tourmente néolibérale*, Strasbourg, octobre 2002, à l'adresse http://www.csdptt.org/article148.html

rences de l'ONU attirent également des milliers de délégués d'ONG, notamment à la Conférence sur l'environnement et le développement à Rio en 1992 et à celle sur les femmes à Beijing en 1995. Ces événements constituent le terreau d'une nouvelle conscience citoyenne. Depuis le milieu des années 1990, la montée des résistances face à la mondialisation libérale a donné lieu à une véritable mondialisation sociale. Les coalitions axées sur la réduction de la dette des pays pauvres, la réforme des institutions financières internationales et le respect des droits sociaux et économiques se sont multipliées. Au Canada, de nombreux acteurs de la société civile se sont mobilisés pour tenter d'orienter les politiques mondiales. D'autres se sont faits les artisans d'une économie solidaire axée sur le bien-être des populations et l'inclusion sociale. Ils font partie d'un large mouvement d'opposition à ce qu'ils appellent la « mondialisation de la pauvreté », qui s'est manifesté de Seattle jusqu'au Forum social mondial de Porto Alegre et de Mumbai. C'est lors de ces rendez-vous contestataires que se discutent les possibles solutions alternatives au système libéral.

Un élément historique a stimulé cet engagement collectif: la première rébellion antinéolibérale, déclenchée au Mexique par l'Armée zapatiste de libération nationale le 1er janvier 1994 pour souligner l'entrée en vigueur de l'ALENA. Après avoir appelé la « société civile mondiale » à se mobiliser, les Zapatistes ont organisé avec la gauche latino-américaine deux « Sommets intergalactiques contre le néolibéralisme ». Les principaux objectifs du mouvement zapatiste étaient de réunir les mouvements de base opposés à l'actuel ordre économique et politique et de faciliter l'élaboration ainsi que la circulation d'approches alternatives[13]. Grâce à sa

13. Harry Cleaver (1999), *Computer-linked Social Movements and the Global Threat to Capitalism*, octobre 2002, http://www.eco.utexas.edu/facstaff/Cleaver/polnet.html

poésie révolutionnaire diffusée sur Internet, le sous-commandant Marcos – l'un des chefs de la guérilla zapatiste – a été une source d'inspiration pour les militants canadiens et internationaux, au même titre que les Paulo Freire, Noam Chomsky, Joseph Stiglitz et Naomi Klein. C'est donc le Sud qui, plus directement touché par les première vagues de privatisation, de restrictions budgétaires et de réduction de la taille de l'État, a donné le ton au combat idéologique contre le néolibéralisme et la politique étrangère américaine. À tel point que la gauche latino-américaine (en Argentine, au Brésil, au Venezuela et en Bolivie), exaspérée par la corruption des politiciens et les récents revers économiques, est en train de modifier le rapport de force entre citoyens et firmes transnationales. Rappelons à cet effet les manifestations contre la privatisation de l'eau à Cochabamba en 1999 et le retrait subséquent du consortium anglo-hispano-bolivien Eau du Tunari.

Cette prise de conscience de l'urgence d'agir pour accroître la solidarité internationale a incité les organisations sociales du Nord et du Sud à la concertation. Les groupes ecclésiastiques, qui dispensaient de l'aide humanitaire aux populations indigentes des pays en développement, ont été les premiers à tisser des liens avec des organisations locales des pays d'Afrique, d'Amérique et d'Asie. Avant les années 1990, chaque organisation œuvrait généralement dans sa sphère d'activité propre pour faire progresser sa cause. Mais plus récemment, la nature transfrontalière des causes défendues a favorisé le regroupement des forces sociales progressistes, illustré au Canada et au Québec par l'alliance de centrales syndicales, d'ONG, de groupes environnementalistes, communautaires, de femmes et d'Autochtones dans le dossier du libre-échange, notamment.

Les avancées de la globalisation ont aussi incité d'autres groupes contestataires de la base, plus radicaux, à se manifester. Ceux-ci se sont d'abord fait connaître par leur rejet massif de l'Accord multilatéral sur les investissements (AMI), un projet élaboré par près de 30 gouvernements au sein de l'OCDE en 1997 en vue de libéraliser les marchés de l'investissement. Ce projet s'inspirait directement de la clause sur l'investissement de l'ALENA, adoptée en 1994. Plusieurs groupes civils canadiens (tant du Québec, comme l'Opération SalAMI[14], que du reste du Canada, comme le Conseil des Canadiens), ont participé à cette lutte. Ce projet était vu comme une véritable « charte des droits et libertés des investisseurs », libres d'agir sur tous les territoires en vue de leur seul profit, sans entraves étatiques. Ce sont les mouvements sociaux canadiens et américains qui ont sonné l'alerte en premier lieu, suivis des Européens. Le gouvernement français a signé l'arrêt de mort de l'Accord en se retirant des négociations en octobre 1998. Cette victoire a constitué un événement significatif dans la lutte antinéolibérale. Un signal clair était lancé aux dirigeants de ce monde : la voix des opposants à la globalisation devait être entendue.

En novembre 1997, la rencontre de l'Organisation de coopération Asie-Pacifique, à Vancouver, a aussi été le théâtre de la révolte de militants altermondialistes, tel Jaggi Singh. Plusieurs groupes, dont Mobglob, les Raging Grannies et des étudiants sous la bannière du Democracy Street, manifestaient à l'ouverture du sommet. Le scandale du poivre de cayenne, transformé en commission d'enquête, a entraîné la tenue d'un procès médiatisé à l'issue duquel les policiers de la Gendarmerie royale du Canada ont été blâmés. Puis il y a eu Seattle, la célèbre manifestation à la réunion de l'OMC

14. Le groupe d'action directe Opération SalAMI, qui a été mis sur pied pour combattre l'Accord multilatéral sur les investissements, n'existe plus aujourd'hui.

à la fin novembre 1999, où 50 000 militants sont intervenus pour faire dérailler une nouvelle ronde de négociations. Le cycle de négociations du Millénaire visait à libéraliser l'industrie des services. Parmi plus d'un millier d'organisations de la société civile, une quarantaine de groupes canadiens étaient sur place : le Conseil du travail du Canada, le Conseil des Canadiens, Développement et Paix, Droits et démocratie et l'Opération SalAMI, entre autres, y avaient délégué leurs représentants. Certaines organisations canadiennes avaient été accréditées pour l'événement, comme la National Union, qui participait en même temps à l'immense manifestation organisée à l'initiative du puissant syndicat américain, l'American Federation of Labor – Congress of Industrial Organizations (AFL-CIO). Outre l'opposition des pays en voie de développement aux termes des négociations, le poids de la contestation altermondialiste – que la police n'a pas réussi à maîtriser – a rendu encore plus cuisant l'échec des négociations de Seattle. En raison de lacunes dans l'organisation de la conférence – les délégations africaines et sud-américaines ayant notamment été tenues à l'écart des discussions –, les ministres des 135 pays membres n'ont pas réussi à trouver un compromis.

C'est à Seattle que les médias et les dirigeants, voire le monde entier, ont pris pour la première fois la mesure de cette société civile altermondialiste organisée et efficace, luttant pour « une économie globale plus responsable et à l'écoute des préoccupations des citoyens[15] ». Quelque 1200 organisations de 87 pays (syndicats, groupes environnementaux, organisations vouées au développement international, associations de consommateurs, etc.) ont signé et remis aux ministres délégués aux négociations une pétition pour

15. Selon les termes de Bill Jordan, secrétaire général de la Confédération internationale des syndicats libres à cette époque.

réclamer l'arrêt des négociations à l'OMC. Encouragés par ce premier succès, les militants canadiens et québécois ont poursuivi leurs pressions lors des réunions de l'APEC, du G8, de l'OMC ou de la Zone de libre-échange des Amériques (ZLEA) pour réclamer un nouveau type de mondialisation et sensibiliser les autorités aux revendications qu'ils portaient au nom de nombreux citoyens canadiens et québécois.

Le Sommet des peuples de Québec, en avril 2001, a aussi été un moment fort de la lutte altermondialiste. Ce sommet, tenu à la suite des sommets parallèles de Belo Horizonte (Brésil) en 1997 et de Santiago (Chili) en 1998, rassemblait les partenaires sociaux des Amériques faisant front commun contre la ZLEA. Des ateliers ont été mis sur pied sur les thèmes liés au libre-échange et des séances d'étude ont été programmées pour aider les participants à mieux comprendre les effets de la mondialisation. Cette formule d'apprentissage et d'organisation, davantage axée sur l'expérience concrète des gens, a été adoptée pour éviter les discours trop théoriques. Le grand public a pu assister à plusieurs activités et conférences sur des situations vécues dans les 35 pays des Amériques. Une marche populaire pacifique, dont le parcours a été décidé en commun avec la Table de convergence de l'opposition pacifiste[16] et l'Opération Québec-Printemps 2001[17], a

16. Mise sur pied en octobre 2000, la Table de convergence de l'opposition pacifiste se présentait comme le « lieu de discussion et d'harmonisation pour les organisations animant des activités de nature pacifique dans le cadre du Sommet des Amériques ». Elle regroupait notamment Alternatives, l'Association québécoise pour un contrat mondial de l'eau, ATTAC-Québec, la Fédération des infirmières et infirmiers du Québec, la Fédération étudiante collégiale du Québec, la Fédération étudiante universitaire du Québec, FRAPRU, l'Opération Québec Printemps 2001, l'Opération SalAMI et le Syndicat de la fonction publique du Québec.

17. Créée en décembre 1999, Opération Québec Printemps 2001 avait pour objectif principal de discréditer et de combattre le projet de ZLEA. Coordonnée par ATTAC-Québec, cette coalition de groupes et d'individus de la région de Québec rassemblait notamment Alterna-

d'ailleurs rassemblé plus de 50 000 personnes. Ce Sommet a eu un retentissement médiatique considérable, contrastant par son côté festif et populaire avec l'allure de camp retranché du Sommet des Amériques, entaché par le recours à des moyens démesurés (balles de plastique, gaz lacrimogènes et emprisonnements arbitraires) de la part des autorités policières. Ces divers événements ont donné lieu à un éveil citoyen qui s'est traduit par des mobilisations fréquentes au niveau local, particulièrement en matière d'environnement : opposition aux mégaporcheries, au harnachage des rivières et aux industries polluantes.

Les altermondialistes canadiens et québécois ont d'autre part forgé des relations à l'échelle planétaire. En 2000, la Marche mondiale des femmes a été l'une des initiatives les plus marquantes. Devant le succès obtenu par la Marche « Du pain et des roses » en 1995, organisée pour combattre la pauvreté des femmes, la Fédération des femmes du Québec a eu l'idée d'une marche mondiale des femmes contre la pauvreté et la violence faite aux femmes, dans l'espoir d'avoir un impact international. Quelque 6000 groupes de femmes de 163 pays ont répondu à l'appel. Du 8 mars au 17 octobre 2000, une multitude d'activités (marches, rassemblements, colloques, caravanes, courses à relais, ateliers d'éducation populaire ou théâtre de rue) ont été organisées à l'échelle locale, tant au Québec qu'au Canada et ailleurs dans le monde. La Marche a culminé en une grande manifestation à New York, le 17 octobre 2000, devant les bureaux de l'ONU.

À cette occasion, les femmes ont exposé 17 revendications touchant la violence faite aux femmes, l'égalité,

---

tives, Les Ami(e)s de la Terre, l'Association de défense des droits sociaux du Québec Métro, ATTAC-Québec, la Casa latino-américaine de Québec, Carrefour Tiers-Monde, Développement et Paix, Entraide universitaire mondiale du Canada-Laval, Solidarité régionale Québec, le Syndicat de la fonction publique du Québec et la Fédération des femmes du Québec.

la lutte contre la pauvreté et la redistribution de la richesse. Une pétition de plus de cinq millions de signatures a été remise ce jour-là à la Secrétaire générale adjointe de l'ONU, Louise Fréchette. Une rencontre a aussi été aménagée avec la conseillère du secrétaire général en matière de condition féminine, Angela King. Les femmes ont poursuivi leur bataille : elles ont adopté la Charte mondiale des femmes pour l'humanité en décembre 2004 à Kigali, au Rwanda, lors de la 5e Rencontre internationale de la Marche mondiale des femmes. Cette charte, axée sur cinq valeurs fondamentales (égalité, solidarité, liberté, justice, paix), a traversé 53 pays en 2005, où elle a été officiellement déposée au Burkina Faso à l'occasion de la Journée internationale de lutte contre la pauvreté. La grande victoire de cette marche mémorable est sans aucun doute la mise sur pied d'un nouveau réseau féministe mondial permanent. « Nous avons rejoint et mobilisé des femmes de milieux très diversifiés et nous savons que nous représentons une force, un courant de pensée, un mouvement en développement », soutient Françoise David, initiatrice de la Marche mondiale des femmes.

Le réseautage des altermondialistes est donc en marche, à travers la formation de multiples coalitions. Pour mieux se concerter et trouver une issue aux politiques actuelles de libéralisation internationales, des centaines de Canadiens engagés, y compris les ex-ministres du Parti québécois Louise Beaudoin et Jacques Parizeau, se rendent maintenant au Forum social mondial. Ce forum alternatif se tient chaque année au même moment que le Forum économique mondial de Davos, pour y faire symboliquement contrepoids. Ce forum se veut un espace de rencontre et d'échange « entre les associations et mouvements de la société civile qui s'opposent au néolibéralisme et à la domination du monde par le capital et par toute forme d'impérialisme et qui se sont engagés dans la construction d'une société planétaire centrée sur l'être humain[18] ».

À partir de 2001, le Forum social mondial s'est tenu à Porto Alegre, dans le sud du Brésil, sauf en 2004, où les altermondialistes se sont rassemblés à Mumbai, en Inde, un pays où les problématiques Nord-Sud se posaient avec une grande acuité. Cet événement favorise la convergence altermondialiste : tous dénoncent la situation actuelle et demandent une meilleure participation citoyenne. Sans prôner la révolution, les altermondialistes exigent une mondialisation équitable, le respect des règles institutionnelles et des engagements internationaux de même que le rétablissement de la souveraineté des États. Ils s'en prennent également à la prédominance politique et financière des États-Unis. Les participants réclament notamment l'annulation de la dette internationale des pays pauvres ainsi que l'exclusion de l'éducation, de la santé, des services sociaux et de la culture du champ d'application de l'Accord général sur le commerce des services de l'OMC. Cependant, le Forum social mondial ne prétend pas parler au nom des participants, d'une étonnante diversité, et n'a jusqu'ici élaboré aucun programme pour la mise en œuvre d'une solution de rechange au capitalisme. L'organisation d'un contre-sommet antimondialiste au Forum social mondial de Mumbai en 2004, nommé Mumbai Resistance, a d'ailleurs montré les divergences d'opinion parmi les opposants à la mondialisation libérale en illustrant l'hétérogénéité des discours. Ce sommet réunissait des dissidents du mouvement altermondialiste qui rejettent la voie réformiste privilégiée par les autres participants.

En écho à ce rassemblement international, des Forums sociaux provinciaux et régionaux ont été réalisés à plusieurs endroits au Canada, notamment au

18. Selon la définition du Forum social mondial inscrite dans son propre site Internet à l'adresse : www.forumsocialmundial.org.br

Québec, en Ontario et en Alberta, pour trouver des solutions aux défis économiques et sociaux actuels et identifier des stratégies d'action communes. En 2006, des forums continentaux ont eu lieu à Bamako en Afrique, à Caracas en Amérique latine et à Karachi au Pakistan. Ces déclinaisons continentales, provinciales et régionales du forum mondial permettent non seulement aux centaines de militants qui y participent de réseauter et d'échanger sur différents thèmes (démocratie, environnement, communications, etc.), mais sont parfois à l'origine de la création de nouveaux regroupements activistes. Des campements jeunesse sont ainsi organisés annuellement au Québec, où les militants autogèrent durant plusieurs jours un village dans un esprit de solidarité et font l'expérience d'autres modes d'interaction sociale. Ces différentes formules favorisent le dialogue et la mise en commun d'idées progressistes. Toutefois, aucun forum social pancanadien n'a eu lieu jusqu'à présent, alors qu'un Forum social québécois se tiendra en juin 2006. Malgré leurs convictions communes et les nombreux liens qui les unissent, les militants francophones et anglophones ont encore des difficultés à arrimer leurs activités et à planifier conjointement des actions d'envergure.

La société civile au Canada et au Québec

Une distinction doit être faite entre la société civile canadienne et québécoise. Cette nuance reflète non seulement les nombreuses différences qui existent entre les cultures canadienne et québécoise, mais exprime l'écart qui existe entre les formes de militantisme privilégiées par les deux communautés. Ces choix reposent en partie sur l'idée que les projets progressistes québécois et ceux du reste du Canada s'inscrivent, pour la plupart, dans deux logiques distinctes. Les Canadiens, dans l'ensemble, appellent au renforcement de l'État social fédéral et demandent un financement plus généreux d'Ottawa, en santé et en éducation notamment. Les Canadiens ont ainsi appuyé les recommandations du Rapport Romanow, qui proposait au gouvernement fédéral de jouer un rôle fondamental dans l'amélioration des soins de santé au Canada. Les organisations sociales canadiennes ont aussi approuvé les Bourses du Millénaire sans critiquer l'intrusion fédérale dans le secteur de l'éducation, un champ de compétence pourtant provincial. Les Québécois, quant à eux, militent dans la plupart des cas pour que soient bonifiés les budgets alloués aux dépenses de santé et d'éducation. Toutefois, ils demandent que ceux-ci soient pris en charge par l'État québécois. Cela dit, les intérêts de deux communautés coïncident souvent dans les causes à saveur internationale, notamment lorsqu'il est question d'effacement de la dette internationale, d'augmentation de l'aide étrangère ou de promotion de la paix.

Du point de vue structurel, il est vrai que certains dossiers peuvent difficilement franchir la frontière canado-québécoise. La portée de l'action que mène le Front d'action populaire en réaménagement urbain qui revendique davantage de logements sociaux, par exemple, est limitée au Québec vu que la législation qui touche au logement relève d'une prérogative provinciale. Le poids de la « différence » québécoise semble être à la fois un obstacle aux projets progressistes pancanadiens et une réalité sociologique. Pour cette raison et malgré leur proximité sur le plan des actions, ces deux acteurs – canadien et québécois – se distinguent et demeurent autonomes du point de vue de l'organisation et du discours.

Cela étant dit, on peut identifier certaines tendances idéologiques générales chez les mouvements sociaux qui se prononcent au sujet de la globalisation. Selon Jan Aart Scholte[19], certains éléments de la société civile

19. Jan Aart Scholte, *op. cit.*, p. 4.

cherchent à transformer radicalement l'ordre social dans son ensemble. La société civile comprend aussi des éléments réformistes qui visent une révision modeste des termes de la gouvernance actuelle, ainsi que des éléments conformistes qui veulent renforcer les règles établies. En fait, bon nombre d'initiatives de la société civile se caractérisent par un mélange de tendances radicales, réformistes et conformistes. Pour le bénéfice de notre étude, nous divisons la société civile canadienne et québécoise en trois groupes, pour lesquels nous développons une typologie distincte. Celle-ci met l'accent tant sur la position des acteurs concernés face au processus de la mondialisation que sur la proximité des liens qu'ils entretiennent avec les pouvoirs étatiques.

Le premier groupe concerne les « conformistes », c'est-à-dire les libéraux et les libertariens, qui souhaitent une application plus stricte et plus complète des principes libéraux. Alors que les libéraux entretiennent des rapports cordiaux avec les autorités, qu'ils conseillent en matière d'économie, les libertariens sont plutôt considérés comme un groupe marginal. Le second groupe peut être identifié sous le vocable « réformiste ». Il comprend les acteurs « institutionnels », qui cherchent à moduler certains secteurs précis de la mondialisation libérale et acceptent de se prévaloir des pouvoirs que leur lègue l'État. Il inclut également les acteurs « solidaires » : ses militants acceptent de participer à la mondialisation dans son ensemble mais cherchent à réformer et à repenser la plupart des processus libéralisants. Le troisième groupe rassemble les contestataires, anarchistes et radicaux qui critiquent sinon la mondialisation dans son ensemble, du moins sa déclinaison libérale, et refusent de participer à tout processus qui la favorise.

Les conformistes

D'un côté du spectre politique, on retrouve certains instituts et groupes de droite qui appuient non seulement le libéralisme dans toutes ses dimensions, mais prônent son application plus intégrale afin de permettre l'émergence d'une véritable liberté individuelle dans tous les secteurs d'activité. L'Institut économique de Montréal, l'Institut Fraser à Vancouver, l'Atlantic Institute for Market Studies à Halifax, le Frontier Center for Public Policy à Winnipeg, l'Institut C. D. Howe et l'Institute for Competitiveness and Prosperity à Toronto sont les fleurons de cette philosophie. Moins bien connus du public, les libertariens y adhèrent aussi. Ce mouvement minoritaire inspiré de l'école autrichienne fondée par Carl Menger, dont les principaux successeurs sont Friedrick Hayek et Murray Rothbard, croit pouvoir apporter des solutions au débat actuel sur la mondialisation. À l'encontre des altermondialistes, les libertariens s'opposent à l'interventionnisme étatique et aux mouvements collectivistes, de gauche comme de droite, qui visent à enrégimenter les individus. À certains égards, ils entrent ainsi en contradiction avec le courant néolibéral dominant aux États-Unis, qui est plutôt l'héritier de l'École de Chicago. Ce regroupement d'économistes d'adhérence néoclassique personnifié par Milton Friedman[20] défend aussi le libre marché. Mais contrairement aux partisans de l'école autrichienne, plusieurs des économistes de Chicago ont tendance à appréhender des défaillances du marché et à solliciter l'intervention de l'État pour les corriger, « voulant ainsi créer une situation optimale répondant à leurs définitions artificielles de la rationalité et de l'efficacité[21] ». Les libertariens jugent ce type de politi-

20. Milton Friedman, *Capitalism and Freedom*, University of Chicago Press, 2002, 208 p., et *Free to Choose*, Harcourt, 1990, 338 p.

21. Francis Dumouchel, « Les factions du mouvement libertarien », *Le Québécois libre*, n° 15, octobre 2005.

ques incohérentes et revendiquent une meilleure application du droit de propriété dans toutes les sphères économiques. Les internautes qui s'intéressent à ce type de pensée peuvent se référer depuis 1998 au magazine *Le Québécois libre*, un webzine[22] associé au libertarisme qui fait la promotion de la liberté individuelle, de l'économie de marché et de la coopération volontaire comme fondements des relations sociales.

Les réformistes

Les organisations réformistes exigent certaines réformes ou ajustements aux termes de la mondialisation pour qu'elle puisse bénéficier aux secteurs les plus démunis de la population et protéger les acquis sociaux des autres. Selon la nature de ces réformes et le type de collaboration qu'ils entretiennent avec les pouvoirs publics, les groupes réformistes peuvent être classés en deux catégories : les « institutionnels » et les « solidaires ». Alors que les institutionnels sont associés à des groupes ou instituts entretenant une relation formalisée avec les gouvernements, les groupes solidaires (ONG, syndicats, groupes de femmes et associations diverses) sont souvent identifiés à la mouvance altermondialiste, de même que les groupes contestataires, anticapitalistes et radicaux auparavant qualifiés d'antimondialistes.

Les institutionnels

Les organisations de type institutionnel comprennent des fondations et des centres de recherche dont les études sont axées principalement sur les politiques gouvernementales. Elles sollicitent certaines réformes dans l'économie et la gouvernance mondiale, mais elles adoptent une stratégie inclusive face aux représentants gouvernementaux. C'est donc dire qu'elles acceptent de coopérer avec les autorités canadiennes et les institutions internationales par l'entremise des canaux

22. Voir www.quebecoislibre.org

officiels de participation. Elles se prêtent à cet exercice non seulement pour orienter les politiques de développement sur les plans national et international, mais aussi pour assurer une meilleure présence de la société civile dans les officines du pouvoir. Elles basent leur argumentation sur des recherches sociopolitiques ou socio-économiques et multiplient leurs contacts en haut lieu pour faire aboutir leurs recommandations. Les résultats de leurs études sont d'ailleurs destinés aux acteurs politiques nationaux et internationaux, qui assurent une bonne part de leur financement. Elles fournissent ainsi au grand public, à l'État et aux institutions internationales des données, des statistiques et des rap-ports sur les enjeux étudiés tout en coordonnant des consultations auprès de la société civile à l'échelle nationale.

Ces groupes, qui n'ont pour la plupart ni membres ni adhérents, contribuent à faire évoluer le débat sur la mondialisation sans toutefois souscrire à des positions qui mèneraient à des transformations radicales. Quoiqu'ils entretiennent des relations formelles ou informelles avec des ONG et certaines coalitions canadiennes altermondialistes, les acteurs institutionnels n'appartiennent pas à proprement parler au mouvement altermondialiste. Cependant, le discours véhiculé à travers leurs recherches suggère une amélioration des règles et des institutions qui régissent le développement. Dans la construction de la ZLEA, par exemple, leur principal objectif est de créer un consensus sur l'importance de la gouvernance démocratique et de l'élaboration de politiques sociales et environnementales progressistes, par l'intermédiaire de leur participation aux Sommets des Amériques. Ces organisations sont ainsi prêtes à mettre moins d'accent, à court ou moyen terme, sur les questions reliées au libre-échange traitées dans le cadre du processus de négociation ministériel. Cela dans le but de renforcer les canaux officiels de participation de la société civile et d'exercer une plus grande influence auprès des gouvernements[23]. À titre d'exemple, ce type de groupes peut être représenté au Canada par l'Institut Nord-Sud, la Fondation canadienne pour les Amériques, Human Right Internet, Droits et démocratie et l'Institut du Nouveau Monde.

La Fondation canadienne pour les Amériques, par exemple, travaille à approfondir et à renforcer les relations du Canada avec les pays d'Amérique latine et des Antilles, par le biais d'analyses et de discussions sur les orientations politiques canadiennes.

Créée en 1988 par une loi parlementaire, Droits et démocratie a pour mandat de défendre les principes de droits humains définis dans la Charte internationale des droits de l'homme de l'ONU en encourageant la coopération canadienne avec les pays en développement. L'ONG octroie aussi des fonds à des organisations qui effectuent des actions urgentes en faveur de droits humains et tente d'influencer les décisions de l'ONU en matière de droits humains. « L'une des façons d'assurer le respect des droits humains est de renforcer la capacité de la société civile à les défendre », affirme Diana Bronson, coordonnatrice du service Mondialisation et commerce au sein de l'organisme[24].

Au Québec, l'Institut du Nouveau Monde, fondé en 2004, se veut un organisme indépendant et non partisan dédié au renouvellement des idées et à l'animation de débats publics. Grâce à l'assistance d'experts, il favorise la prise de position des citoyens face aux enjeux importants du Québec dans un contexte de mondialisation. Il a notamment mis sur pied une université d'été où des centaines de jeunes sont conviés pendant quelques jours à se renseigner et à donner leur opinion sur des sujets

---

23. Roberto Patricio Korzeniewicz et William C. Smith, *Protest and Collaboration : Transnational Civil Society Networks and the Politics of Summitry and Free Trade in Americas*, North-South Center, University of Miami, septembre 2001, p. 13.

24. Entrevue réalisée en août 2001.

de l'heure. L'Institut souhaite ainsi stimuler l'émergence de solutions novatrices aux problèmes du Québec contemporain et inspirer une démocratie plus participative. Il a réussi à s'assurer l'écoute des décideurs, notamment celle du gouvernement québécois qui sollicite un bilan des opinions exprimées.

Malgré un faible appui du public[25], puisque la mobilisation ne fait pas partie de leur mandat, les groupes institutionnels arrivent à influencer le discours des élites politiques. Dans certains cas, les États leur délèguent même une certaine autorité ou les encouragent à élaborer des mesures d'autoréglementation dans certains domaines. Plutôt que d'entretenir avec eux des relations conflictuelles, les gouvernements financent l'organisation de réseaux transnationaux susceptibles de trouver des solutions et de jouer un rôle dans la mise en place et l'application de politiques sensibles[26].

Les solidaires

Les organisations « solidaires » constituent une société civile professionnelle (œuvrant au sein d'organisations bien établies), revendicatrice mais généralement respectueuse des processus institutionnels de dialogue. La solidarité – à l'échelle sectorielle, ethnique, nationale ou internationale – constitue leur principal moteur. D'une grande hétérogénéité, elles comprennent des ONG et des groupes établis (syndicats, associations ecclésiastiques, de femmes, d'étudiants, d'Autochtones, etc.) reconnus légalement, qui disposent de personnel et peuvent compter sur l'appui de bénévoles. Ces organisations représentent davantage les intérêts populaires que ceux des gens d'affaires ou des nantis. Elles acceptent généralement certaines prémices du mode de production capitaliste, mais

25. À l'exception de l'Institut Nord-Sud.
26. Roberto Patricio Korzeniewicz et William C. Smith, *op. cit.*

exigent des réformes de taille afin de réaménager la mondialisation libérale de manière à ce qu'elle profite à un plus grand nombre. Afin d'augmenter leur efficacité, elles ont développé une culture administrative qui leur permet d'intervenir à l'intérieur des institutions hautement bureaucratisées qu'elles dénoncent.

Le mouvement syndical

Dans le cadre de la globalisation, la capacité d'action des syndicats a été affaiblie en raison de la perte d'importance du territoire national dans les stratégies d'affaires et de l'application des politiques néolibérales. La négociation avec les firmes transnationales se heurte souvent aux impératifs de la concurrence et aux menaces de délocalisation et de sous-traitance. Mais contrairement aux États-Unis, où le taux de syndicalisation a constamment reculé depuis 1964 pour atteindre 12,9 % en 2004, le Canada demeure un pays où les syndicats ont encore une voix relativement forte. Plus de quatre millions de travailleurs y étaient syndiqués en 2004. En 2003, la proportion des travailleurs salariés affiliés à un syndicat se situait à 41,2 % de la main-d'œuvre employée au Québec et à 32,4 % au Canada. C'est au Québec, où la société est axée sur la concertation et le compromis social, que la proportion de syndiqués est la plus élevée parmi toutes les juridictions nord-américaines[27]. Toutefois, le type d'adhésion syndicale au Québec, qui ne se fait pas par un vote secret, est contesté par certains employeurs comme Wal-Mart.

Pour renforcer son membership et assurer des conditions plus avantageuses à ses travailleurs, le mouvement syndical fournit donc d'importantes ressources dans l'organisation des mobilisations contre les projets actuels de libéralisation économique. Ainsi, le Congrès

27. D'après Michel Kelly-Gagnon, président de l'Institut économique de Montréal, *Les Affaires*, samedi 2 octobre 2004.

des travailleurs du Canada, le Syndicat des métallos, le Syndicat des travailleurs de l'automobile, le Syndicat canadien des fonctionnaires, la Confédération des syndicats nationaux et la Fédération des travailleurs du Québec ont un poids réel dans les coalitions altermondialistes canadiennes et québécoises. « Le mouvement syndical est un agent progressiste. La préoccupation du développement social, où les travailleurs auraient leur juste part des bénéfices potentiels de la mondialisation, est au cœur de son action », assure Pierre Laliberté, économiste principal au département de politique économique et sociale du Congrès du travail du Canada[28].

La prédominance des représentants du milieu syndical dans le réseautage altermondialiste a permis aux militants de petites ONG ou d'autres organisations de profiter de la légitimité démocratique accordée aux syndicats et d'obtenir la structure bureaucratique nécessaire pour bâtir un mouvement solide. Les syndicats sont en position de force non seulement par la taille de leurs effectifs et leur représentativité, mais aussi par leur capacité d'organisation et les moyens financiers dont ils disposent. Cependant, l'exercice du leadership syndical peut parfois entraîner des tensions avec les autres groupes en raison de différences de stratégie et de fonctionnement, sans parler de la suprématie des syndicats dans le mouvement social. Préoccupés de conserver les emplois de leurs membres, de nombreux syndicats en Occident sont plus frileux face aux solutions alternatives[29]. Les divergences des syndicats québécois avec les organisations communautaires et populaires ont notamment mené, en novembre 2001, à la disparition de la coalition Solidarité populaire Québec, un lieu de rassemblement qui réunissait le

28. Entrevues réalisées en juillet 2001 et novembre 2004.

29. « Désaccords féconds », *Relations*, n° 695, septembre 2004, p. 16.

mouvement syndical, les groupes de femmes et le milieu populaire. La prédominance des acteurs syndicaux dans le Forum social régional de Québec Chaudières-Appalaches en 2002 a aussi entraîné la désertion de plusieurs participants. De plus, la tenue d'un Forum social québécois en 2004 a été reportée à plus tard à cause du refus des syndicats d'y participer.

Les ONG

Parmi les groupes qualifiés de réformistes, les grandes ONG internationales qui possèdent un chapitre au Canada (Oxfam-Canada et Oxfam-Québec, Amnistie Internationale – branches canadienne-anglaise et française, Greenpeace Canada, le Sierra Club du Canada, Médecins du monde, Résultats-Canada, etc.) jouent un rôle important. Sans remettre en cause le capitalisme dans ses fondements, ces ONG en font une critique virulente. Leurs dirigeants ont compris qu'ils devaient exiger de la part des entreprises la mise en place de mesures socialement responsables. Dans ce sens, elles répondent aux vœux de leurs militants, qui sont souvent membres d'autres regroupements altermondialistes.

Poussées vers la gauche par les altermondialistes, les ONG s'engagent de façon ponctuelle dans certaines campagnes altermondialistes qui concordent avec leurs préoccupations. Avec une restriction, cependant. Leur combat n'est pas de changer le monde, mais de l'humaniser en réalisant leur propre mission : lutte contre la torture, aide aux réfugiés et aux démunis, protection de l'environnement, etc. Oxfam, par exemple, allègue que l'expansion du commerce international constitue le meilleur outil pour venir en aide aux populations défavorisées. Cette affirmation élémentaire a semé toute une controverse dans les rangs altermondialistes, qui considèrent que le marché seul ne peut garantir le développement. Selon eux, le développement d'un pays ne peut reposer essentiellement sur l'exportation, notamment d'excédents agricoles, alors qu'une part importante de sa population ne trouve pas à se nourrir.

Certaines ONG nationales comme Alternatives, Kairos, Développement et Paix ou le Conseil des Canadiens, sont de véritables moteurs du mouvement altermondialiste canadien. Pour Alternatives, par exemple, l'intégration hémisphérique axée sur le développement socioéconomique est un thème prédominant. L'organisation travaille notamment en réseau avec les organisations civiles du Marché commun du Cône Sud et ses membres ne peuvent rester indifférents aux revers économiques vécus par ces différents pays. Ce réseautage facilite l'analyse et la compréhension des conséquences sociales de la libéralisation, des politiques de la Banque mondiale ou des impacts environnementaux. Plusieurs séminaires sur les conséquences des accords de libre-échange pour les travailleurs ont en effet été organisés au Chili et au Mexique. « Nous avons multiplié les échanges avec le Sud et approfondi les débats sur les effets des changements politiques et économiques », affirme Marcela Escribano, ex-responsable de la mobilisation chez Alternatives[30]. En raison de son expertise internationale et de sa position géographique, l'organisme a coordonné la tenue du Sommet des peuples de Québec, au nom du Réseau québécois d'intégration continentale.

Les campagnes des associations religieuses ont également eu un écho important. Les églises canadiennes membres des Initiatives canadiennes œcuméniques pour la justice, maintenant appelées Kairos, ont notamment lancé au Canada la campagne du Jubilée 2000 pour faire annuler la dette des pays pauvres en 1990. Développement et Paix, quant à elle, s'est alliée

30. Entrevue réalisée en septembre 2003.

à d'autres associations pour obtenir une augmentation du budget canadien de l'aide internationale, dénoncer le brevetage du vivant et revendiquer l'accessibilité à l'eau potable pour tous. Ce travail de sensibilisation requiert beaucoup de créativité de la part des employés. « Il faut une bonne dose d'idéalisme dans ce métier, croire qu'on peut encore changer le monde ! », lance Hélène Gobeil, coordonnatrice des activités d'éducation et de sensibilisation. De son côté, le Conseil des Canadiens a fait campagne non seulement contre la ZLEA et l'Accord sur le commerce des services de l'OMC, mais contre une intégration continentale accrue dans le cadre de l'ALENA. Elle est ainsi l'un des leaders des campagnes visant à préserver la souveraineté canadienne et les services publics. Outre les grandes ONG, on retrace aussi une foule de petites associations, incluant des coalitions formées de façon circonstancielle pour défendre des causes spécifiques, comme la Coalition-Vert-Kyoto, par exemple.

Les groupes de femmes et d'étudiants

Certains groupes de femmes et d'étudiants sont aussi très actifs dans la contestation de la mondialisation actuelle. Le mouvement féministe canadien est une figure de proue du mouvement altermondialiste. Parmi les féministes engagées dans cette mouvance, on retrouve l'Alliance féministe pour l'action internationale, le Comité canadien de la Marche mondiale des femmes, le Comité canadien d'action sur le statut de la femme, la Fondation canadienne des femmes, la Fédération des femmes du Québec et Cybersolidaires.

Les fédérations étudiantes se sont également mobilisées contre la mondialisation et ses effets sur l'accès à l'éducation. L'un de leur porte-étendard est la Fédération canadienne des étudiants, créée en 1981 pour traiter des problèmes pancanadiens reliés à l'éducation et aux politiques canadiennes. La Fédération représente

62 % des syndicats étudiants à travers le pays, soit 450 000 étudiants. Les fédérations étudiantes provinciales, comme la Fédération étudiante universitaire du Québec, partagent aussi le même combat pour l'accès à l'éducation. L'Association pour la solidarité syndicale étudiante, une organisation québécoise, défend pour sa part la gratuité scolaire pour tous et s'oppose à l'accord de libre-échange hémisphérique tel que négocié actuellement. Ces organisations ont un important potentiel de mobilisation : par exemple, la revendication des étudiants québécois en 2005, visant à récupérer les 103 millions $ retirés du régime des prêts et bourses par le gouvernement Charest, a donné lieu à une contestation étudiante sans précédent. Les Groupes de recherche d'intérêt public (Public Interest Research Group), lancés par l'activiste américain Ralph Nader, ont aussi essaimé dans tous les campus universitaires canadiens. On en compte aujourd'hui une vingtaine en Ontario, au Québec (Concordia et McGill), en Nouvelle-Écosse et en Colombie-Britannique. Ces groupes ont le mandat d'effectuer des recherches, de la formation et des activités sur les enjeux sociaux et environnementaux dans le cadre de la mondialisation.

Les centres de réflexion académique

Certains centres universitaires canadiens occupent une place importante dans la critique de la mondialisation et la proposition de solutions de rechange. Le Groupe de recherche sur l'intégration continentale, de l'Université du Québec à Montréal, est l'un des groupes fondateurs du Réseau québécois sur l'intégration continentale[31]. Il a observé avec attention le déroulement des

31. Le RQIC est formé d'une vingtaine d'organisations, soit : Amnistie internationale, Section canadienne francophone, l'Association canadienne des avocats du mouvement syndical, l'Association québécoise des organismes de coopération internationale, la Centrale des syndicats démocratiques, la Centrale des syndicats du Québec, le Centre d'études sur les régions en développement de l'Université

processus de négociation de l'Accord de libre-échange avec les États-Unis, de l'ALENA et de la ZLEA, en informant le public des facteurs positifs et négatifs de ces accords. Plusieurs centres de recherche se penchent également sur les questions de justice sociale et économique, tel le Centre canadien de politiques alternatives, basé à Ottawa, qui tente de proposer une solution aux politiques sociales et économiques actuelles. Pour sa part, le Conseil canadien de développement social travaille en vue d'une meilleure sécurité sociale et économique pour tous les Canadiens. Il y a aussi l'Institut Polaris, qui a été fondé pour appuyer les mouvements citoyens à la suite de l'entrée en vigueur des accords de libre-échange en Amérique. Les recherches de l'Institut portent notamment sur les activités biotechnologiques de l'industrie agro-alimentaire et pharmaceutique, ainsi que sur l'influence des sociétés de biotechnologie sur les politiques et les règlements publics. L'Institut forme et outille les organisations civiles en les aidant à développer des campagnes d'information et des stratégies efficaces. La Chaire de recherche du Canada en développement des collectivités, créée en 1995, contribue en outre à l'avancement de la théorie et des pratiques reliées au développement local et régional, aux organisations communautaires, à la nouvelle économie sociale et aux politiques publiques. Elle effectue des recherches dans une perspective Nord-Sud à l'échelle locale, nationale, continentale et internationale.

McGill, le Centre international de solidarité ouvrière, le Centre québécois du droit de l'environnement, la Confédération des syndicats nationaux, le Conseil central de Montréal métropolitain, CUSO-Québec, Développement et Paix, la Fédération étudiante collégiale du Québec, la Fédération étudiante universitaire du Québec, la Fédération des femmes du Québec, la Fédération des travailleurs et travailleuses du Québec, la Fédération des infirmières et infirmiers du Québec, le Groupe de recherche sur l'intégration continentale de l'UQAM, la Ligue des droits et libertés, le Réseau québécois des groupes écologistes, le Syndicat de professionnelles et professionnels du gouvernement du Québec.

Les radicaux et anarchistes

On retrouve également parmi la communauté altermondialiste canadienne les groupes contestataires[32] (radicaux et anarchistes) qui dénoncent les effets de la globalisation et militent notamment contre la guerre, le racisme, la pauvreté et l'exclusion sociale. D'entrée de jeu, ces associations refusent le capitalisme et acceptent de poser des gestes illégaux pour affirmer leurs convictions. Leurs militants ont ainsi été associés à des antimondialistes par les médias. Opposées au lobbying et à la négociation avec les autorités, ces organisations antiréformistes choisissent plutôt la dénonciation et la confrontation avec les pouvoirs. Formées en majorité de jeunes, elles se différencient par les moyens qu'elles utilisent pour « brasser la cage » des pouvoirs établis : manifestations où elles souscrivent à toutes les tactiques, incluant la désobéissance civile et les actions directes (comprenant le recours à la violence dans certains cas), ateliers d'éducation populaire, conférences, repas communautaires, festivals, etc. On y retrouve ici une société militante associée à l'anarchisme.

Certains groupes et associations de la base militante en font partie, telles la Convergence des luttes anticapitalistes (CLAC), la Ontario Coalition Against Poverty et Check your Head. Cependant, ces groupes se font et se défont souvent au gré de la conjoncture politique, en fonction des causes débattues, des ressources financières qu'ils possèdent et de l'intérêt qu'ils suscitent auprès de la population. Leurs militants s'intègrent alors au sein de nouvelles coalitions portant les causes de l'heure. C'est entre autres les cas de Mobilization for Global Justice (ou MobGlob) à Vancouver et de Mob4Glob à Toronto, qui avaient pris naissance dans

32. Une liste partielle de ces groupes se retrouve notamment sur le site Internet www.activist.ca.

la foulée de la rencontre de l'OMC à Seattle en 1999 et du Sommet des Amériques de 2001. Dans le cas de Mob4Glob, les membres du regroupement torontois se sont séparés en 2003 et participent maintenant à diverses campagnes, notamment celle en faveur de la paix au Moyen-Orient.

Des milliers de jeunes radicaux affichent une attitude ultracritique face au discours économique monochrome néolibéral et prêchent pour une lente révolution. D'influence marxiste, ils s'opposent radicalement à la philosophie du marché en faisant plutôt la promotion de l'organisation communautaire et de la démocratie directe. « Nous ne voulons pas d'un monde où les personnes sont vues comme des ressources à exploiter, la culture comme un marché de disque ou de vidéo », dit Jaggi Singh, membre de la Convergence des luttes anticapitalistes (CLAC) et du Mouvement Solidarité pour les droits humains des Palestiniens. Selon lui, il ne suffit pas de contester le FMI, l'ALENA ou le G8, il faut s'attaquer aux racines mêmes du système capitaliste et contester farouchement l'expansion du mode de vie américain. « L'impérialisme existe depuis longtemps déjà. On ne peut pas changer seulement les meubles, il faut changer la maison au complet. On ne peut pas convaincre un tigre de devenir végétarien ! », explique Jaggi Singh.

Les militants radicaux refusent ainsi toute forme de compromis avec les pouvoirs établis. « La négociation avec les tenants du néolibéralisme résulte obligatoirement en la cooptation ou la marginalisation », croit Jaggi Singh. La rue est donc devenue pour eux un lieu d'expression. La désobéissance civile et l'action directe font maintenant partie de leurs stratégies d'engagement. Désillusionnés par les moyens pacifistes qui « victimisent » leurs tenants, ils estiment que le caractère destructeur du néolibéralisme justifie leurs éventuels actes de violence ou de vandalisme. Leur apprentissage politique se fait donc à travers le combat contre le capitalisme sauvage et la défense de leur droit de manifester. C'est leur façon à eux de s'intéresser à l'économie mondiale, dont ils craignent de devenir eux-mêmes les prochaines victimes. Ils tentent ainsi de freiner l'expansion des multinationales exploitant les travailleurs et revendiquent une place pour l'humain dans une société automatisée. Ils dénoncent aussi l'absurdité de la guerre et appuient les réfugiés dans leurs démarches d'immigration, tout en faisant la promotion de la liberté de circulation. La coalition « Personne n'est illégal », par exemple, a combattu à maintes reprises l'expulsion des réfugiés algériens hors du Canada.

L'une des caractéristiques de ces nouveaux groupes, c'est qu'ils sont inclusifs. Leurs effectifs sont fluides, tout comme leurs têtes dirigeantes. Aucun chef n'est assigné et tous les adhérents sont sur un pied d'égalité. Leur mode d'échange et de communication est bénévole, réciproque et horizontal[33]. « Cela signifie qu'un individu peut faire partie de plusieurs groupes à la fois, ou changer de groupe lorsque l'activité de celui-ci se modifie », explique Garth Mullins, économiste et militant de la première heure à Vancouver. « Certains individus ne font partie d'aucun groupe, mais sont présents lors d'événements spécifiques. Ils n'ont donc pas d'allégeance envers un groupe, mais plutôt envers le mouvement dans son ensemble », ajoute-t-il. Voilà qui illustre bien l'absence de hiérarchie dans ce mouvement qui s'est développé grâce à Internet et aux médias alternatifs. La structure souple de ce mouvement dissident permet l'inclusion permanente de nouveaux adhérents. Afin d'accroître leur force d'intervention et leurs effectifs, les différents groupes qui en font partie ont eux aussi cherché à étendre leurs alliances et se sont

---

33. Margaret Keck et Katryn Sikkink, *Activists Beyond Borders: Advocacy Networks in International Politics*, Ithaca, N.Y., Cornell University Press, 1998.

intégrés à des réseaux mondiaux partageant la même philosophie, comme l'Action mondiale des peuples.

Des rapprochements entre réformistes et radicaux ont eu lieu à certaines occasions. Parfois, les organisations plus radicales mènent conjointement des activités avec leurs collègues réformistes, en particulier dans le dossier de la ZLEA. Avant de mettre fin à ses activités, l'Opération SalAMI, entre autres, organisait annuellement des camps de formation sur la désobéissance civile, auxquels participaient des activistes de toutes provenances. Les actions de désobéissance civile ont un impact médiatique réel et provoquent à court terme une vive réaction de la part des chroniqueurs et des politiciens, mais il est difficile de mesurer leurs répercussions à long terme. Nous tenterons de cerner davantage les tenants et les aboutissants de cette question dans la troisième section du chapitre 3.

La CLAC, l'Ontario Anti-Poverty Coalition et le Vancouver Anti-Poverty Committee comptent parmi les groupes les plus radicaux. Leur financement provient essentiellement de leurs membres. Créée en 2000 en prévision du Sommet des Amériques de Québec, la CLAC est composée en majorité de jeunes. Elle comprend quelques centaines de membres à Montréal, dont plusieurs sont actifs dans divers comités de travail. L'organisation a notamment pris position contre la brutalité policière, la ZLEA, la rencontre des chefs d'États du G8 à Kananaskis, et a appuyé la lutte en faveur du logement social et des droits des immigrants et des réfugiés. La Ontario Anti-Poverty Coalition, née à la fin des années 1980 dans le contexte de la réforme du bien-être social, est basée à Toronto mais travaille en partenariat avec la CLAC. Elle organise des campagnes de sensibilisation et d'action directe contre la pauvreté en Ontario. Ses membres assistent légalement ou prêtent main-forte aux personnes démunies, aux Autochtones, aux étudiants ou aux immigrants qui font face à l'éviction de leur loyer, à la coupure de leurs prestations d'assistance sociale et à la déportation. La coalition torontoise collabore aussi avec le Tenant Action Group (TAG), de Belleville en Ontario, un regroupement de pauvres fermement anticapitalistes. TAG est prêt à aller jusqu'à l'affrontement avec les autorités pour aider les citoyens dans la misère à retrouver leur dignité. Le Vancouver Anti-Poverty Committee est une organisation indépendante qui rassemble des travailleurs et des démunis qui se portent à la défense des pauvres, militent pour faire respecter leurs droits et tentent de mettre fin à la pauvreté. Le Comité de Vancouver a recours à des actions directes, à des manifestations et effectue des enquêtes pour combattre la brutalité policière. Opposé à toute forme de racisme, de sexisme et d'homophobie, ce Comité entretient des liens avec d'autres mouvements progressistes à l'échelle nationale et internationale qui luttent contre la pauvreté et l'injustice. D'autres groupes utilisent des moyens de sensibilisation originaux, mais plus conventionnels. Ils privilégient notamment la formation des jeunes par le biais d'ateliers sur les questions de droits humains, d'environnement, de libre-échange et de démocratie. C'est le cas de Check Your Head, un centre de formation sur la mondialisation basé à Vancouver dont les opérations ont débuté en 1999.

Les médias alternatifs

La concentration des médias au Canada remet en cause la qualité et la diversité de l'information qui circule au pays. Sonia Rochette, du Centre des médias alternatifs du Québec (CMAQ), considère que la liberté de presse et de parole, éléments essentiels de la démocratie, est mise en péril par les mégafusions dans l'industrie médiatique. « Cette concentration de la presse est caractérisée par un contrôle de plus en plus serré des idées et de l'information disponible », soutient-elle. Plusieurs militants vilipendent le traitement qu'ils jugent « scandaleusement partial » des médias à l'égard des groupes sociaux. « La plupart des médias sont contraints de rapporter le *human interest*, le scandale », allègue Philippe Duhamel, ancien porte-parole du défunt groupe Opération SalAMI.

En guise de contrepoids au discours véhiculé par la plupart des médias de masse – qu'ils jugent conservateur –, les militants canadiens ont créé des médias alternatifs dans le but de fournir à la population de nouvelles sources d'information et de nouveaux outils éducatifs. Internet occupe aujourd'hui une place prépondérante dans la diffusion des idées : plusieurs médias alternatifs ne publient que sur la toile. De nombreux activistes se sont donc reliés à l'Independent Media Center (Indymedia), un réseau médiatique indépendant à l'échelle mondiale formé lors de la rencontre de Seattle. Indymedia se distingue par le partage d'informations et le dialogue. Les journalistes indépendants, y compris les citoyens, sont invités à écrire et à diffuser leur message sur les sites d'Indymedia. Très peu de travail éditorial est effectué pour garder la spontanéité des communications. La force de ce réseau médiatique réside aussi bien dans son interactivité que dans sa structure, qui permet la diffusion de divers points de vue sur un même sujet. Les internautes peuvent en effet envoyer leurs commentaires après la lecture d'un article et les voir ensuite affichés.

Plusieurs médias indépendants dans différentes villes et provinces canadiennes[34], comme le Centre des médias alternatifs du Québec[35] (CMAQ), sont rattachés au réseau Indymedia. Ils adaptent le concept à leur

34. Outre à Québec, il existe des centres de médias indépendants en Alberta, en Ontario (Toronto, Ottawa, Hamilton, Thunder Bay, Windsor), dans les Maritimes, en Alberta et en Colombie-Britannique (Vancouver et Victoria).

35. À l'adresse www.cmaq.net

propre vision de l'information. Le Centre québécois, par exemple, a adopté une politique éditoriale qui lui permet de filtrer les messages reçus pour ne diffuser que ceux ayant rapport avec la mondialisation et ses conséquences, le libre-échange, l'environnement, les résistances et les mobilisations face aux injustices, le développement de modèles économiques différents, les valeurs d'équité et de solidarité ainsi que la culture comme moyen d'engagement citoyen.

Une multitude d'autres médias indépendants, dont les usagers sont en constante augmentation, ont surgi ces dernières années dans la mouvance altermondialiste. L'Institute for Media, Policy and Civil Society (IMPACS) contribue pour sa part à l'amélioration des communications entre les OBNL, le gouvernement et les médias sur les plans national et international. Les sites alternatifs canadiens Cybersolidaires[36], Rabble[37] et TAO Communications[38] servent également à créer et à maintenir de nouveaux réseaux de communication et de solidarité entre les activistes. Certains organismes dédiés à l'information, tel le centre de formation sur la mondialisation Real Alternative Information Network (RAIN)[39], ne durent que quelques années ou se transforment au gré des causes en vogue. Les activités de RAIN, qui était basé à Vancouver, ont débuté au printemps 1998 et ont pris fin en 2003, pour être remplacées par l'organisation Kids Around the World[40] visant à stimuler l'engagement des jeunes dès leur plus jeune âge. D'autres sites Internet, tel OneWorld.ca (affilié au site international OneWorld.net)[41], diffusent des ana-

36. À l'adresse www.cybersolidaires.org
37. À l'adresse www.rabble.ca
38. À l'adresse www.aot.tao.ca
39. À l'adresse www.web.net/rain
40. À l'adresse kidsaroundtheworld.ca
41. Le réseau OneWorld couvre cinq continents et diffuse de l'information en 11 langues dans un site international, ses éditions régionales et ses canaux thématiques.

lyses provenant de mouvements canadiens et d'ailleurs qui se portent à la défense de la justice sociale. Enfin, le site américain multilingue Znet[42] s'avère une mine d'information pour les militants canadiens : des articles sur une multitude de sujets reliés à la mondialisation y sont présentés dans plusieurs langues.

La communication des militants entre eux, au pays et partout dans le monde, se fait non seulement par le biais d'Internet mais aussi par l'intermédiaire des listes de discussions et d'envois massifs de courriels aux abonnés. À cet égard, les étudiants à l'échelle nationale jouent un rôle important par le truchement des Public Interest Research Group. Ces groupes diffusent sur Internet des quantités impressionnantes de renseignements sur les changements climatiques, les organismes génétiquement modifiés (OGM), la réforme du système bancaire, l'intervention armée en Irak ou les calendriers d'activités militantes. Certains imprimés, comme *Adbusters* et *New Socialist*, favorisent aussi la convergence des idées contestataires. Cependant, la concentration des médias et la réduction du financement public ont acculé à la faillite l'un des magazines québécois alternatifs les plus populaires, *Recto Verso*. Mais d'autres publications québécoises de gauche survivent toujours, telles que le *Mouton noir* fondé en 1996, *Le Couac*, *L'Aut'Journal* et *À bâbord*, une revue de réflexion sur l'intervention sociale et politique. D'autres militants optent pour la production vidéo, comme le groupe Les Lucioles du Québec qui présente des films sociopolitiques sur des réalités peu couvertes par les médias officiels.

Des coalitions altermondialistes à l'échelle canadienne et mondiale

La force des altermondialistes est de savoir se concerter au sein de réseaux nationaux et transnationaux afin de

42. À l'adresse www.zmag.org

faire front commun pour défendre leurs objectifs. Pour favoriser l'écoute des pouvoirs publics dans le dossier de la mondialisation, les féministes, les travailleurs, les écologistes, les adeptes de la solidarité avec le tiers-monde au Canada ont tissé des liens serrés entre eux. Tous ces groupes partagent un même engagement envers la justice sociale et s'influencent mutuellement en termes d'analyse, de stratégie et d'autocritique.

Au niveau organisationnel, des contacts fréquents ont donc lieu dans le cadre de leurs activités entre Québécois et Canadiens, principalement ceux œuvrant au sein d'ONG et de coalitions provinciales. Même si les manifestations contre la guerre en Irak ont été organisées à l'échelle provinciale, les diverses coalitions du Québec et du Canada (le Collectif Échec à la guerre[43], Stop the War à Toronto et Halifax, et Peace Coalition à Vancouver) se sont concertées pour donner au mouvement de contestation une ampleur pancanadienne. Cependant, comme nous l'avons déjà souligné, les solidarités entre Québécois et Canadiens se heurtent parfois aux barrières de la culture et de la langue. Même si le Réseau québécois sur l'intégration continentale et Common Frontiers[44] œuvrent conjointement à la mise sur pied d'initiatives communes, les deux organisations font les choses chacune à leur manière. Alors que la première a procédé à un référendum sur la ZLEA, la seconde a préféré faire circuler une pétition s'y opposant.

---

43. Le Collectif réunit des groupes de femmes, de droits humains, des organisations syndicales, des associations étudiantes, des organismes de solidarité, des organismes de paix, des organismes communautaires et populaires, des organismes de communautés culturelles, des organismes laïques et religieux, etc.

44. Common Frontiers rassemble le Syndicat canadien des travailleurs de l'automobile, le Syndicat des métallos et la principale centrale syndicale au pays, le Congrès du travail du Canada, de même que les cinq organismes suivants : l'Association canadienne du droit de l'environnement, le Latin American Working Group, Kairos, Oxfam-Canada, le Solidarity Work Maquila Network et Droits et démocratie.

De nombreuses démarches ont toutefois été entreprises afin de fédérer les militants à l'échelle nationale. Pour accroître leur impact, plusieurs organisations avaient déjà uni leurs forces au cours des dernières décennies dans leur secteur respectif: travail (Congrès du travail du Canada), environnement (Réseau canadien de l'environnement) et développement international (Conseil canadien de coopération internationale)[45]. Mais dernièrement, les organisations civiles et les ONG se sont aussi regroupées au sein de coalitions nationales axées sur l'analyse de contextes politiques spécifiques, tels le Réseau québécois sur l'intégration continentale, Cap-Monde[46], Common Frontiers, le Réseau Action Climat Canada, l'Initiative d'Halifax et le Comité coordonnateur canadien pour la consolidation de la paix, notamment. Ce réseautage institutionnel sur le plan canadien a permis aux groupes concernés de se coordonner et de conjuguer leur expertise, tout en améliorant leur représentativité et leur crédibilité aux yeux des dirigeants et de la population.

Par ailleurs, la multiplication de coalitions nationales va de pair avec la création de réseaux internatio-

45. Le CCCI est une organisation parapluie qui regroupe une centaine d'organismes de coopération internationale tels CUSO, Care, Oxfam, CECI, Vision mondiale, Développement et Paix ou la Fondation Aga Khan. Des syndicats tels le CTC ou le Syndicat des travailleurs de l'automobile y sont rattachés par le biais de leurs fonds humanitaires.

46. Les groupes membres de CAP-Monde sont: Les Amis du Monde diplomatique, les Artistes pour la Paix, l'Association québécoise pour un contrat mondial de l'eau, ATTAC-Québec, l'Association américaine des juristes, la Conférence religieuse canadienne, Concordia Student Union, le Centre de pastorale en milieu ouvrier, la Fédération autonome du collégial, la Fédération des infirmières et infirmiers du Québec, la Fédération étudiante collégiale du Québec, la Fédération étudiante universitaire du Québec), la Fédération des femmes du Québec, la Marche mondiale des femmes, le Mouvement d'éducation populaire et d'action communautaire du Québec, Opération SalAMI, Opération Québec-Printemps 2001, le Réseau québécois des groupes écologistes.

naux, qui s'élargissent rapidement. La société civile canadienne participe à ce maillage dans les domaines de l'environnement, de la coopération internationale, de l'investissement, du libre-échange ou de la promotion de la justice sociale et de l'anticapitalisme. Les organisations canadiennes se sont alliées avec leurs homologues d'autres pays sur le plan international pour gagner de l'influence et intervenir plus efficacement tant à l'échelle nationale qu'internationale. Ce sont ces regroupements qui leur donnent l'impact et la présence nécessaires pour façonner l'opinion publique. Pour avoir droit au chapitre sur le plan national, les organisations sociales ont d'ailleurs tout intérêt à agir dans des espaces complémentaires : local, national et international[47]. En plus, les problématiques sur lesquelles elles se penchent sont souvent transnationales. Mais comment s'est forgée cette nouvelle convergence sociale ?

La participation des organisations de la société civile aux grandes conférences internationales organisées par l'ONU a permis l'émergence d'une société civile mondiale. Même si elles n'ont pas toujours donné des résultats probants, ces conférences ont constitué et constituent toujours, pour les organisations accréditées, un lieu unique d'échange leur permettant de coordonner leurs positions. Ces événements ont aidé les militants à accroître leur niveau d'expertise et à développer de nouvelles compétences pour gérer leurs différences. La Conférence de l'ONU sur l'environnement et le développement à Rio en 1992 a été l'une des premières manifestations de la « puissance émergente de la société civile », d'après Kofi Annan. Les conférences sur les droits humains de Vienne en 1993, sur la démographie au Caire en 1994, sur le développement

47. R.S. Ratner, « Many Davids, One Goliath », *Organizing Dissent*, *op. cit.*, p. 281.

social de Copenhague en 1995 et sur le logement à Istambul ont aussi été des moments déterminants.

La Conférence de Beijing sur les femmes, qui a réuni en 1995 des milliers de femmes du monde entier sous l'égide de l'ONU, a pour sa part dynamisé le mouvement féministe au Canada. « Cette conférence a aidé à renouer, voire à renforcer les alliances nationales et internationales », rapporte Annick Druelle, ex-agente de recherche à l'Institut de recherches et d'études féministes de l'Université du Québec à Montréal[48]. Les Canadiennes ont aussi participé activement à la Conférence de Beijing + 5, tenue à New York en 2000. Une coalition composée d'une quarantaine de groupes canadiens a été mise sur pied pour préparer le suivi des revendications. La Conférence de Kyoto en 1997 et celle de Montréal sur les changements climatiques en 2005 ont également joué un rôle de catalyseur auprès des organisations environnementales canadiennes.

Devant la lenteur des décideurs à réagir, plusieurs groupes ont toutefois adopté une attitude d'opposition et de confrontation face aux institutions multilatérales, y compris face à l'ONU. Ils ont décidé d'opérer à la fois à l'intérieur et à l'extérieur de ces arrangements institutionnels. Après des années de travail pour promouvoir l'application de traités spécifiques, nombre d'entre eux ont réalisé que des facteurs structurels plus larges – tels l'influence omniprésente des États-Unis et les conflits croissants entre gouvernements du Nord et du Sud – réduisaient les possibilités de négociation de l'ONU à des accords très limités qui n'avaient pas la capacité de résoudre les problèmes qui les préoccupaient. Plus encore, les activistes familiers avec le droit international se sont aperçus que la tendance du commerce mondial favorisait le libre-échange au détriment

48. Annick Druelle est professeure invitée à l'Institute for Women's Studies de l'Université Lancaster en Angleterre.

de tout autre accord international[49]. Les groupes sociaux ont donc utilisé l'expérience acquise lors des rencontres de l'ONU pour constituer des coalitions internationales axées sur divers objectifs : annulation de la dette internationale, réduction des gaz à effet de serre, réforme des institutions financières internationales, etc. Voici un aperçu des principales coalitions canadiennes et internationales dans lesquelles participent les organisations nationales.

Des organisations axées sur la justice sociale et le développement équitable

On assiste aujourd'hui à une intégration des groupes de certains secteurs de la société civile. Par exemple, une dizaine de coalitions reliées à l'Église catholique, anglicane et unie ont adhéré le 1er juillet 2002 à Kairos[50], une coalition vouée à la solidarité et à la promotion des droits de la personne, à la justice et à la paix, au développement humain viable et à la solidarité universelle. Cette nouvelle coalition œcuménique pancanadienne milite pour une plus grande justice économique à l'échelle planétaire, en comptant sur la mobilisation de sa base chrétienne. « La formation de Kairos était devenue indispensable en raison d'un dédoublement des tâches dans les divers groupes concernés par la mondialisation. Dans ce contexte, il nous est apparu essentiel de relier divers domaines, tels les droits abo-

49. Jackie Smith, « Bridging Global Divides. Strategic Framing and Solidarity among Transnational Social Movements Organizations », *International Sociology*, vol. 17, nº 4, p. 505-528.

50. Kairos est un partenariat œcuménique qui réunit la Coalition pour les droits des Autochtones, le Groupe de travail Canada-Asie, la Coalition œcuménique pour la justice économique, l'Action inter-Églises pour le développement, l'aide et la justice, la Coalition inter-Églises pour l'Afrique, le Comité inter-Églises pour les droits humains en Amérique latine, le Comité inter-Églises pour les réfugiés, PLURA, le Groupe de travail sur les Églises et la responsabilité des entreprises et Ten days for Global Justice.

rigènes et l'écologie, et de mieux coordonner le travail collectif», rappelle July Graham, spécialisée en éducation et responsable du site Internet de l'ONG. Kairos a notamment participé à la campagne du Jubilée 2000 pour sensibiliser les populations à l'importance d'annuler la dette des pays pauvres. Le Jubilée 2000, qui se poursuit maintenant sous le nom de Jubilée Sud, a contribué à forger une alliance nord-sud fondée sur la solidarité.

Pour participer à l'élaboration d'un Code de conduite canadien régissant la production de vêtements, de souliers et autres produits industriels connexes, la société civile canadienne a coordonné ses efforts au sein du Ethical Trading Action Group[51]. Ce groupe de travail conjoint est formé en partie par l'industrie et la société civile. Il a été mis sur pied par le gouvernement en mai 1999 pour répondre aux milliers de pétitions concernant les abus dans les ateliers de misère. Par l'entremise du Ethical Trading Action Group, une communication constante s'est établie entre des syndicats, des associations religieuses et des ONG agissant dans le domaine des droits du travail ou de la responsabilité sociale. Les pourparlers ont mené à l'adoption d'un Code de conduite par le Conseil canadien du commerce de détail, intitulé *Les principes directeurs du commerce responsable*. Mais les normes de ce code, alignées sur celles promues par Wal-Mart Canada[52], ont été jugées insatisfaisantes par les organisations civiles canadiennes. Plusieurs organisations canadiennes appuient aussi des coalitions qui militent pour le respect des travailleurs et l'imposition de codes de

51. Il regroupe notamment le Congrès canadien du travail, le Syndicat du vêtement, textile et autres industries, le Fonds humanitaire des Métallos, Ten Days for Global Justice, le Conseil canadien de coopération internationale et le Maquila Solidarity Network, qui joue le rôle de secrétaire.

52. Voir www.maquilasolidarity.org/resources/codes/pdf/RCC-crit_french.pdf

conduite dans diverses régions du monde : Behind the Label, Global Exchange, Sweatshop Watch, Campaign for Labour Rights, Rugmarks, L'Éthique sur l'étiquette ou Support Team International.

Outre le Syndicat du vêtement, du textile et autres industries, plusieurs réseaux nationaux coordonnent des campagnes contre les ateliers de misère et revendiquent de meilleures conditions pour les travailleurs. Critical Thoughts, qui a lancé une campagne à cet effet, veut répondre aux besoins des communautés et leur donner des solutions pratiques pour résoudre leurs problèmes communs. La campagne No Sweat SFU, une initiative d'étudiants américains reprise par ceux de l'Université Simon Fraser, a été lancée pour promouvoir une politique responsable de vente et d'achat de produits sur le campus. Cette campagne a été endossée au Canada par le Congrès du travail du Canada, Maquila Solidarity Network, Oxfam-Canada, la Victoria International Development Education Association, Co-Development Canada, le Syndicat étudiant des universités de Colombie-Britannique, le Club Oxfam, la Langara Student Society et le Douglas College Student Union.

Les syndicats canadiens contribuent pour leur part à la coopération internationale par le biais de la Confédération internationale des syndicats libres et des Global Unions. La Confédération rassemble la plupart des réseaux de centrales syndicales du globe, ce qui permet une grande concertation parmi leurs représentants. Les Global Unions regroupent les secrétariats internationaux des syndicats affiliés, soit tous les syndicats nationaux qui travaillent dans un secteur spécifique (acier, textile, alimentation, etc.). Dans leurs secteurs d'activité propre, ces syndicats mondiaux tentent de négocier avec les sociétés transnationales des conditions de travail standard ou de faire pression sur elles pour solutionner un problème précis. « Nous encourageons les travailleurs de la même entreprise, d'ici et d'ailleurs, à créer des liens entre eux, car ces liens leur permettent de faire avancer des dossiers communs », dit Jean Lapointe, du Fonds humanitaire du Syndicat des Métallos. Le but de ces échanges : établir un meilleur rapport de force en vue de la négociation avec les patrons. Cette nouvelle solidarité intersyndicale peut être illustrée par la présence de délégués de 14 pays à Memphis en décembre 2003, lors du rassemblement des employés de deux usines de Quebecor World. Ces syndiqués ont appuyé une campagne de syndicalisation chez Quebecor dans cette région afin de faire plier les patrons qui avaient tenté d'intimider leurs employés en procédant à des congédiements illégaux.

Pour sa part, le Conseil canadien de coopération internationale intervient sur le plan de la responsabilité sociale des entreprises par le biais de son engagement dans plusieurs réseaux, comme le Groupe de travail sur les ONG et Exportation et Développement Canada. Le Conseil appuie également le travail de la Coalition pour la surveillance internationale des libertés civiles[53], créée en réaction à l'adoption par la Chambre des communes

53. Cette coalition réunit des ONG, des Églises, des syndicats, des défenseurs de l'environnement, des défenseurs des libertés civiles, d'autres groupes confessionnels et des groupes représentant des collectivités d'immigrants et de réfugiés au Canada. Les organisations membres incluent : Amnistie Internationale, l'Association québécoise des organismes de coopération internationale, l'Association du barreau canadien, le syndicat canadien des travailleurs de l'automobile, le Centre canadien pour la philanthropie, le Conseil canadien pour la coopération internationale, le Conseil canadien pour les réfugiés, le Conseil ethno-culturel canadien, le Conseil du travail du Canada, CARE Canada, Centre for Social Justice, le Conseil des Canadiens, Développement et Paix, Greenpeace, International Development and Relief Fund, Inter Pares, l'Association des avocats musulmans, Ontario Council of Agencies Serving Immigrants, Primate's World Relief and Development Fund / Anglican Church of Canada, la Ligue des droits et libertés du Québec, Droits et Démocratie, le Syndicat des métallos unis d'Amérique, et Vision mondiale Canada.

de la loi antiterroriste C-36, en 2002. Il collabore aussi avec le Trade and Investment Research Project, dont les recherches et activités portent sur les accords commerciaux internationaux signés ou en cours de négociation (OMC, Accord général sur le commerce et les services, ALENA et ZLEA). Enfin, le Conseil fait partie du Global Treatment Access Group, un regroupement d'organisations canadiennes[54] formé dans le but d'améliorer l'accès aux médicaments essentiels et à d'autres formes de traitements. Ce groupe tente en outre de soutenir les personnes infectées par le VIH-sida dans les pays en développement.

Sur le plan international, plusieurs ONG canadiennes axées sur le développement international collaborent notamment avec Focus on the Global South, First Food et le Réseau Tiers-monde, un réseau à but non lucratif international et indépendant qui s'intéresse aux questions reliées au développement dans le tiers-monde et aux relations Nord-Sud. Ce réseau publie des livres et des périodiques pour faire connaître les résultats de ses recherches et organise des séminaires pour ses membres. Il représente les intérêts du Sud lors de forums internationaux de l'ONU ou de la Banque mondiale, notamment. Le secrétariat international du Réseau est basé à Penang, en Malaisie, mais des bureaux ont aussi été établis à New Delhi, en Inde, à Montevideo, en Uruguay, à Genève, à Londres et à Accra au Ghana.

Préoccupées des inégalités sociales, plusieurs ONG se sont aussi réunies au sein de la coalition « Abolissons

---

54. Ces organisations sont : Alberta Community Council on HIV, Canadian HIV-AIDS Legal Network, le Conseil des Canadiens, CARE Canada, Oxfam Canada, McGill International Health Initiative, Global Network of People Living with HIV/AIDS North America, le Conseil canadien de coopération internationale, le Congrès du travail du Canada, Canadian Treatment Action Council, Interagency Council on AIDS and Development, Médecins sans frontières – Canada, Students against Global AIDS (Université de Toronto).

la pauvreté» pour presser le Canada d'augmenter son aide aux pays pauvres. Cette campagne, lancée en février 2005, s'inscrit dans un mouvement international qui revendique notamment l'élimination de la pauvreté, l'accroissement et l'optimisation de l'aide, l'annulation de la dette des pays les plus pauvres et la promotion du commerce équitable. Développement et Paix fait pour sa part partie de Caritas Internationalis[55] et de la Coopération internationale pour le développement et la solidarité, deux regroupements d'organismes catholiques de développement international et de secours d'urgence. Afin d'appuyer les victimes de pays en guerre, la Coalition pour la justice et la paix en Palestine[56], fondée en 2002, a pour sa part multiplié les opérations pour demander la fin de l'occupation israélienne en Palestine et le droit à un État indépendant.

Avec d'autres ONG à travers le monde, le Conseil des Canadiens a participé de son côté à la campagne «Our world is not for sale: WTO Shrink or Sink». Cette campagne, lancée à l'issue d'un symposium d'ONG organisé par l'OMC en juillet 2001, visait à réduire le pouvoir et la portée de cet organisme et à empêcher le lancement

55. Caritas Internationalis réunit 154 organismes catholiques de secours d'urgence, de développement et de services sociaux dans 198 pays et territoires.

56. Les organisations membres de la Coalition pour la justice et la paix en Palestine sont: Aide médicale pour la Palestine, Alliance juive contre l'occupation, Alternatives, Artistes pour la Paix, Association américaine des juristes, Association des projets charitables islamiques (AICP), Association québécoise des organismes de coopération internationale (AQOCI), Centrale des syndicats du Québec, Chrétiens pour les droits humains en Palestine, Comité de soutien aux enfants de l'Intifada, Confédération des syndicats nationaux, Conseil central du Montréal métropolitain, Conseil musulman de Montréal, Conseil régional Simonne Monet-Chartrand, Fédération des femmes du Québec, Femmes en Noir, Fondation canado-palestinienne du Québec, (Objection de conscience / Voices of Conscience), Opération SalAMI, Palestiniens et Juifs unis, Parole arabe, Solidarité pour les droits humains des Palestiniens, Solidarité-Union, Coopération (SUCO), United Muslim Students' Associations (UQAM, UdM, McGill, Concordia).

d'un nouveau cycle de négociations après Seattle. À la suite du démarrage à l'OMC du cycle de Doha, la coalition a changé de nom pour s'appeler « Our world is not for sale : Stop the Corporate Globalization ». Elle a poursuivi son action en mettant l'accent sur le développement d'un système commercial durable, socialement juste et imputable démocratiquement.

Des réseaux axés sur l'éthique financière et contre le libre-échange néolibéral

Le Sommet des Amériques et le processus de négociation de la ZLEA ont été des terrains propices à la naissance des réseaux canadiens sur le libre-échange. La coalition Cap-Monde, par exemple, a été formée en prévision du Sommet de Québec pour s'opposer à la constitution d'une zone de libre-échange hémisphérique calquée sur le modèle de l'ALENA. Le Réseau québécois sur l'intégration continentale[57] et Common Frontiers[58], qui rassemblent des organisations opposées au libre-échange hémisphérique, ont toutefois pris une place prépondérante dans le paysage altermondia-

57. Le RQIC est formé de 21 organisations, soit : Alternatives, Amnistie Internationale, ACAMS, Association québécoise des organismes de coopération internationale, Centrale des syndicats démocratiques, Confédération des syndicats nationaux, CSN-CCMM, Fédération des travailleurs du Québec, CERD-McGill, Centrale des syndicats du Québec, Centre international de solidarité ouvrière, Centre québécois du droit de l'environnement, CUSO-Québec, Développement et Paix, Fédération des femmes du Québec, Fédération des étudiants universitaires du Québec, Fédération étudiante collégiale du Québec, Fédération des infirmières et infirmiers du Québec, GRIC-UQAM, Ligue des droits et libertés, Réseau québécois des groupes écologistes, Syndicat de professionnelles et professionnels du gouvernement du Québec.

58. À l'heure actuelle, Common Frontiers rassemble le Syndicat canadien des travailleurs de l'automobile, le Syndicat des métallos et la principale centrale syndicale au pays, le Congrès du travail du Canada, de même que les cinq organismes suivants : l'Association canadienne du droit de l'environnement, le Latin American Working Group, Kairos, Oxfam-Canada, le Solidarity Work Maquila Network et Droits et démocratie.

liste canadien. La formation de ces groupes remonte au milieu des années 1980[59].

Au sein de Common Frontiers, les voix des syndicats et de la coalition œcuménique sont prédominantes dans la définition des stratégies et des politiques. Ce réseau social canadien a été un pilier dans l'organisation des rendez-vous d'ONG parallèles à la rencontre ministérielle sur la ZLEA à Toronto, en novembre 1999, et à la réunion de l'OEA à Windsor en 2000. Du côté québécois, la Coalition québécoise d'opposition au libre-échange fondée en 1986 a élargi ses alliances et changé de nom au lendemain de l'entrée en vigueur de l'ALENA, pour s'appeler le Réseau québécois sur l'intégration continentale. Ce réseau a jusqu'ici concentré ses efforts à combattre l'actuel projet de ZLEA et le renforcement de l'ALENA, tout en formulant des solutions de rechange à ces accords.

Les deux coalitions canadiennes travaillent en collaboration sur des questions de formation et d'information. Elles ont toutes deux été activement engagées dans l'organisation du Sommet des peuples des Amériques de Santiago, en avril 1998, puis de celui de Québec, en avril 2001, et de Mar del Plata, en novembre 2005. Au Québec, le Réseau a également mené, de janvier à octobre 2003, une consultation populaire sur la ZLEA à laquelle plusieurs groupes communautaires et de jeunes (incluant la Convergence des luttes anticapitalistes et l'Association pour la solidarité syndicale étudiante) ont participé. Cette consultation a rejoint environ 60 000 Québécois, qui se sont prononcés contre la ZLEA par bulletin de vote. De son côté, Common Frontiers a fait circuler une pétition s'opposant à la

59. Dorval Brunelle et Christian Deblock, *Les mouvements syndicaux et sociaux d'opposition à l'intégration économique par les marchés: de l'ALE à la ZLEA. Vers la constitution d'une Alliance sociale continentale*, Groupe de recherche sur l'intégration continentale, UQAM, novembre 1999, à l'adresse http://www.unites.uqam.ca/gric/gric-98-8B.htm

négociation de la ZLEA, pétition qui a été signée par quelque 63 000 Canadiens.

Le Réseau québécois sur l'intégration continentale et Common Frontiers se sont efforcés d'élaborer des stratégies communes avec leurs partenaires d'autres pays (Mexique et États-Unis puis, plus récemment, Brésil, Chili, Pérou et Amérique centrale). Les deux coalitions coopèrent avec leurs homologues en Amérique latine au sein de l'Alliance sociale continentale, un réseau hémisphérique d'organisations civiles multisectorielles. Fondée en 1997 à Belo Horizonte, l'Alliance sociale continentale représente plus de 45 millions d'individus à travers les Amériques. C'est un regroupement de syndicats, d'organismes communautaires et de groupes sociaux progressistes créé pour partager de l'information, définir des stratégies et promouvoir un modèle alternatif d'intégration continentale et de développement. L'Alliance a dressé une liste des revendications de la société civile interaméricaine, intitulée *Des alternatives pour les Amériques*. Ce document a été peaufiné au cours de divers sommets des peuples. À la suite du Sommet des peuples de Québec, un Secrétariat hémisphérique sur l'éducation servant aux échanges et à la concertation a par ailleurs été fondé lors de la Rencontre des ministres de l'Éducation de l'hémisphère, tenue en Uruguay en septembre 2001. Ce Secrétariat a été mis sur pied pour soutenir l'éducation publique en tant que droit inaliénable des personnes et des peuples. Le comité de coordination du Secrétariat est formé de représentants des organisations syndicales, d'ONG et de groupes de jeunes des Amériques.

En matière de finances internationales et de libre-échange, il faut mentionner également le réseautage national et international de l'Initiative d'Halifax, relativement important. L'Initiative d'Halifax a été fondée en décembre 1994, à la veille du Sommet du G7 tenu en 1995 à Halifax, dans la mouvance d'un mouvement international d'ONG qui évaluait le rôle et le bilan des Accords de Bretton Wood. La coalition regroupe plusieurs organisations canadiennes[60] qui œuvrent dans les domaines du développement, de l'environnement, du travail ou des droits humains. Des groupes religieux en font aussi partie. Le Comité directeur, qui définit les orientations de l'organisme, est composé de six représentants provenant du Conseil canadien de coopération internationale, de Kairos, d'Oxfam, de Résultats-Canada et du Comité pour la justice sociale. L'Initiative observe attentivement les agissements du FMI, de la Banque mondiale et de Exportation et Développement Canada, le programme canadien d'aide à l'exportation. Cette surveillance se fait à travers la recherche, l'éducation, l'information, le lobbying et la mobilisation auprès des députés et des politiciens. La coalition poursuit aussi un travail médiatique de longue haleine pour tenir la population informée. Comme ATTAC-Québec, l'organisme mène une campagne en faveur de la taxe Tobin[61], dans le but de stabiliser l'économie mondiale. « C'est une faille du FMI de ne pas envisager cette possibilité », pense Pamela Foster, coordonnatrice à l'Initiative d'Halifax. L'Initiative d'Halifax possède une grande latitude dans la réalisation de ses actions, puisque son budget de 250 000 $ provient en grande part de fondations américaines philanthropiques, comme la Charles Stuart Mott Foundation.

---

60. Les membres de l'Initiative d'Halifax sont : le Canadian Catholic Organization for Development and Peace, le département des Affaires sociales de la Conférence canadienne des évêques catholiques, Kairos, le Congrès canadien du travail, le Syndicat des travailleurs canadiens de l'automobile, le Conseil canadien de coopération internationale, CoDevelopment Canada, CUSO, Démocratie en surveillance, Centre Falls Brook, les Amis de la Terre Canada, Mines Alerte Canada, Institut Nord-Sud, Oxfam Canada, Résultats Canada, Droits et démocratie, le Comité de justice sociale de Montréal, le Fonds humanitaire des Métallos, la Toronto Environment Alliance et la World Interaction Mondiale.

61. Voir www.currencytax.org

L'organisation s'est par ailleurs engagée dans la campagne internationale Exportation Credit Agency Watch, en faveur de la réforme des agences de crédits à l'exportation. Ces agences publiques, qui fournissent des prêts ou assurent les entreprises établies dans les pays en développement ou les marchés émergents, représentent maintenant la plus importante catégorie d'institutions financières internationales. La campagne a pour objectif de vérifier si toutes les agences de crédits à l'exportation mettent en place des politiques environnementales et améliorent celles en vigueur, ou encore appuient les efforts des citoyens affectés par des projets dommageables. L'Initiative s'est aussi alliée avec IFIWatchnet, un outil collectif qui facilite la liaison et la collaboration entre les organisations engagées dans l'observation des institutions financières internationales. Ce réseau, coordonné par le Bretton Woods Project (une ONG de Grande-Bretagne) a été mis sur pied en février 2003 par le Programme de renforcement de la société civile de la Fondation Ford afin d'assurer un suivi des demandes de la société civile. L'Initiative d'Halifax a également adhéré à la campagne internationale de boycott contre la Banque mondiale, qui a célébré son 60e anniversaire, en réclamant la fin des politiques de l'institution qualifiées de destructrices. L'Initiative d'Halifax fait enfin partie de la coalition internationale 50 Years Is Enough, un réseau américain composé d'environ 200 organisations américaines qui travaillent en partenariat avec 185 organisations dispersées sur le globe. Cette coalition s'est évertuée à réclamer une réforme du FMI et de la Banque mondiale.

Le mouvement ATTAC-Québec est le pendant québécois d'un réseau international du nom d'ATTAC voué à une transformation des dynamiques économiques entre pays riches et pauvres. Cette association pacifiste, qui constitue un véritable moteur du réseau altermondialiste, a été initiée par le directeur du *Monde diploma-*

tique en France, Ignacio Ramonet. ATTAC a participé à l'organisation de plusieurs manifestations importantes, soit le Forum social mondial à Porto Alegre, Seattle, Washington, Gênes. L'organisation regroupe des membres dans une quarantaine de pays en Europe, en Afrique francophone et dans les Amériques. ATTAC rassemble aujourd'hui plus de 30 000 adhérents en France seulement et possède en outre des filiales en Belgique, en Suisse romande, en Italie, au Portugal et au Québec, notamment. Selon cette organisation, la spéculation sur les marchés de change peut provoquer des crises monétaires et avoir des conséquences désastreuses sur les familles les plus démunies. La crise du Sud-Est asiatique, par exemple, aurait entraîné la perte de 10 millions d'emplois. La spéculation illustrerait ainsi la financiarisation de l'économie et démontrerait l'existence d'un capitalisme qui ne recherche que les gains financiers sans générer de l'activité productive.

Des regroupements pour la paix et la défense des droits civils et humains

Plusieurs ONG dédiées à la défense des droits humains se retrouvent depuis 1994 au sein du Canadian Peacebuilding Coordinating Committee. Ce réseau est formé d'ONG, d'institutions variées, d'universitaires et d'autres individus qui proviennent de plusieurs secteurs d'intervention (assistance humanitaire, développement, résolution et prévention des conflits, paix, communautés religieuses, etc.). Le Comité travaille à l'élaboration de politiques et de normes en vue d'aider les ONG canadiennes engagées dans la construction de la paix. Il dialogue constamment avec l'ACDI et certains ministères fédéraux pour les inciter à améliorer leur cohérence et leur efficacité. Le Réseau canadien sur les droits de la personne au plan international, une coalition nationale d'ONG de défense des droits humains, se faisait auparavant le porte-voix de leurs positions amalgamées sur la scène internationale. Mais ce réseau a été dissout au début du millénaire faute de financement adéquat et d'intérêt de la part de ses membres.

À la suite des événements du 11 septembre 2001, la société civile canadienne s'est rapidement mobilisée pour la paix. Le Collectif Échec à la guerre au Québec, avec d'autres coalitions provinciales, notamment la Toronto Coalition Stop the War, Stopwar Vancouver et la Halifax Peace Coalition, a convoqué plusieurs manifestations contre la guerre en Irak. Les 17 novembre 2002, 18 janvier, 15 février et 5 mars 2003, d'importantes manifestations pour la paix ont eu lieu dans plusieurs villes canadiennes : Halifax, Québec, Montréal, Toronto, Winnipeg, Edmonton et Vancouver. D'autres citoyens, notamment un groupe de 70 personnalités du Québec, se sont également mobilisés en 2005 pour dénoncer la « mascarade » des élections irakiennes. Ce soulèvement populaire contre la guerre en Irak, au Canada et ailleurs dans le monde, a mené à la formation de l'Assemblée mondiale du mouvement global contre la guerre, un rassemblement des diverses coalitions opposées à l'intervention militaire américano-britannique en Irak.

Pour promouvoir le respect des droits humains et le développement démocratique à l'échelle internationale, des organismes canadiens comme Droits et démocratie, Interpares, Amnistie internationale ou la Ligue des droits et libertés ont choisi d'intégrer les rangs de la Fédération Internationale des Ligues de droits de l'homme. Cet organisme lutte pour le respect des droits économiques, sociaux et culturels, et réclame la subordination des traités commerciaux au respect des textes internationaux en matière de droits humains. La Fédération demande aux organisations financières et commerciales internationales, aux agences de crédits à l'exportation et aux entreprises d'assumer leur responsabilité sociale. Elle a entrepris un dialogue avec celles-ci, de Seattle à Davos, en passant par Washington et Porto Alegre. La Fédération milite en outre pour une participation accrue des associations de défense des droits de l'homme et réclame un statut consultatif pour les ONG à l'OMC. Au niveau hémisphérique, la Plate-forme interaméricaine des droits humains, fondée en Colombie en 1992, regroupe différentes organisations civiles du Canada et des Amériques préoccupées par les questions de droits humains. Sur les questions commerciales, plusieurs ONG canadiennes, dont le Center for Equality in Rights and Accomodations et Droits et démocratie, ont en outre fait partie du International NGO Committee on Human Rights in Trade and Investment et du Réseau Tiers-Monde, qui a fait campagne contre l'AMI.

Un réseautage féministe

Lors du Forum de Beijing, le comité international de la Fédération des femmes du Québec a lancé un appel aux femmes à travers le monde en vue d'une mobilisation d'envergure internationale en 2000 sur le thème de la lutte contre la pauvreté et la violence faite aux femmes. Une lettre leur a été acheminée par le biais des groupes de solidarité internationale du Canada. Les réponses n'ont pas tardé à fuser d'Amérique latine, d'Afrique et d'Europe francophones, où le réseau de coopération canadien était bien établi. L'intérêt suscité par la Marche mondiale des femmes a dépassé les attentes modestes de l'organisation féministe. L'objectif était de regrouper le plus de femmes de différents milieux (syndicats, communautés religieuses, mouvements communautaires, etc.) afin de refléter la diversité des situations et des opinions féminines. Dans les faits, des groupes de femmes de 163 pays ont participé à cet événement unique dans l'histoire. L'aventure se poursuit toujours avec la Charte mondiale des femmes pour l'humanité, lancée au Québec et dans plusieurs pays simultanément (Brésil, Grèce, Inde, Liban, Jordanie, Japon,

Nicaragua, Pérou, Portugal, Philippines, Turquie, Rwanda) en mars 2005.

Au pays, un Comité canadien de la Marche mondiale des femmes a été établi. Outre la participation à la campagne mondiale de cartes de soutien, les Canadiennes ont formulé par consensus un ensemble de demandes formelles portant sur les thèmes de la pauvreté et de la violence. Ces demandes ont été remises au gouvernement fédéral en 2000, au terme d'une marche devant le Parlement d'Ottawa. En 2005, ce Comité était toujours composé de 35 représentantes de 24 organismes nationaux œuvrant pour l'égalité, la justice et les droits des femmes. L'un des principaux défis du Comité est de combler les écarts géographiques et organisationnels au sein du mouvement des femmes canadiennes. Le Comité maintient un contact avec plus de 600 groupes canadiens de tous les secteurs ayant appuyé les objectifs de la Marche.

Un réseautage environnementaliste et paysan

Formé durant les années 1990 pour promouvoir l'adhésion du Canada et d'autres pays au Protocole de Kyoto, le Réseau Action Climat Canada rassemble pour sa part une centaine d'organismes canadiens. Il comprend entre autres des ONG comme le Pembina Institute for Appropriate Development, le Sierra Club du Canada, Greenpeace Canada, le Fonds mondial pour la nature, les Ami(e)s de la terre et la Fondation David Suzuki. Il va sans dire que les ONG internationales qui ont pignon sur rue au Canada constituent en soi de formidables réseaux interplanétaires. Ces organisations cherchent à sensibiliser les gouvernements et la population à la pollution et aux changements climatiques. Après la ratification du Protocole de Kyoto, le Réseau milite maintenant pour l'utilisation prépondérante des énergies renouvelables et la transition vers une économie du XXIe siècle.

Sur le plan environnemental, le Réseau Action Climat Canada fait partie d'un regroupement plus large à l'échelle internationale, le Climate Action Network. Créé en 1989, ce réseau rassemble près de 300 ONG préoccupées par les questions climatiques à travers le monde. Le réseau possède sept bureaux régionaux de coordination répartis sur tous les continents. En gros, ce réseau transnational veut protéger l'atmosphère tout en permettant un développement durable et équitable sur toute la planète. L'échange d'information et la recommandation de stratégies adéquates sont primordiaux pour le réseau. Les membres du réseau agissaient à titre d'observateurs durant les négociations internationales qui ont mené à la Convention sur les changements climatiques (Protocole de Kyoto). Grâce à la crédibilité que lui apportent ses experts en changements climatiques, le Climate Action Network représente habituellement les groupes environnementaux lors des négociations internationales.

De son côté, le Conseil des Canadiens a mis sur pied un regroupement international appelé le Projet Planète bleue, qui vise à protéger l'eau et les océans des menaces contre les méfaits du commerce et les privatisations. L'idée d'une coalition internationale pour la protection de l'eau en tant que bien commun et besoin humain vital a surgi lors du second Forum mondial de l'eau, tenu à La Haye en mars 2000. Le Projet Planète bleue a notamment organisé un Forum international pour la conservation et les droits humains, tenu à Vancouver en juillet 2001. L'Association québécoise pour un contrat mondial de l'eau est aussi membre d'un réseau d'associations présentes dans plusieurs pays (Belgique, Brésil, États-Unis, France, Inde, Italie, Suisse, etc.). Ces associations sont engagées dans une campagne mondiale d'adhésion au *Manifeste de l'eau*, lancé par le Groupe de Lisbonne en 1998 sous l'égide du Comité promoteur pour le Contrat mondial de l'eau. Ce nouveau contrat reconnaît l'eau en tant que ressource vitale non commercialisable et soutient l'accès inaliénable des individus à l'eau, bien commun de l'humanité.

En matière d'agriculture, l'Union paysanne, un syndicat citoyen québécois[62] en faveur d'une agriculture et d'une alimentation paysannes, fait partie intégrante de Via Campesina. Cette organisation mondiale de défense des paysans réunit des organisations de petits et moyens producteurs, de travailleurs agricoles, de femmes paysannes et de communautés autochtones de 43 pays. Elle fait la promotion de relations économiques justes, de la conservation des terres, des réformes agraires, de la souveraineté alimentaire et de l'agriculture écologique. Grâce à l'établissement de mécanismes de concertation, l'organisation incite les pouvoirs publics et les décideurs des organisations multilatérales à modifier les politiques économiques et agricoles néolibérales axées sur le profit et l'agro-industrie. Via Campesina figurait parmi les manifestants aux conférences de l'OMC de Genève en 1998, de Seattle en 1999 et de Cancun en 2003. Elle était également l'une des initiatrices de la manifestation pour l'accessibilité à la terre au Sommet de Johannesburg en août 2002. L'ONG a mené une semaine de lutte contre l'OMC et les transnationales en juillet 2004, appelant les organisations sociales à se mobiliser pour empêcher la réunion interministérielle de l'OMC à Hong Kong en décembre 2005. Malgré tout, Via Campesina poursuit le dialogue avec cette institution internationale à travers les canaux formels de consultation.

Plusieurs organisations canadiennes entretiennent aussi des rapports étroits avec les paysans d'Amérique centrale qui s'opposent à la réalisation du Plan Puebla-

---

62. L'Union paysanne regroupait en 2004 environ 1200 membres au Québec.

Panama, lequel vise à moderniser le Sud du Mexique et l'Amérique centrale. Avec le Comité chrétien pour les droits humains en Amérique latine et le Comité pour la justice sociale, l'Union paysanne a organisé à l'automne 2002 une tournée au Québec pour faire connaître les enjeux de ce plan de développement. Selon ces organisations, la construction de barrages, d'autoroutes, d'aéroports et d'usines d'assemblage dans la région pourrait entraîner la destruction de l'environnement, le biopiratage et l'asservissement des paysans. Les paysans qui conserveraient leurs terres devraient utiliser des graines génétiquement modifiées pour leurs cultures. Par contre, ceux qui verraient leurs terres expropriées seraient forcés, pour subvenir à leurs besoins, d'aller travailler dans les *maquiladoras* (usines d'assemblage) où les conditions de travail sont souvent déplorables.

Le réseautage en matière d'économie sociale

Le réseautage international des acteurs de l'économie sociale est également fondamental dans le mouvement pour une mondialisation plus équitable. Au Québec, l'économie sociale a pour ancêtre direct les Corporations de développement économique communautaires des années 1980. Après la Marche des femmes contre la pauvreté en 1995, la mise sur pied par le gouvernement du Québec d'un Comité d'orientation et de concertation sur l'économie sociale a constitué un terreau propice à la naissance de l'économie sociale, qui a vu formellement le jour au Sommet sur l'économie et l'emploi, en 1996. Ce Sommet, un moment charnière du dialogue social, réunissait pour la première fois des acteurs des milieux communautaire et syndical ainsi que des représentants des secteurs privé et public. Dix ans après la création du Chantier sur l'économie sociale, quelque 6 300 entreprises d'économie sociale (OBNL et coopératives) enregistrent un chiffre d'affaires de 4,3 milliards $ et emploient 65 000 personnes au

Québec. La création de caisses d'économie solidaire permet maintenant la capitalisation des entreprises d'économie sociale. Dans le reste du Canada, l'économie sociale a une place moins importante mais jouit du soutien des gouvernements du Manitoba, de Nouvelle-Écosse et du Nunavut.

À l'initiative d'ONG canadiennes et européennes, une Conférence internationale à Lima a réuni, en 1997, plus de 275 personnes (représentants des ONG et autres associations) provenant de 32 pays. La conférence avait pour objectifs de définir le concept d'économie solidaire et sa viabilité à l'approche du prochain millénaire, tout en favorisant les échanges internationaux Nord-Sud. Cette première prise de contact a été suivie d'une seconde rencontre internationale, tenue à Québec en 2001 et organisée par le Groupe d'économie solidaire du Québec. Quelque 400 personnes de 40 pays, dont 25 du Sud, y ont assisté. Une Commission internationale de liaison des réseaux de l'économie sociale et solidaire à quatre pôles (Europe et Amérique du Nord, Afrique et Amérique latine) a été créée à cette occasion, en prévision d'une nouvelle rencontre internationale à Dakar, en 2005. En 2002, ce processus a mené à la formation du Réseau intercontinental de promotion de l'économie sociale et solidaire, une organisation à but non lucratif basée à Dakar et responsable de la dynamisation des échanges Nord-Sud.

À la suite d'un appel signé par près d'un millier et demi de personnes de 100 pays, l'Alliance pour un monde responsable et solidaire a également été mise sur pied en 1997. Cette Alliance est soutenue par une fondation suisse : la Fondation Charles Léopold Mayer pour le progrès de l'Homme. Ces nouveaux réseaux travaillent au soutien du développement économique des bidonvilles en misant sur la création de réseaux internationaux d'échange et de commercialisation ainsi que sur la promotion de mutuelles, de caisses d'épargne et du microcrédit[63]. Cette solidarité internationale a aussi été à l'origine de mobilisations massives à l'occasion de différents sommets de l'OMC ou de l'ONU, dont la Marche mondiale contre l'exploitation des enfants à Genève, en 1998.

Le réseautage anticapitaliste

Plusieurs organisations canadiennes radicales, comme la Ontario Coalition Against Poverty et la Convergence des luttes anticapitalistes, font partie de l'Action mondiale des peuples. Ce mouvement d'inspiration zapatiste a pris naissance à la suite de la IIe Rencontre intergalactique contre le néolibéralisme, tenue en Espagne en 1997. Se définissant comme une structure d'échange pour ses membres, ce réseau décentralisé et non hiérarchique est formé d'une douzaine de mouvements provenant de diverses régions du globe. Il regroupe des militants de la base qui cherchent à contrecarrer les politiques néolibérales. Les organisations membres s'opposent au capitalisme et à l'impérialisme américain – illustré notamment par le Plan Colombie[64] – et appuient la lutte internationale contre la guerre, mais pour le droit à l'eau et à la terre. L'Action mondiale condamne tous les traités, institutions (G8, OMC, FMI, Banque mondiale) et gouvernements qui font la promotion de la globalisation. Elle honnit toute forme de discrimination, incluant le patriarcat, le racisme et le fondamentalisme religieux. Elle adopte une attitude de confrontation face aux pouvoirs et aux représentants de ce qu'elle appelle le « capital

63. Daniel Tremblay, « L'économie solidaire dans l'univers des relations internationales et transnationales : doser la confiance et la méfiance », Université du Québec en Outaouais, *Nouvelles pratiques sociales*, volume 15, no 1, 2002.

64. Le Plan Colombie, mis en place par Washington en 1999, avait pour objectif de renforcer, équiper et entraîner l'armée colombienne pour combattre le narcotrafic. Cette intervention permettait en outre aux États-Unis de conserver le contrôle sur cette région riche en pétrole. Ce plan a toutefois été interrompu.

transnational», tout en faisant la promotion de l'action directe et de la désobéissance civile.

La représentativité et la légitimité des organisations de la société civile

Ces divers réseaux d'organisations au Canada peuvent-ils exercer un contrepoids véritable au pouvoir politique et à celui du secteur privé? Rejoignent-ils suffisamment les intérêts des diverses couches sociales pour pouvoir représenter les citoyens dans leur ensemble? Ont-ils la légitimité de faire changer le cours des choses? Les ONG et les organisations de la société civile jouissent d'un capital de crédibilité incontestable dans la population. La formation de coalitions nationales et internationales permet aux ONG et autres associations altermondialistes de rejoindre de plus en plus les préoccupations des citoyens, dans la mesure où ces coalitions sont composées de groupes de plus en plus nombreux. Mais celles-ci ne prétendent pas défendre les intérêts de tous: elles tentent à leur sens de protéger l'intérêt général face aux intérêts privés lorsque les sociétés commettent des abus ou violent les droits de la personne, en particulier des travailleurs. On peut cependant les soupçonner de partialité en raison des intérêts particuliers qu'elles défendent, à commencer par leur propre existence et leur survie en tant que mouvement organisé. La campagne contre la chasse aux phoques a été, par exemple, l'un des fers de lance de l'organisation Greenpeace-Canada. Elle a attiré davantage de dons et de sympathisants, mais a aussi été fortement contestée: elle a acculé au chômage des centaines de pêcheurs et contribué à l'accroissement du cheptel des phoques, principaux prédateurs de morue, selon certaines études.

Certains analystes[65] estiment que la communauté mondiale organisée, de laquelle font partie les associa-

65. Thierry Pech et Marc-Olivier Padis, *Les multinationales du cœur. Les ONG, la politique et le marché*, Paris, Seuil, 2004, p. 10.

tions canadiennes, est mal répartie géographiquement et ne peut être considérée comme représentative des différentes parties du monde. Environ deux tiers des militants et des secrétariats des ONG internationales se retrouvent dans les pays de l'OCDE, dont la moitié en Europe et aux États-Unis. Les responsables de ces organisations proviennent aussi pour la plupart des pays développés. De fortes divergences Nord-Sud persistent donc au sein des coalitions internationales, principalement au niveau des approches stratégiques. Celles du Sud sont souvent jugées plus radicales, alors que celles du Nord adoptent des approches plus conventionnelles. Des attitudes de racisme, de patriarcat ou de colonialisme sont parfois reprochées aux organisations du Nord par celles du Sud. La demande des organisations des pays développés de renforcer les institutions internationales comme l'ONU, par exemple, est souvent mal interprétée par les organisations des pays en développement, qui dénoncent l'influence des États-Unis sur les Nations Unies. En outre, les intérêts locaux et globaux sont souvent difficiles à concilier au cours des campagnes internationales[66]. L'asymétrie entre organisations du Nord et du Sud est aussi flagrante en matière de ressources financières.

Malgré les efforts que déploient les organisations de la société civile pour faire la promotion du bien commun, il est vrai qu'elles ne peuvent se substituer aux citoyens comme acteur principal de la démocratie. Par contre, le rôle qu'elles jouent auprès des instances gouvernementales et supraétatiques est aujourd'hui central parce qu'elles disposent de nombreuses ressources et d'une expertise qui font défaut aux citoyens laissés à eux-mêmes. Cela, même si elles ne reflètent pas forcément l'opinion de la masse. Car dans un système de gouvernance qui échappe à la logique du

66. Jackie Smith, *op. cit.*

gouvernement moderne, l'enjeu de la participation est devenu stratégique pour défendre les intérêts sociaux des acteurs concernés.

Dans ces circonstances, à qui les dirigeants des organisations sociales sont-ils redevables ? Leurs décisions sont-elles entérinées par une assemblée délibérante ? La plupart des organisations ont un conseil d'administration composé de représentants actifs de la société civile. Ces conseils, en concertation avec le personnel exécutif, décident des campagnes ou des activités de l'organisme. Mais ces personnes ne sont pas toujours élues, contrairement à la pratique courante dans les centrales syndicales. Même si les décisions sont prises de façon collégiale, rien n'assure qu'elles correspondent à la volonté exprimée par les donateurs ou les adhérents. Toutefois, les organisations sociales consultent à certaines occasions leur propre base et s'inspirent des positions exprimées par le public pour définir leurs orientations, comme l'a fait le Conseil canadien de coopération internationale par le biais de son enquête sur les enjeux de la mondialisation en 1999. Quant aux jeunes organisations créées dans la mouvance altermondialiste, elles se caractérisent par la transversalité et l'horizontalité. En principe, les décisions sont prises en favorisant le plus large consensus possible et en tenant compte de l'opinion de chacun des membres ou participants du groupe. Mais dans la pratique, l'opinion des leaders naturels oriente souvent les débats et la prise de décision subséquente. L'opacité des processus décisionnels de certains groupes peut donc indiquer que les organisations de la société civile ont encore un travail de démocratisation interne à accomplir.

Sur le plan de la représentativité, la taille de l'effectif d'un groupe constitue un critère valable. Il est en effet utilisé par les institutions multilatérales et les gouvernements dans la sélection des groupes d'intérêt qui participent aux consultations ou aux débats[67]. Cependant, certaines organisations ayant un faible nombre d'adhérents possèdent quand même une expertise dans des domaines spécifiques, expertise qui s'avère essentielle pour le gouvernement canadien et les institutions internationales. Quoi qu'il en soit, les filiales nationales des ONG internationales ou autres groupes-conseils possèdent indéniablement un vaste réseau de membres et de bénévoles. Mais même là, l'opinion des membres n'est pas sollicitée systématiquement dans tous les dossiers. Par contre, les organisations syndicales constituent des modèles en matière de représentativité puisqu'elles possèdent une large base d'adhérents et élisent leurs dirigeants de façon relativement démocratique. Mais là encore, il est difficile de déterminer si les travailleurs souhaitent que leurs cotisations syndicales soient utilisées pour des objectifs politiques. Pour leur part, les organisations radicales ont des effectifs peu nombreux, mais véhiculent des valeurs chères aux jeunes en général : justice sociale, liberté d'expression et de manifestation, respect de l'environnement et des droits des réfugiés. Ce sont plutôt la radicalité de leur discours, leur déni des réalités économiques actuelles et la manière parfois violente dont elles s'y prennent pour faire valoir leurs points de vue qui font l'objet de contestations. Jusqu'ici, rien n'indique que les ONG aient la légitimité requise pour prendre la parole au nom des citoyens.

Financement et légitimité

La démarcation entre les associations bénévoles et la sphère officielle est parfois floue. Il arrive que les gouvernements et les entreprises financent des organismes

67. Yasmine Shamsie, *Engaging with Civil Society. Lessons from the OAS, FTAA, and Summits of the Americas*, Ottawa, North South Institute, 2000.

à but non lucratif qui leur servent de vitrines[68]. Au Canada, les gouvernements ont aujourd'hui recours à l'expertise des organisations de la société civile dans leurs différents domaines de compétence et financent une partie de leurs activités. Ils font appel à elles pour dispenser auprès de la communauté des services que l'État n'est pas en mesure ou n'a pas l'obligation d'assumer. En matière d'environnement ou d'aide humanitaire, elles sont régulièrement sollicitées et leur intervention profite à des populations entières. À la suite du tsunami du 26 décembre 2004 survenu en Asie du Sud-Est, le gouvernement canadien a acheminé 265 millions $ en aide d'urgence aux ONG internationales Vision mondiale, Oxfam, Care et Médecins sans frontières, par exemple. Le gouvernement du Québec a également mandaté Oxfam-Québec et le Conseil canadien de coopération internationale pour porter secours à Haïti en septembre 2004, après le passage de l'ouragan Jeanne. Greenpeace Canada a pour sa part été invitée à participer aux activités de la Commission d'étude sur la gestion de la forêt publique québécoise, notamment.

Les ONG jouent aussi un rôle de premier plan à l'étranger dans les domaines du déminage, des droits de l'homme, des soins de santé, de la consolidation de la paix[69] et de l'aide aux réfugiés et aux déplacés. Reconnaissant leur apport et leur expertise, les autorités invitent davantage les ONG aux tables de discussion et de concertation[70]. Plutôt que d'encourager des firmes privées d'experts-conseils, les gouvernements confient maintenant aux ONG la responsabilité d'effectuer une

68. Jan Aart Scholte, *op. cit.*, p. 5.

69. Le Comité coordonnateur canadien pour la consolidation de la paix, notamment, regroupe des ONG, des instituts, des universitaires et autres individus chargés de définir la politique des ONG œuvrant à la consolidation de la paix.

70. Yasmine Shamsie, *op. cit.*

partie des recherches nécessaires à l'étude de divers phénomènes, notamment en environnement. Toutefois, malgré les bénéfices que retirent les ONG de leur relation avec les gouvernements – un financement important de leurs activités et la reconnaissance publique de leur expertise –, celle-ci ne se fait pas sans compromission.

Le financement des groupes sociaux a débuté avec l'arrivée de l'État-providence, promu par les politiques keynésiennes pour amenuiser les problèmes de milliers d'ouvriers victimes de la crise économique des années 1930. Cependant, à partir du milieu des années 1990, le gouvernement a retiré peu à peu son appui aux ONG dans le cadre de sa lutte contre le déficit budgétaire. En réaction au sous-financement étatique, plusieurs ONG font maintenant appel aux grandes fondations privées et à la population pour financer leurs activités : en 2004, les Canadiens leur ont fait des dons totalisant plus de 8 milliards $ et plus de 19 millions de bénévoles leur ont fourni 2 milliards d'heures de travail, équivalant à plus d'un million d'emplois à temps plein[71]. Il reste que « l'État constitue toujours la principale source de revenus des organisations de la société civile (les plus petites en particulier), et ce, en dépit de la réduction des subventions publiques[72] ». Plus de 40 % du financement des 160 000 organismes à but non lucratif au Canada provient en moyenne des fonds gouvernementaux[73], selon un échantillonnage ventilé par l'Institut Nord-Sud. En novembre 2005, le gouvernement canadien a même annoncé une augmentation du financement destiné aux ONG canadiennes dédiées au développement

71. Voir « Les Canadiens ont fait des dons totalisant huit milliards », *Le Devoir*, 21 septembre 2004.

72. *La société civile et le changement mondial. Rapport canadien sur le développement 1999*, sous la direction de Allison Van Rooy, Ottawa, Institut Nord-Sud, 1999, p. 127.

73. *Idem.*

international. Les ONG sont-elles pour autant à la solde du gouvernement canadien et québécois ? Quelle est la nature de ce compromis ?

En s'associant aux activités des ONG, qui tiennent pourtant pour la plupart un discours critique à l'égard des gouvernements, ces derniers veulent se rapprocher des citoyens et mieux répondre aux besoins des populations. Toutefois, de nombreuses ONG critiquent le fait qu'elles soient instrumentalisées par les gouvernements, c'est-à-dire que l'on fasse appel à leur expertise uniquement lorsque celle-ci fait la promotion de la ligne de pensée officielle. Chose certaine, les fonds que les organisations sociales obtiennent des gouvernements leur sont accordés dans le cadre de programmes répondant aux objectifs gouvernementaux, tant au plan national qu'international. Il arrive même que certaines ONG soient récupérées ou instrumentalisées au profit de leurs bailleurs de fonds nationaux ou internationaux, en raison du tarissement de leurs sources de financement. Mais selon l'Institut Nord-Sud, la dépendance financière des organisations de la société civile est à son niveau le plus faible depuis 1970.

Le financement que les ONG canadiennes de développement international obtiennent par elles-mêmes représente maintenant le double de celui qui provient du gouvernement. Certaines d'entre elles, à l'instar de l'Organisation canadienne pour l'éducation au service du développement, ont même créé une aile à but lucratif pour financer leur activité principale[74]. D'autres encore, comme le Conseil des Canadiens, Greenpeace Canada ou Amnistie Internationale, sont entièrement financées par les dons du public ou d'organisations sympathisantes. Une bonne part des instituts de recherche sont indépendants, non partisans et n'acceptent pas de fonds publics. De nombreuses organisations sociales

74. *Idem*, p. 116.

conservent donc une certaine marge de manœuvre. Si les fonds publics ont contribué à la tenue du Sommet des peuples des Amériques à Québec en 2001, cela n'a pas empêché ses organisateurs de prendre position contre le projet de zone de libre-échange hémisphérique. Cet exercice prouvait toutefois l'importance accordée à la liberté d'expression au Canada et renforçait du coup la crédibilité démocratique du pays.

Il faut cependant admettre que la véritable légitimité des organisations de la société civile découle des causes et des valeurs qu'elles défendent, lesquelles transcendent aujourd'hui les frontières. Toutefois, les intérêts portés par ces organisations – qui se veulent supérieurs et universels, mais qui traduisent aussi leurs intérêts associatifs – demeurent en tension avec les visées des parlementaires dont le mandat est de protéger l'intérêt général à l'échelle nationale. Leurs intérêts sectoriels peuvent également primer au détriment d'une unité de pensée. Mais il reste qu'elles investissent un espace transnational laissé en friche, vu le manque de régulations à l'échelle internationale en matière de droits humains, du travail, d'environnement et de développement[75]. Ce qui est sûr, c'est que les revendications altermondialistes ont un écho indéniable auprès de la population canadienne.

Selon un sondage Crop[76] publié une semaine après la tenue du Sommet des Amériques de Québec, 57 % de la population canadienne se disait favorable au projet de libre-échange. Cependant, plus de 90 % des Québécois réclamaient que l'accord protège les programmes et les acquis sociaux dont s'est doté le Québec et reconnaisse la diversité culturelle. Les groupes sociaux ont aussi traduit (ou induit?) la volonté populaire dans les débats concernant l'adhésion au Protocole de Kyoto,

75. Thierry Pech et Marc-Olivier Padis, *op. cit.*, p. 53.
76. Gilles Toupin, « Oui à la ZLEA, mais… », *La Presse*, 17 avril 2001.

l'étiquetage des OGM, la responsabilité sociale des entreprises, la dénonciation des ateliers de misère, l'annulation de la dette des pays pauvres et le maintien des services publics. Mais lorsque certains groupes radicaux parlent d'abolir le capitalisme, beaucoup de Canadiens ne suivent plus. Les groupes réformistes ou modérés tiennent donc un propos plus édulcoré afin de s'assurer une plus grande adhésion populaire.

En revanche, les têtes gouvernantes nationales et internationales ont du mal à reconnaître que les organisations de la société civile représentent l'ensemble de la société. L'ancien premier ministre canadien, Jean Chrétien, disait : « Nous, les élus, sommes les véritables représentants de la société civile. » Le secrétaire général de l'ONU, Kofi Annan, émet aussi certaines réserves quant à la représentativité de certaines ONG, notamment des groupes d'intérêt qui agissent comme façades pour des fins mercantiles ou pour des intérêts particuliers[77]. Ces ONG peuvent, selon lui, porter préjudice à l'action de l'ensemble des ONG reconnues pour leur engagement envers la défense de l'intérêt public et de la justice sociale. Malgré leur taille imposante et leur poids relatif, malgré l'appui qu'elles recueillent auprès de la population, les organisations de la société civile n'ont donc pas encore la place officielle qu'elles pourraient espérer au sein de la plupart des instances de décision.

En dépit de ces limitations, les organisations de la société civile peuvent contribuer à démocratiser la gouvernance mondiale en remplissant certaines fonctions[78]. Elles peuvent sensibiliser le public aux enjeux globaux et permettre la participation directe ou indi-

77. Discours prononcé le 14 septembre 1997 par Kofi Annan, à l'occasion de la 51e Conférence annuelle du Département de l'information et des organisations non gouvernementales commémorant la Déclaration universelle des droits de l'homme.

78. Jan Aart Scholte, *op. cit.*, p. 17-19.

recte des citoyens dans les processus décisionnels qui les concernent, en faisant écho à leurs points de vue dans les organismes officiels. Dans la mesure où l'ouverture à la dissidence est indispensable à la démocratie, elles peuvent émettre des positions originales pour stimuler le débat public. Elles peuvent aussi accroître la transparence et l'imputabilité des instances gouvernantes, lorsque les pouvoirs publics se montrent ouverts à leur contribution et que les médias – qui leur aménagent une place grandissante – leur accordent une couverture sérieuse. Ce faisant, elles peuvent contribuer à donner aux instances de gouvernance la légitimité qui leur fait actuellement défaut. Mais les causes qu'elles défendent rejoignent-elles les préoccupations réelles des gens ? Les solutions proposées sont-elles réalisables ? Dans quelle mesure font-elles progresser les débats entourant les enjeux de la mondialisation ? C'est ce que nous verrons dans le prochain chapitre.

2

Des revendications contestées

Dans le débat sur la mondialisation, deux points de vue s'affrontent. Pour les uns, le libre-échange représente la voie de la prospérité et un espoir pour les pays en développement. Pour les autres, la libéralisation – dans sa forme actuelle et sous la conduite des institutions financières internationales – constitue un danger, en ce sens qu'elle engendre davantage de chômage, creuse les inégalités sociales et accentue le phénomène de paupérisation dans plusieurs pays. Afin d'analyser les revendications de la société civile réformiste, il convient d'abord de prendre connaissance de l'argumentation libérale.

En vertu des principes de concurrence, de spécialisation et d'avantages comparés, le libéralisme est en théorie non seulement capable de stimuler le développement et de créer davantage de richesses, mais de mieux protéger l'environnement. Certains pays comme Taïwan, Hong Kong, la Corée du Sud ou Singapour sont d'ailleurs parvenus en 25 ans à décupler leur richesse collective, en s'adaptant aux exigences de la globalisation tout en maintenant des institutions solides, des règles du jeu claires et la syndicalisation d'une certaine part de leur main-d'œuvre. Selon un théoricien libéral, Johan Norberg[1], la mondialisation donne une plus grande liberté de choix aux consommateurs et garantit aux individus un pouvoir accru face à l'État. L'ouverture des marchés a contribué à réduire la pauvreté, qui a

1. Johan Norberg, *Plaidoyer pour la mondialisation capitaliste*, Montréal, Éditions St-Martin et Institut économique de Montréal, 2003, 195 p.

diminué davantage au cours des 50 années qu'au cours des 5 siècles précédents[2]. La production globale de nourriture a doublé durant cette période grâce aux progrès techniques (fertilisation, sélection des espèces, irrigation, récolte), faisant reculer la faim. La mortalité infantile est passée de 86 sur 1000 naissances en 1980 à 60 en 2002 et l'espérance de vie a augmenté de 60 à 65 ans entre 1980 et 2002 dans les pays pauvres, d'après la Banque mondiale. La mondialisation capitaliste a fait reculer les inégalités et favorisé la dissémination des droits démocratiques et de la liberté d'opinion[3]. La spécialisation commerciale génère également des emplois, même dans les pays développés.

Par ailleurs, les adeptes du libéralisme soutiennent que la pollution n'augmente avec la croissance qu'au début du processus d'industrialisation[4]. Des chercheurs ont en effet trouvé une corrélation positive entre une hausse de la croissance et une meilleure qualité de l'air et de l'eau dans les pays en développement, à l'exception du CO_2. Selon une étude des indicateurs environnementaux, l'amélioration se produit en général lorsque le PIB par habitant atteint 8000 $. Par ailleurs, l'adoption de normes élevées dans les pays développés ne ferait pas nécessairement fuir les investisseurs, comme l'a prouvé l'expérience de la Californie. Ceux-ci recherchent en premier lieu « un environnement économique libéral propice à la croissance et une main-d'œuvre compétente[5] ». Mais plus encore, la propriété privée des res-

---

2. La proportion de gens vivant dans l'extrême pauvreté a diminué dans le monde de 28 % en 1990 à 21 % en 2001. Source : Banque mondiale.

3. *Éloge de la mondialisation capitaliste. Réponse aux antimondialistes primaires*, Les Cercles libéraux à l'adresse http://www.cerclesliberaux.com/newsite/newcercles/index.php3

4. D'après Johan Norberg, *Six mythes de la mondialisation*, conférence donnée à la Grande Arche de la Défense, à Paris, 15 novembre 2003, à l'adresse http://www.cerclesliberaux.com/newsite/newcercles/article.php3?id_article=494

5. Johan Norberg, *op. cit.*, p. 149.

sources naturelles pourrait assurer une meilleure protection environnementale, selon les libertariens, car c'est l'intérêt à court terme des entrepreneurs qui coïncide le mieux avec la notion de conservation. En effet, la conservation des ressources à long terme maximise le profit à court terme, c'est-à-dire l'écart entre les revenus d'exploitation, les dépenses d'exploitation et la perte de la valeur de revente des actifs (forêts, mines, etc.). À l'opposé, la propriété publique peut hypothéquer l'avenir et dilapider des ressources pour créer des emplois ou acheter du capital politique dans le but de remporter des élections. Une meilleure protection des droits de propriété (propriété du corps et donc de l'air respiré par les poumons, par exemple) permettrait aussi de diminuer la pollution tout en respectant les principes du libéralisme.

Pour les partisans du libéralisme, c'est grâce à l'ouverture des marchés que les économies chinoise et indienne de même que les niveaux de vie de leurs habitants ont crû si rapidement[6]. Plusieurs économies émergentes d'Asie ont toutefois conservé une importante marge de manœuvre étatique dans le développement économique, ce qui va à l'encontre des principes libéraux purs et durs[7]. Mais les libéraux soutiennent que les résultats positifs de ce type d'intervention (contrôle des investissements, réglementation des banques, protection d'industries naissantes, etc.) n'ont pas été systématiques dans tous les pays qui s'en sont prévalus[8]. Par ailleurs, ils nient que le libre-échange soit à l'origine de la pauvreté ou des inégalités : si les riches sont devenus

6. Arvind Panagariya, « The Miracles of Globalization. Free Trade's Proponent Strike Back », *Foreign Affairs*, septembre-octobre 2004. L'économie chinoise a connu une croissance annuelle de 10 % depuis la mise en place des réformes.

7. Selon le *Rapport sur le commerce et le développement 2005* de la CNUCED.

8. Johan Norberg, *op. cit.*, p. 69.

plus riches, les pauvres ne se sont pas appauvris au cours des dernières décennies, au contraire. « La distribution inégale des richesses découle plutôt de la distribution inégale du capitalisme[9] », avance Norberg.

Face aux arguments libéraux, les altermondialistes sonnent toutefois l'alarme, puisqu'à court ou moyen terme, le prix social à payer pour la libéralisation et les délocalisations qu'elle implique est parfois très élevé. Ils estiment que la globalisation est à la source d'une plus grande polarisation de la richesse dans la mesure où l'enrichissement des riches s'accroît plus vite que celui des plus pauvres. Car si la pauvreté est en régression au niveau mondial depuis les années 1980, l'écart avec les pays développés se creuse dans la majorité des pays en développement[10]. Ce sont les mieux nantis des pays du Nord et du Sud qui sont en mesure de profiter davantage de la globalisation. Les opposants au néolibéralisme affirment aussi que la logique productiviste qui domine l'esprit des globalistes, voulant qu'une production croissante se traduise par davantage de profits, entraîne nécessairement plus de pollution. Du point de vue environnemental, la mondialisation libérale axée sur l'exportation des biens et services est en ce sens tragique, selon eux. La nécessité d'une croissance continuelle et d'un usage accru des moyens de transport, couplée avec la hausse démographique, mène inévitablement à l'épuisement des ressources énergétiques non renouvelables.

Face aux périls qu'entraîne la mondialisation libérale, les organisations réformistes de la société civile canadienne et québécoise proposent donc de restaurer les valeurs collectives qui ont été délitées, d'une part, par la modernité, et d'autre part, par le libéralisme

9. Johan Norberg, *op. cit.*, p. 102.

10. Rapport mondial sur le développement 2005, PNUD, p. 36, cité dans l'Observatoire des inégalités à l'adresse http://www.inegalites.fr/article.php3?id_article=381

économique. Elles plaident pour la révision des relations de pouvoir actuelles à travers un nouveau mode de gouvernance qui inclurait à la fois les représentants de l'État, de l'entreprise et de la société civile dans les processus décisionnels. Adeptes du keynésianisme, la majorité des groupes existants n'appelle pas à l'abandon pur et simple du capitalisme, mais milite pour le retour du politique comme dépositaire des principaux pouvoirs décisionnels au niveau de l'économie. Pour protéger les acquis sociaux et l'environnement, les ONG et associations civiles altermondialistes tentent d'inciter l'État à jouer un rôle plus important (redistribution de la richesse, maintien des services publics et des programmes sociaux), à l'encontre des prescriptions néolibérales. Selon les militants, l'État n'étant plus le principal interlocuteur de la mondialisation libérale, les forums internationaux prennent le relais sans toutefois avoir la légitimité requise auprès des populations. Ils considèrent que les institutions internationales et organes transnationaux actuels doivent se faire inclusifs, transparents et imputables afin de conquérir cette légitimité. C'est dans ce sens que se tournent également les organisations de la société civile réformiste.

Le discours des organisations solidaires vise non pas la protection des niches économiques dans lesquelles les entreprises sont les plus compétitives, mais bien la protection des droits des travailleurs et des secteurs de l'économie stratégiques en matière d'emploi et de développement durable. Les solidaires réclament ainsi la protection des biens vitaux pour les communautés, tels l'eau, la forêt ou les médicaments. Ils démontrent aussi collectivement leur volonté de vivre dans un monde pacifique en dénonçant les politiques de militarisation des conflits, principalement lorsqu'ils sont initiés unilatéralement par les États-Unis. Ils rappellent que la guerre est intimement liée à l'expansion des sociétés de fabrication d'armes, qui appartiennent en majorité aux intérêts des grandes puissances. Les principes défendus par la société civile canadienne et québécoise ont déjà, dans plusieurs cas, fait l'objet d'accords ou de traités internationaux entre les gouvernements. Mais ces ententes sont encore aujourd'hui, pour la plupart, sans effet juridique contraignant. Voilà ce qui justifie l'action de la société civile pour la défense du bien commun.

En bref, les groupes réformistes de la société civile canadienne s'intéressent aux effets sociaux et environnementaux de la mondialisation, qu'ils veulent rendre plus avantageuse pour toutes les catégories socio-économiques de la société. Leurs arguments s'appuient sur l'expérience de terrain acquise à la suite de la mise en œuvre, à l'échelle nationale, des politiques d'austérité budgétaire dictées par les agences financières internationales. La société civile présente en premier lieu ses requêtes à l'État, garant de la protection individuelle, mais également des minorités et des exclus. Dans le contexte de la mondialisation, elle interpelle aussi les instances internationales qui régissent les relations économiques sur plusieurs plans. Elle cible en outre les entreprises, en tant qu'acteurs principaux de la mondialisation, en les incitant à adopter des comportements responsables. Ses arguments sont-ils valables ? Ses propositions bénéficient-elles à l'ensemble de la société ? Vont-elles au-delà de l'intérêt particulier de chacune de ses composantes ? Nous tenterons de répondre à ces questions en analysant les principales revendications de la société civile canadienne.

L'être humain au centre des relations commerciales

Le pivot de toutes les revendications de la société civile réformiste demeure le respect des droits humains en général, en particulier des travailleurs, des femmes, des enfants, des démunis, des laissés-pour-compte de la mondialisation. Le nouveau leitmotiv mis de l'avant pour la construction d'un autre monde : la vie de l'être humain avant le profit. Les organisations d'ici se font également les promotrices du nouveau cheval de bataille de grandes ONG comme la Fédération internationale des droits de l'homme ou Amnistie Internationale : la défense des droits économiques et sociaux. Ceux-ci comprennent notamment le droit à la nourriture, à des soins de santé, au logement, à l'eau potable, à l'éducation et à un travail. Ils incluent également les droits du travail tels que promus par l'OIT, soit la liberté d'association, le droit à la négociation collective, l'égalité de rémunération, l'abolition du travail des enfants et du travail forcé, le droit de travailler dans des conditions justes et favorables. Selon le Bureau international du travail, plus de 12 millions de personnes – principalement en Asie – étaient contraintes au travail forcé en 2005 ! Contrairement aux droits inspirés du libéralisme (liberté de conscience, droit de parole, de religion, de commerce, de déplacement, etc.), le respect de ces droits nécessite une intervention (dépenses et réglementations) de l'État et s'évaluent dans une perspective égalitariste[11]. Mais quel en est le prix et comment garantir leur respect par les gouvernements, dont la plupart – y compris les pays riches – peuvent être mis au ban des accusés ?

Pour éviter les abus sociaux et environnementaux, les organisations civiles en appellent à l'indivisibilité des droits humains et à la mondialisation de ce droit. Afin de faire reconnaître la primauté des droits de la personne sur les règles commerciales[12], elles invoquent

11. Martin Masse, « Quelle sorte de droits », *Le Québécois libre*, nº 27, 19 décembre 1998.

12. *Un cadre de référence des droits humains pour le commerce dans les Amériques*, Droits et démocratie, mars 2001, p. 4.

la préséance des articles 55[13] (sur la coopération économique et sociale internationale) et 103[14] de la Charte des Nations Unies. Dès 1948, la Déclaration universelle des droits de l'homme de l'ONU définissait les droits humains comme un principe universel s'appliquant au-delà des frontières nationales, religieuses, raciales ou culturelles. La Déclaration chapeaute les pactes internationaux sur les droits civils et politiques et sur les droits économiques, sociaux et culturels. Cependant, le droit du commerce international a la plupart du temps prévalu sur le cadre législatif et normatif des droits humains. Plutôt que d'être intimement liés, comme le prévoyait l'ONU lors de sa création, ces deux branches du droit international ont évolué parallèlement[15]. L'Accord de Marrakech instituant l'OMC en 1994 fait seulement mention des rapports économiques entre les signataires, sans spécifier que les échanges devraient contribuer à hausser les niveaux de vie et à réaliser le plein emploi, comme le recommandent les

---

13. Article 55 : En vue de créer les conditions de stabilité et de bien-être nécessaires pour assurer entre les nations des relations pacifiques et amicales fondées sur le respect du principe de l'égalité des droits des peuples et de leur droit à disposer d'eux-mêmes, les Nations Unies favoriseront :

a. le relèvement des niveaux de vie, le plein emploi et des conditions de progrès et de développement dans l'ordre économique et social ;

b. la solution des problèmes internationaux dans les domaines économique, social, de la santé publique et autres problèmes connexes, et la coopération internationale dans les domaines de la culture intellectuelle et de l'éducation ;

c. le respect universel et effectif des droits de l'homme et des libertés fondamentales pour tous, sans distinction de race, de sexe, de langue ou de religion.

14. Article 103 : En cas de conflit entre les obligations des Membres des Nations Unies en vertu de la présente Charte et leurs obligations en vertu de tout autre accord international, les premières prévaudront.

15. Lucie Lamarche « Les droits de la personne à l'heure de la mondialisation », dans *L'OMC. Où s'en va la mondialisation*, Fides et *La Presse*, Collection Points chauds, 2002, p. 181 à 204.

Nations Unies. Car les principes économiques ne considèrent pas l'emploi comme une fin en soi, mais bien comme un moyen pour accroître la richesse.

La mondialisation libérale met à la disposition des consommateurs du globe des produits et des technologies à prix compétitifs. Mais selon les ONG, le dumping agricole et les règles commerciales souvent inégales imposées par les pays développés, qui subventionnent leurs propres agriculteurs, frappent particulièrement les petits commerçants ou les cultivateurs des pays pauvres. Cette concurrence estimée déloyale réduit leur pouvoir d'achat et les empêche de se nourrir adéquatement et d'avoir accès à l'éducation. Leurs droits économiques et sociaux sont ainsi bafoués et, par extension, leurs droits civils et politiques. De telle sorte que la pauvreté constitue un déni des droits humains reconnus par la Déclaration universelle des droits de l'homme, selon les ONG.

En matière de travail, les violations aux droits humains sont aussi fréquentes. Selon plusieurs études[16], la libre circulation du capital a eu de réelles répercussions sur les droits des travailleurs. D'après le Bureau international du travail, 12,3 millions de personnes sont encore victimes du travail forcé sur la planète. « Dans plusieurs pays d'Asie et d'autres économies émergentes, les employeurs et les gouvernements violent impunément les droits des travailleurs, que ce soit dans les usines-bagnes ou par l'exploitation de la main-d'œuvre enfantine ou encore par la servitude pour dette et le travail forcé[17]. » Plus de 27 millions de personnes, des femmes pour la plupart, travaillaient en 1998 dans 850 zones

16. Robert Howse et Makau Mutua, *Protection des droits humains et mondialisation de l'économie : un défi pour l'OMC*, Montréal, Droits et démocratie, 2000 ; Amartya Sen, *Un nouveau modèle économique : développement, justice, liberté*, Paris, Odile Jacob, 2000, 497 p. ; Robert Castel, *L'insécurité sociale. Qu'est-ce qu'être protégé ?*, La République des Idées, Paris, Seuil, 2003, 95 p.

17. Robert Howse et Makau Mutua, *op. cit.*

franches dans le monde[18]. Les ateliers de misère localisés dans les zones franches, où les conditions de travail sont souvent jugées inhumaines, sont aussi une réalité familière dans les pays en développement[19]. La plupart de ces usines, situées en Inde, au Pakistan, en Chine, en Indonésie, au Sri Lanka, au Mexique, au Guatemala ou au Nicaragua, produisent des vêtements achetés par les Canadiens. Si on peut se demander quel serait le sort de ces travailleurs en l'absence d'investissements étrangers, il est aussi permis de s'interroger : les pouvoirs politiques et financiers sont-ils en train de sacrifier les droits du travail pour attirer les investissements, comme l'affirme Oxfam Canada ?

Conformément aux ententes multilatérales, les compagnies sont sommées de respecter les normes sociales et environnementales des pays dans lesquels elles s'établissent. Mais ce faisant, elles contreviennent souvent aux normes de leur pays d'origine. Qui plus est, de nombreux pays pauvres ne sont pas en mesure de faire respecter leurs propres lois. Plusieurs compagnies canadiennes, en particulier les sociétés minières, profitent d'ailleurs des normes laxistes des pays en développement pour faire des affaires à moindre frais. Celles-ci ont été prises à partie par la société civile pour leur manque d'éthique. La communauté des ONG a en effet accusé la compagnie canadienne Talisman Energy, de Calgary, d'avoir réalisé des profits en poursuivant des projets de développement ayant contribué à exacerber la guerre civile au Soudan. Les pressions des défenseurs des droits de la personne et les menaces de poursuite devant la Cour pénale internationale ont obligé la compagnie à cesser ses activités au Soudan en 2003. Selon l'ONU, la firme minière Anvil Mining a aussi fourni de la nourriture aux soldats congolais et

18. Les États-Unis et le Mexique sont les pays qui en regroupent le plus (320), suivis par l'Asie, avec 225.

19. *L'exploitation ne doit pas être une mode*, Oxfam Canada.

contribué à rémunérer certains d'entre eux[20]. D'après les allégations de travailleurs tanzaniens, une cinquantaine de mineurs auraient par ailleurs été enterrés vivants lors d'évictions forcées en 1996, à la mine d'or de Bulyanhulu en Tanzanie. La mine, appartenant à cette époque à Sutton Resources Ltd., de Vancouver, a été cédée à la compagnie torontoise Barrick Gold Corporation. Cette société fait également face à l'opposition des Chiliens, inquiets du déplacement éventuel de trois glaciers géants dans les Andes et des impacts écologiques qu'entraînerait l'extraction de 500 000 kilos d'or en 20 ans sur son site minier de Pascua Lama. Quant à la compagnie canadienne Nortel Networks, elle a été accusée de participer au projet Bouclier d'or, qui vise à promouvoir l'adoption de technologies de l'information et des communications évoluées pour renforcer le contrôle policier central en Chine. Les ONG réclament donc du Canada des normes claires pour obliger les entreprises à adopter à l'étranger une attitude responsable sur les plans social et environnemental.

Par ailleurs, dans les règles de bonne gouvernance qu'elles imposent aux pays emprunteurs, les institutions financières internationales recourent essentiellement aux droits civils et politiques. Si des élections libres favorisent le développement d'espaces politiques stables, facilitent et maintiennent la libre circulation des biens, elles ne garantissent pas l'accès aux biens essentiels pour les démunis, même si elles assurent la prise en compte de leurs revendications à travers le droit de vote[21]. Tel que précisé par les traités des droits de la personne, les organisations civiles estiment donc que l'État devrait, en vertu de ses fonctions redistributrices

20. Jooned Khan, « Deux minières canadiennes sur la sellette pour leurs activités au Congo et au Guatemala », *La Presse*, 1er octobre 2005.

21. Lucie Lamarche, *op. cit.*

et régulatrices, assurer la protection des populations les plus vulnérables et promouvoir tous les droits de la personne. « Les États ont l'obligation de s'assurer que les négociations multilatérales de libre-échange n'entrent pas en contradiction avec leurs engagements en matière de droits humains », spécifie Diana Bronson, de l'organisme Droits et démocratie. Paradoxalement, le rôle de l'État en tant que protecteur du citoyen a été affaibli par les politiques de la Banque mondiale et par l'émergence des régulations transnationales. Dans ces circonstances, à quelle instance peuvent s'adresser les ONG ?

À qui incombe la responsabilité de protéger les droits humains ?

L'OMC a-t-elle le mandat et la capacité d'intégrer la dimension des droits humains dans ses décisions ? Les organisations sociales sont persuadées que oui. En cas de conflit entre le droit commercial et le droit relatif aux droits humains, le second devrait impérativement, comme le soutient l'ensemble de la société civile, avoir préséance sur le premier. De fait, « l'article XX du GATT, maintenant intégré dans le système de l'OMC, reconnaît que les valeurs non commerciales fondées sur l'intérêt public sont censées prévaloir en cas de conflit sur les règles gouvernant la libéralisation des échanges[22] ». Cet article, qui a fait l'objet d'une interprétation restrictive, a toutefois été marginalisé et rendu caduc au cours des années. Les organisations sociales réclament ainsi une meilleure coopération entre l'OIT et l'OMC et leurs secrétariats, conformément à la Déclaration ministérielle de Singapour de

22. Robert Howse et Makau Mutua, *op. cit.*, p. 4.

23. Rappelons que ces principes sont le droit à la syndicalisation et à la négociation collective, l'interdiction du travail des enfants et du travail forcé, la non-discrimination en emploi.

l'OMC de 1996. Cette collaboration pourrait assurer le respect des principes des conventions de l'OIT[23]. Une certaine concertation s'est installée entre les deux institutions, mais la formation d'un groupe de travail conjoint sur le commerce et les normes du travail a été rejetée en raison de l'opposition de nombreux pays en développement, qui associaient cette initiative à l'imposition de nouvelles mesures protectionnistes.

Plusieurs déclarations visant le respect des droits humains ont été signées au cours des dernières décennies. En 1986, les membres des Nations Unies ont adopté la Déclaration sur le droit au développement. Ce droit, attribué aux peuples et aux personnes, les autorise à participer et à contribuer aux stratégies de développement, ainsi qu'à ses bénéfices et à ses retombées. La reconnaissance du droit de l'environnement et du droit des personnes de bénéficier d'un environnement sain existe également. Lors de la Conférence mondiale sur les droits de l'homme, tenue à Vienne en 1993, plus de 170 pays se sont engagés à prioriser le respect des droits humains, tant civils et politiques, qu'économiques, sociaux et culturels. Mais « dans les pays occidentaux, les droits humains sont laissés dans le vague », soutient André Paradis, président de la Ligue des droits et libertés.

Les organisations canadiennes dénoncent les moyens limités et le laxisme des instances internationales (ONU, OEA, etc.) chargées d'assurer le respect des droits humains. Elles s'insurgent de la marginalisation et du sous-financement du système de protection des droits, tant sur le plan international que national. « Il n'y a pas suffisamment de personnel, pas assez d'argent, il y a énormément d'attente, les décisions n'ont pas force de loi et le sont sur une base volontaire. Il y a une condamnation morale, mais rien de plus », déplore Diana Bronson, de Droits et démocratie. Le Congrès du travail du Canada se dit particulièrement préoccupé par l'asymétrie entre le pouvoir des institutions qui réglementent les relations économiques et le pouvoir de celles qui s'occupent des normes afférentes aux droits de la personne ou du travail et au développement international et social. Les lois qui favorisent l'expansion du commerce international prévoient des pénalités financières ou l'exclusion de certains privilèges lorsque les termes des contrats ne sont pas respectés. Mais dans le domaine des droits humains, rien de tout cela n'existe. Pour les syndicalistes et les défenseurs des droits humains, il est clair que la volonté politique fait défaut.

Selon les syndicats canadiens, l'ALENA a débilité le pouvoir des États membres en accordant beaucoup plus d'importance aux objectifs économiques de l'accord. Des accords parallèles sur le travail et l'environnement ont certes été annexés à l'accord, mais ils se sont révélés d'une faiblesse déconcertante (voir chapitre 5). D'après eux, l'ALENA a aussi contribué à accroître les inégalités sociales, à affaiblir le pouvoir de négociation des travailleurs et à réduire leur capacité à se syndiquer[24]. Les organisations canadiennes sollicitent donc l'adoption de mécanismes d'ajustement dans les accords de libre-échange, tels le recyclage professionnel et le développement de projets précis de création d'emplois. En cas de non-respect des droits fondamentaux des travailleurs, elles estiment que les avantages conférés par toute entente commerciale devraient être retirés. Certaines de ces suggestions ont été prises en compte par les gouvernements concernés lors du IVe Sommet des Amériques qui a porté sur la création d'emplois pour combattre la pauvreté.

Malgré ces quelques progrès, il faut souligner que le gouvernement canadien (pas plus que les États-Unis)

24. D'après Robert E. Scott, Carlos Salas et Bruce Campbell intitulée *NAFTA at seven : Its impact on workers in all three nations*, avril 2001. Cette étude a été réalisée conjointement par le Centre canadien de politiques alternatives, l'Economic Policy Institute et le Colegio de México.

n'a toujours pas ratifié la Convention américaine relative aux droits humains, le principal instrument permettant l'application du droit dans les Amériques. Ottawa s'est toutefois engagé à le faire à la suite d'un rapport du Comité sénatorial sur les droits de la personne[25]. Le Canada, qui avait plutôt signé la Déclaration américaine des droits et des devoirs de l'homme, sans force exécutoire, justifiait jusque là sa position en alléguant que la Convention était équivoque quant à la question du droit à la vie et de la liberté d'expression. La Ligue des droits et libertés avait vivement encouragé le Canada à signer cette convention, en proposant l'ajout d'une clause interprétative permettant de contourner le problème. L'OEA étant la principale gardienne des droits sociaux des citoyens des Amériques, des centaines d'organisations des Amériques réunies au sein de l'Alliance sociale continentale recommandent l'instauration d'un système interaméricain de protection des droits de l'homme plus souple, plus transparent et plus efficace[26].

Mais même en l'absence de mécanismes coercitifs, les institutions internationales ont un pouvoir de réprimande publique qui incite les gouvernements à s'amender. En tant que signataire du Pacte des droits économiques, sociaux et culturels depuis 1996, le Canada, par exemple, a été sévèrement blâmé en 1998 pour les problèmes sociaux qui persistaient au pays, malgré la croissance économique. Ce rapport de l'ONU reprochait à Ottawa l'abolition du régime d'assistance publique et les compressions dans les transferts aux provinces pour l'aide sociale, la santé et l'éducation. La situation des

---

25. *Adhésion à la Convention américaine relative aux droits humains. Le temps est venu de passer à l'action*, réponse du gouvernement au Dix-huitième rapport du comité sénatorial permanent des droits de la personne, novembre 2005.

26. Voir le document de l'Alliance sociale continentale intitulé *Le Plan d'action des Amériques pour les droits humains : un enjeu continental, une entreprise commune.*

Amérindiens, des mères célibataires, des sans-abri, des chômeurs et des assistés sociaux était jugée inquiétante. Cette sanction morale a incité les gouvernements fédéral et provinciaux à revoir leurs programmes de logement social et de lutte contre la pauvreté. À la suite du scandale de l'eau contaminée à Walkerton, les dirigeants ontariens ont aussi resserré leurs contrôles afin d'assurer aux populations l'accès à l'eau potable.

Confortées par la publication du rapport onusien, les organisations québécoises de défense des droits, dont la Ligue des droits et libertés, ont cherché à sensibiliser les élus québécois à la pauvreté en exigeant l'introduction de la condition sociale en tant que motif de discrimination dans la Charte canadienne des droits de la personne. Avec la réduction constante du financement des services sociaux, ce thème est devenu une priorité pour ces organisations. Leurs pressions ont encouragé le gouvernement du Québec à élaborer un Plan d'action de lutte contre la pauvreté et l'exclusion sociale. Cependant, la définition de la pauvreté inscrite dans la Loi sur l'aide aux personnes et aux familles (loi 57) exclut la privation de l'accès à un niveau de vie suffisant et de l'exercice d'autres droits, civils, culturels, économiques et sociaux. Cette position n'est sûrement pas étrangère à l'orientation néolibérale du gouvernement québécois et aux difficultés budgétaires auxquelles il fait face. Néanmoins, la Commission des droits de la personne et de la jeunesse a donné raison aux ONG en recommandant le renforcement des droits sociaux et économiques au Québec : droit au logement, à la santé, au travail, à l'éducation et à des mesures de soutien pour les familles pauvres[27].

27. Norman Delisle, « Les nouveaux droits du 21e siècle », *Le Devoir*, 13 janvier 2004, et le communiqué de la Commission intitulé *L'aide aux personnes et aux familles doit être conçue dans une perspective de lutte contre la pauvreté et de respect des droits humains fondamentaux*, 26 octobre 2004.

Les clauses sociales et environnementales

Avec l'ouverture des frontières aux investissements, les délocalisations sont devenues monnaie courante dans les pays développés, y compris dans le secteur des services en raison des progrès des technologies de l'information et des communications. Avec son immense réservoir de personnel diplômé et anglophone, l'Inde attise les craintes. Inhérent à la globalisation, le phénomène des délocalisations s'apparente aux importations de biens et services, qui sont basées sur les bénéfices de la spécialisation et la loi des avantages comparés. « En produisant là où le coût est le moins élevé, les entreprises contribuent à l'efficacité économique et, par conséquent, à l'accroissement du niveau de vie[28] » en réduisant les coûts de marchandises. Mais le Canada n'est pas perdant dans ce jeu, selon les experts. Il est l'une des destinations les plus prisées du monde pour les délocalisations, avec l'Inde, l'Irlande et Israël. D'après le gouvernement canadien, près de 2,3 millions d'emplois ont été créés au Canada en dix ans depuis 1994, représentant une augmentation de 17,5 % par rapport aux niveaux d'emploi avant l'ALENA[29]. Malgré leur faible impact à long terme sur l'emploi et l'activité économique, les délocalisations suscitent toutefois une grande insécurité économique et sociale, car elles menacent à court terme même les emplois des travailleurs qualifiés. Comme les conditions de travail, les faibles normes environnementales et les bas salaires des pays du Sud sont souvent à l'origine de ces choix d'entreprise, le mouvement syndical et environnementaliste a enfourché un nouveau cheval de bataille pour freiner

---

28. Michel Kelly-Gagnon, « Des craintes injustifiées », *Les Affaires*, 27 août 2005, p. 12.

29. Source : *Vue d'ensemble de l'ALENA*, Gouvernement du Canada, à l'adresse www.dfait-maeci.gc.ca/nafta-alena/over-fr.asp

le nivellement par le bas des normes sociales et environnementales[30].

Lors des discussions entourant les négociations du lac Meech, la coalition canadienne Charter Committee on Poverty Issues avait demandé l'élaboration d'une charte contre la pauvreté et l'adoption d'une charte sociale pancanadienne. Cette idée a été reprise à l'échelle continentale par la société civile panaméricaine afin de contrer les abus commis par les entreprises. Selon plusieurs organisations civiles, l'insertion d'une clause sociale sur le travail et l'environnement dans les accords commerciaux multilatéraux ou régionaux pourrait assurer le respect des droits du travail énoncés par l'OIT et mettre en place les conditions d'un développement durable au Nord comme au Sud. Gauri Sreevanisan, du Conseil canadien pour la coopération internationale, propose même que les organisations sociales de chaque pays exercent une surveillance pour dénoncer les États répressifs du Sud qui refusent d'accorder aux travailleurs le droit de s'organiser.

L'idée de lier les droits sociaux au commerce remonte à la fondation de l'OIT en 1919. Une clause sociale peut être définie comme un ensemble de règles de comportement social que les gouvernements et les entreprises doivent respecter afin d'obtenir certains avantages ou éviter des sanctions économiques[31]. Ces normes sont consignées dans 176 conventions internationales du travail, mais aucune d'entre elles n'a été ratifiée par la totalité des membres de l'OIT[32]. Depuis les années 1980, le mouvement syndical international, l'Union européenne et les États-Unis ont tenté de faire adopter

30. Sylvie Dugas, *L'ALENA, un bilan social négatif. Rapport du colloque Les dix ans de l'ALENA. Bilan social et perspectives*, Chronique des Amériques, CEIM, UQAM, octobre 2004.

31. Source: *New Alliances for Dignity in Labour*, Conférence Nord/Sud, Pise, 1995.

32. Bernard Cassen, « La clause sociale: un moyen de mondialiser la justice », *Le Monde diplomatique*, février 1996, p. 18-19.

des propositions de ce type pour mettre un frein à la précarisation du travail. Durant les années 1990, des clauses sociales plus ou moins contraignantes ont été introduites dans certains règlements et accords commerciaux, dont l'Union européenne et l'ALENA (accords parallèles sur le travail et l'environnement). À la première conférence ministérielle de l'OMC à Singapour en décembre 1996, la nécessité d'instaurer des normes sociales fondamentales était au cœur du débat.

Cependant, les pays du Sud s'opposent généralement à l'introduction de clauses sociales et écologiques qui, selon eux, violent leur souveraineté nationale. Ils allèguent que ces clauses auraient pour effet de relever les normes des pays pauvres en augmentant leurs coûts de production, ce qui les priverait du coup de leur avantage comparatif face aux pays riches. En outre, les pays du Sud ont le sentiment que le Nord essaie d'imposer ses propres priorités en posant de nouvelles conditions au commerce. Il s'est aussi avéré difficile de conditionner le commerce à des normes sociales ou écologiques en vertu des principes de non-discrimination et de traitement national[33] inscrits dans le GATT et dans l'OMC. Ces deux concepts, qui accordent aux produits locaux et importés le même statut, reposent en effet sur celui de « produits similaires », généralement interprété comme faisant référence au produit en tant que tel, quelle que soit la méthode de production.

De ce point de vue, le fait de lier les normes écologiques et sociales au commerce remet en cause l'objectif de développement poursuivi par la philosophie économique classique. Celle-ci veut que le libre-échange stimule la croissance en tirant pleinement parti d'un avantage comparatif, créant ainsi les conditions fondamentales

33. Selon cette clause, il ne doit pas y avoir de différence de traitement entre un produit d'origine locale et un produit importé à l'intérieur d'un pays.

pour construire une économie durable dans laquelle se mettront en place des normes sociales acceptables. L'imposition de normes sociales supranationales pourrait interférer dans cette logique. L'affirmation voulant que les forces de la globalisation entraînent à long terme une baisse des conditions de travail au Nord et empêchent les gouvernements de fixer des normes sociales et économiques nationales est d'ailleurs contestée. Au Canada, où les exportations comptent pour près de 40 % du PIB, l'ouverture économique a historiquement encouragé la diversité et l'amélioration des normes du travail dans les différentes provinces[34]. Selon l'Institut C. D. Howe, cette hausse des normes a peu affecté la performance économique du pays.

Mais si les clauses sociales favorisent en théorie le Nord, elles ont en pratique peu d'impact sur les coûts du travail, indique Gilles Trudeau, professeur de droit à l'Université de Montréal. Forts de leur pouvoir de négociation, les États-Unis insèrent maintenant des clauses du travail et de l'environnement dans leurs accords commerciaux. À l'opposé, le Canada préfère la formule des accords parallèles favorisant plutôt la coopération que la coercition entre les pays signataires. Ces accords reposent cependant sur la volonté politique : chacun des partenaires doit respecter ses propres législations du travail. Ils ne permettent pas de contestation juridique et ne donnent pas lieu à l'établissement de normes supranationales du travail. Mais des transformations sont perceptibles à l'échelle continentale afin d'assurer le respect des droits fondamentaux du travail dans l'hémisphère américain : la Déclaration finale du IVe Sommet des Amériques en fait mention et une Charte sociale est actuellement en élaboration à l'OEA.

---

34. Michael Huberman, « Are Canada's Labor Standards set in Third World? Historic trends and future prospects », *Commentary*, Institut C. D. Howe, février 2005.

La responsabilisation sociale des entreprises

La précarité et la « flexibilisation » de l'emploi, de même que la dégradation des conditions de travail sont des réalités liées à la concurrence, aux fusions d'entreprises ou aux délocalisations générées par la mondialisation. Clauses « orphelins », temps partiel ou travail à contrat, mises à pied, syndicalisation à la baisse, travail autonome, prestations d'assurance-emploi réduites : ces conditions de travail sont maintenant devenues le lot de milliers de Canadiens et de Québécois. De nombreux militants sont également révoltés par les misérables conditions de travail dans les usines de sous-traitance des compagnies transnationales. Les travailleurs sont aussi inquiets de l'impact des délocalisations et de la faiblesse des mesures transitoires mises de l'avant par les gouvernements. Selon le secrétaire général de la division canadienne anglophone d'Amnistie Internationale, Alex Neve, « les compagnies transnationales ont le devoir de contribuer à la promotion et à la protection des droits humains[35] ».

Les ONG qui portent le flambeau de cette lutte s'adressent non seulement aux instances nationales et internationales, mais aussi aux grandes sociétés pour tenter de les responsabiliser à travers le respect et l'amélioration de leurs codes de conduite. Les codes de conduite sont des mécanismes d'autorégulation volontaires, la plupart du temps non coercitifs. En cas d'inconduite, c'est l'opprobre des pairs et la perte de privilèges reliés à l'appartenance à l'institution qui tient lieu de garde-fous. Certains de ces codes sont énoncés par les institutions internationales : Banque mondiale, OCDE, ONU, OIT, Chambre de commerce internationale, Organisation internationale des commissions des valeurs, Banque des règlements internationaux, International Organization for Standardization (ISO),

35. Entrevue réalisée en juin 2001.

d'autres par des instances privées de régulation sectorielle internationales ou nationales (Sullivan Principles, Canadian Chemical Association, etc.). Les organismes gouvernementaux subventionnaires tracent aussi les grandes lignes de la conduite des entreprises. Mais dans de nombreux cas, les sociétés transnationales prennent le relais de la production normative et élaborent leur propre code de conduite. En théorie, les sociétés transnationales se sont engagées à respecter ces codes de conduite. De leur côté, les gouvernements ont promis de faire enquête, sur demande, en cas de violation des règlements. Mais en pratique, le respect de ces codes demeure purement volontaire.

La sous-traitance dans les pays en développement, où les salaires sont souvent très bas, est l'une des stratégies d'investissement à l'étranger les plus utilisées par les firmes multinationales. En effet, les ouvriers du tiers-monde sont jugés moins productifs, ce qui justifie leurs faibles rémunérations. Malgré cela, les firmes multinationales paient généralement leurs employés deux fois plus que les employeurs du pays dans un même secteur d'activité[36]. Mais les organisations sociales dénoncent les conditions de travail dans ces usines, qu'elles estiment barbares dans de nombreux cas. Éclaboussées par les campagnes des ONG contre les ateliers de misère[37], plusieurs compagnies vestimentaires telles Nike, Levi Strauss, Adidas et Reebock ont mis en place leurs propres codes de conduite durant les années 1990 afin d'améliorer les conditions de travail chez leurs partenaires sous-traitants. Pourtant, en 2004, une chaussure sport se vendait encore 150 fois plus cher que le salaire horaire d'une ouvrière qui travaillait 12 heures par jour sans repos pendant deux à trois mois !

Le groupe Levi Strauss, qui compte quelque 750 sous-traitants dans le monde, a été la première multinationale

36. Johan Norberg, *op. cit.*

à imposer un code de bonne conduite à ses fournisseurs, en 1991. Depuis, elle a rayé de sa liste de fournisseurs les usines qui refusaient de s'y soumettre. Son code de conduite est considéré comme l'un des meilleurs au monde. Néanmoins, il ne contient que des recommandations minimales : une journée de congé par semaine, une semaine de travail de 60 heures au maximum, l'âge minimal de travail établi à 14 ans. Malgré ces faibles standards, des problèmes graves ont été décelés par les ONG dans cinq usines de Levi's au Honduras, en 1996. La compagnie, consciente de l'importance de ces scandales sur son image de marque, consacre aujourd'hui un budget important à la communication publique. Elle a déployé maintes stratégies pour redorer son blason : son directeur des communications pour l'Amérique du Nord a même participé à un débat dans une petite école secondaire de l'Ontario[38] ! Après avoir mis sur le marché un ourson en peluche portant le signe de la paix, symbole des militants antiguerre, la compagnie a voulu faire preuve de transparence : elle a rendu publique en octobre 2005 la liste nominative des ateliers qui fabriquent ses produits sous les marques Levi's, Levi Strauss Signature et Dockers à travers le monde[39]. Nike avait également affiché cette ouverture en 2004, dans son rapport sur la responsabilité sociale de l'entreprise. L'année suivante, la compagnie rendait candidement publics de nombreux abus dans ses usines de sous-traitance[40].

---

37. Ces organisations sont : Développement et Paix, Task Force on the Churches and Corporate Responsibility (Toronto), Press for Change et Interfaith Center on Corporate Responsibility (New York). La campagne Play Fair est aussi composée d'une coalition d'ONG dont font partie Oxfam, Clean Cloth Campaign et de l'Éthique sur l'étiquette.

38. Gérard Verna et Jacques Bertrand, *Éthique de la production en sous-traitance: le cas de l'industrie du vêtement*, Université Laval et Développement et Paix, p. 9.

39. Voir « Pour afficher sa transparence, Levi Strauss publie la liste de ses 750 ateliers », *Le Monde*, 14 octobre 2005.

40. Le harcèlement et les abus (25-50 %), un nombre d'heures de travail excédant les normes de Nike (50-100 %) et les normes légales

Pour éviter ces abus, le groupe torontois Maquila Solidarity Network et la coalition canadienne Ethical Trading Action Group ont entamé en 2001 une campagne demandant au gouvernement fédéral de modifier sa législation sur l'étiquetage afin d'obliger les compagnies vestimentaires à révéler le lieu de fabrication des vêtements vendus au Canada. Le groupe, qui milite depuis 1995 pour l'amélioration des conditions de travail des employés d'usines textiles, n'a pas réussi à convaincre l'ex-ministre du Commerce international, Jim Peterson, qui a invoqué la complexité de l'opération pour se défiler, la déréglementation étant l'un des fers de lance de la mondialisation. Mais l'une des récentes campagnes du réseau a fait mouche. Appuyée par le National Labor Committee, une organisation américaine de protection des droits des travailleurs, l'ONG a reproché à Gildan le congédiement injuste pour activités syndicales d'une centaine d'employés dans ses usines de El Progreso, au Honduras. Une plainte formelle a été déposée à ce sujet auprès du Fair Labor Association, un organisme indépendant de vérification du respect des normes du travail. Devant la médiatisation du dossier, la compagnie a dû rectifier ses pratiques.

Comme les États ont tendance à délaisser le champ de la régulation au bénéfice des firmes multinationales, les ONG se tournent maintenant vers les institutions publiques, les organismes de réglementation internationaux et les entreprises elles-mêmes pour les obliger à respecter les codes de conduite en vigueur. Avec sa campagne *Ne soyons pas complices*, la Coalition québécoise contre les ateliers de misère propose aux institutions qui achètent du textile en gros d'adopter une politique d'achat éthique, assurant le respect des

(25-50 %), des salaires de 25 à 50 % au-dessous du salaire minimum légal, la violation de la liberté d'association (10-25 %).

normes minimales internationales et locales. Ces institutions devraient révéler les lieux de fabrication et effectuer des inspections indépendantes. L'organisation ATTAC estime que les sociétés transnationales devraient être assujetties à un code de conduite international pour protéger les droits des nations et leurs citoyens[41]. La pression de diverses organisations, incluant les syndicats et les ONG, a ainsi contribué à forcer certaines institutions internationales à améliorer leurs normes de base pour guider les agissements des sociétés transnationales. L'OCDE a notamment révisé les lignes directrices réglementant les sociétés transnationales émises en 1975. Des conventions sur les droits du travail, sur l'environnement, la régie d'entreprise et le traitement des clients y ont été incluses.

À partir de 2000, les Nations Unies ont pour leur part mis en opération le Pacte mondial, une déclaration de principe concernant la bonne conduite des entreprises en matière d'environnement, de droits humains, de conditions de travail et de corruption. Depuis cette date, près de 2000 entreprises et dirigeants d'organisations de la société civile, incluant des syndicats, se sont ralliés au Pacte. Les principes qui le composent sont dérivés de la Déclaration universelle des droits de l'Homme, de la Déclaration sur les principes fondamentaux et les droits du travail de l'OIT, de la Déclaration de Rio sur l'environnement et le développement et de la Convention des Nations Unies contre la corruption. Le but recherché par l'ONU était d'en faire une tribune de débat sur les aspects controversés de la mondialisation et du développement. Mais la plupart des grandes entreprises, notamment Shell Canada, se sont montrées réticentes à y adhérer[42]. Ces acteurs

41. *La réforme des institutions financières internationales*, Conseil scientifique d'ATTAC France, juillet 2001, p. 20-21.

42. Kathy Noël, « Sweatshop blues », *Commerce*, septembre 2004, p. 53.

privilégient plutôt les normes volontaires, suffisantes à leur avis pour assurer le respect des droits des travailleurs[43].

Pourtant, les organisations canadiennes croient que ce Pacte peut faire une différence. « Bien que rien ne garantisse son application, la signature de cette déclaration par une entreprise est généralement le premier pas qui précède l'établissement de codes de conduite permettant de respecter ces règles en bout de ligne », indique François Rebello, président du Groupe Investissement responsable. Une fois que les compagnies ont adhéré à la déclaration de principe de l'ONU, aux règles de conduite de l'OCDE ou de la Banque mondiale, il est également plus facile pour les ONG de dénoncer leurs écarts. Et c'est ce qu'elles font avec des résultats plus ou moins concluants.

Il a notamment été reproché à Alcan, visée par la campagne québécoise *Alcan't in India* en 2005, d'avoir contrevenu aux normes de la Banque mondiale dans le cadre de son projet d'extraction de bauxite dans la région de Kashipur, en Inde. Selon les ONG, la compagnie avait omis de consulter les membres de la communauté autochtone pour obtenir leur assentiment face à son projet et pour leur accorder des compensations financières adéquates. Quant à la minière Ascendant Copper Company, elle a été blâmée par plusieurs ONG[44] pour ne pas avoir respecté les règles de l'OCDE, en omettant d'informer la population locale et les investisseurs potentiels des risques causés par une installation minière à Junin, en Équateur. Cet endroit fait partie des 34 plus importantes zones de biodiver-

43. « Shell Leads International Business Campaign Against UN Human Rights Norms », Corporate Europe Observatory à l'adresse : www.corporateeurope.org

44. Ces ONG sont Mining Watch Canada, Les Ami(e)s de la Terre et Defensa y Conservacion ecologica de Intag.

sité dans le monde[45]. Le même comportement a été reproché à la firme minière Glamis Gold, dans le projet Marlin à San Carlos, au Guatemala.

Un Groupe de travail d'ONG, incluant le mouvement syndical canadien, a aussi tenté d'inciter le gouvernement canadien à utiliser la bonne conduite comme base pour l'octroi de subsides à l'exportation, à travers Exportation et Développement Canada (EDC). L'organisme subventionnaire a réagi en opérant certaines réformes depuis 2001 : il exige maintenant des compagnies souhaitant obtenir un financement qu'elles effectuent une étude d'impact environnemental. Les tierces parties, dont la société civile, ont une courte période d'un mois pour faire des représentations. Cependant, le processus d'analyse des dossiers demeure secret pour préserver la confidentialité des investisseurs, en raison de la concurrence. Dans la mouvance des réformes entamées à l'OCDE[46], le Canada a aussi renforcé ses exigences environnementales pour l'octroi de crédits à l'exportation. Mais l'Initiative d'Halifax considère que l'organisme canadien conserve encore une trop grande marge de flexibilité.

Quant à l'ajout de normes visant à assurer le respect des droits des travailleurs, EDC a certes formé un comité chargé d'étudier les plaintes qui lui sont présentées et de se doter de moyens pour analyser l'impact des projets subventionnés sur le tissu social et les droits de la personne dans les pays en développement. Mais aucun processus formel n'a été établi pour en

45. Voir « International Investment Complaint Filed Against Canadian Mining Company. *Canadian* and Ecuadorian Organizations Allege Vancouver-based Ascendant Copper Breached International Corporate Responsibility Standards in Biodiversity Hotspot », Communiqué de Mining Watch, 18 mai 2005, à l'adresse http://www.miningwatch.ca/issues/Ecuador/OECDrls_en.html

46. Le Canada est en effet signataire des *Approches communes* adoptées à cet effet par les pays membres de l'OCDE en 2001, lesquelles ont été renforcées en 2003.

traiter[47]. L'organisme demande toutefois aux compagnies bénéficiaires de signer une déclaration certifiant qu'elles n'ont eu recours à aucune pratique de corruption pour décrocher leurs contrats. EDC a en outre élaboré un Code d'éthique commerciale, qui fournit des méthodes précises pour traiter les normes éthiques, les conflits d'intérêts, les renseignements confidentiels et les délits d'initiés.

Pour assurer un meilleur respect des normes canadiennes, certaines ONG canadiennes demandent également au gouvernement d'amender ses lois et règlements. L'Initiative d'Halifax, notamment, souhaite voir modifier la Loi sur les entreprises canadiennes pour obliger les compagnies établies à l'étranger à respecter un code de conduite, à se soumettre à des vérificateurs indépendants et à se rapporter à leurs actionnaires annuellement. Ces sociétés devraient ainsi divulguer les informations de nature économique, sociale, environnementale ou en matière de santé reliées à leurs opérations. Au Sommet des 6 milliards (G6B), organisé par la société civile canadienne à Calgary en juin 2002 – parallèlement au Sommet du G8 à Kananaskis – les organisations présentes sont allées encore plus loin : elles ont demandé au gouvernement canadien d'adopter des législations qui sanctionneraient les sociétés transnationales en cas de violation des traités internationaux et des diverses conventions sur l'environnement, les droits humains, les peuples autochtones et les droits des travailleurs. Ottawa ne s'est pas prononcé à cet égard.

La finance responsable, un outil prometteur ?

La finance responsable a vu le jour pour répondre aux questionnements éthiques formulés par une société

47. « Comments submitted to EDC : lessons learned around the Cervanada2 complaint », dans le site Internet de l'Initiative à l'adresse http ://www.halifaxinitiative.org/updir/EDC_CO_Recommendations.pdf

civile de plus en plus revendicatrice. Même s'il vise la rentabilité, ce type d'investissement prend en compte la destination et l'utilisation des sommes investies et tente de concilier les objectifs financiers classiques (revenu ou patrimoine, sécurité ou performance, disponibilité) avec des paramètres sociaux, éthiques ou environnementaux[48].

Le concept d'investissement responsable est une initiative des communautés religieuses, qui écartaient de leurs placements certaines entreprises sur la base de critères simples. Mais dès les années 1960, celles-ci sont rejointes par les activistes américains du mouvement des droits civiques et contre la guerre du Vietnam, pour qui le caractère social des critères éthiques devient prédominant. Durant les années 1970 et 1980, la finance éthique prend un essor international en se concentrant sur la lutte contre l'apartheid en Afrique du Sud. Une nouvelle approche d'engagement est proposée afin de changer les conduites des entreprises : des critères environnementaux puis sociaux – respect des normes internationales de travail dans les pays du Sud – sont adoptés.

Dans la foulée de cette tendance, le mouvement syndical québécois décide d'allouer une partie de ses actifs à de nouvelles institutions financières favorisant le développement économique et social de leur communauté. Afin de contrer le taux de chômage élevé et le déclin économique, le Fonds de solidarité des travailleurs de la FTQ est créé en 1983, puis le Fondaction pour la coopération et l'emploi de la CSN, en 1996. La Fiducie Desjardins met sur pied en 1990 le Fonds Environnement. Aujourd'hui, on assiste à une institutionnalisation du mouvement de l'investissement responsable, devenu une véritable industrie. Les législations

48. Gilles L. Bourque et Corinne Gendron, *La finance responsable: la nouvelle dynamique d'une finance plurielle?*, Fondaction CSN, 2005.

reconnaissent son existence et la société entière profite de ses retombées économiques et sociales. La finance responsable se divise en deux types de pratiques distinctes : le placement et l'investissement.

Le placement responsable

Le tamisage et l'engagement corporatif sont les deux principales formes de placement responsable. Le tamisage se pratique par l'application de filtres positifs ou négatifs dans le processus de choix des placements, sur la base de critères éthiques, sociaux ou environnementaux. L'engagement corporatif, qui s'appuie sur des critères identiques, consiste pour l'investisseur à utiliser son droit de vote et les propositions d'actionnaires pour influencer les pratiques des entreprises en matière de responsabilité sociale et environnementale.

Depuis une dizaine d'années, plusieurs groupes établis au Canada, dont le Groupe Investissement Responsable, le Regroupement pour la responsabilité sociale des entreprises, Share ou la Social Investment Organization, font la promotion du placement ou de l'investissement responsable. Pour être inscrites dans des fonds éthiques, les sociétés doivent se conformer aux normes internationales, effectuer un rapport d'audit et payer le prix de la certification. Cependant, « les gains résultant de ce choix, qui garantit la réputation des compagnies, sont plus grands que les coûts reliés à la certification », d'après François Rebello, du Groupe Investissement responsable. Les investisseurs institutionnels, qui sont des acteurs incontournables dans le développement économique, demeurent la principale cible des gestionnaires de fonds éthiques.

Il faut spécifier que l'effet réel des fonds éthiques sur les pratiques des entreprises demeure faible, en raison du peu d'adhésion à ce type d'investissement vu l'absence de publicité. Au Canada, les fonds éthiques ne représentaient en 2004 que quelque 70 milliards de dollars d'investissement, bien loin derrière les deux billions de dollars investis aux États-Unis. Cela malgré le fait que grosso modo, la performance des fonds éthiques est équivalente à celle des fonds traditionnels. Pour accroître la popularité du placement responsable, de nouveaux types de partenariats entre la société civile et les entreprises socialement responsables pourraient s'établir, comme cela se fait déjà en Europe.

L'investissement responsable

L'investissement responsable se décline aussi en deux catégories : le capital de développement et la finance solidaire. Contrairement aux sociétés de capital de risque classiques, les fonds de capital de développement ont comme objectif principal le développement économique de leur territoire dans le but de créer de l'emploi[49]. Au Québec, les fonds et caisses des travailleurs[50] illustrent ce type d'investissement. Un pourcentage important de l'actif de ces fonds prend la forme de participations directes dans des PME québécoises, le reste pouvant être utilisé sous forme de placements en obligations ou en valeurs mobilières. Un hic cependant : le rendement de ces fonds est en général inférieur à celui des fonds traditionnels et leur risque est beaucoup plus élevé.

Quant à la finance solidaire, elle s'inscrit généralement dans la perspective du développement économique communautaire, qui favorise l'accès à des sources de crédit pour les collectivités en déclin et les populations vivant dans la pauvreté. Ces investissements visent des résultats quantitatifs (création d'emplois ou d'entreprises, en particulier d'économie sociale) mais surtout qualitatifs (employabilité, perfectionnement, nouvelle culture entrepreneuriale, auto-

---

49. *Idem.*

50. Le Fonds de solidarité FTQ, le Fondaction de la CSN et le Capital régional et coopératif Desjardins.

contrôle ou empowerment). La réussite de ces projets est assurée par des outils d'accompagnement et des exigences de rendement plus faibles. Le financement par microcrédit aide les personnes défavorisées à se réinsérer dans la société en donnant un signal positif aux institutions traditionnelles. Mais ce système a aussi ses revers : il fonctionne essentiellement avec des bénévoles et sa structure de base est très flottante.

L'accès à la capitalisation étant l'un des principaux enjeux du développement, le Québec a aussi mis sur pied une structure de financement des entreprises socialement responsables constituée entres autres du Réseau d'investissement social du Québec, du Fonds d'investissement en développement durable et de la Caisse d'économie solidaire. Ces initiatives s'avèrent prometteuses tant au plan économique que social et environnemental.

Changer les rapports Nord-Sud : un traitement différencié pour les pauvres

De nombreuses études décrivant les conséquences sociales de la mondialisation libérale font preuve de pessimisme quant à la pauvreté et à l'emploi[51]. Même si la proportion de gens vivant dans l'extrême pauvreté a diminué dans le monde, leur nombre a augmenté du fait de l'accroissement démographique[52] : 1,2 milliard de personnes vivent actuellement avec moins d'un dollar par jour, ce qui représente le cinquième de

51. Joseph E. Stiglitz, *La grande désillusion*, Paris, Seuil, 2001 ; Douglas Irwin, *Free Trade Under Fire*, Princeton University Press, 2001 ; Christophe Aguiton, *Le monde nous appartient*, Paris, Plon, 2001 ; Jean Zigler, *Les nouveaux maîtres du monde et ceux qui leur résistent*, Paris, Fayard, 2002 ; Francine Mestrum, *Mondialisation et pauvreté. L'utilité de la pauvreté dans le nouvel ordre mondial*, Paris, L'Harmattan, 2002 ; Samir Amin et François Houtart, *Mondialisation des résistances - État des luttes 2002*, Paris, L'Harmattan, 2002.

52. La proportion de pauvres a plus que triplé dans les pays de l'ex-Union soviétique, au cours de la transition économique et sociale.

l'humanité[53]. Si l'éducation a progressé sur toute la planète en 20 ans, un tiers des enfants arrête l'école après le primaire, dont les trois quarts en Afrique sub-saharienne[54]. Alors que la croissance atteignait un niveau record dans les pays du tiers-monde en 2004 et en 2005, que les conditions de vie des plus démunis s'amélioraient en Chine, en Asie de l'Est et dans le Pacifique, la pauvreté gagnait du terrain en Afrique sub-saharienne[55] et dans les économies en transition de l'ex-Union soviétique et de l'Asie centrale. En Amérique latine, où la plupart des gouvernements ont suivi les préceptes du FMI, les conditions de vie ont stagné ou se sont considérablement dégradées[56]. Ce constat peut toutefois être expliqué en partie par le lourd fardeau de la dette internationale et la corruption généralisée dans plusieurs pays. Par ailleurs, malgré la reprise de la croissance économique après deux ans de récession, le chômage était en progression dans le monde en 2003[57]. Devant ces réalités, les ONG et les altermondialistes remettent en cause l'inévitabilité de l'ouverture économique multilatérale de tous les secteurs d'activité.

Pour bon nombre d'organisations civiles canadiennes réformistes, le commerce n'est pas synonyme de développement. En ce sens, elles s'inquiètent du fait que les négociations multilatérales du cycle de Doha aient évacué les questions de développement. « Si les choses ne changent pas radicalement, les pauvres pourraient

53. Source : Banque mondiale.

54. Source : Indicateurs du développement mondial 2003, Banque mondiale.

55. Selon la Banque mondiale, le revenu *per capita* de ces pays a chuté de 14 % et le taux de pauvreté est passé de 41 % en 1981 à 46 % en 2001.

56. *Une mondialisation juste. Créer des opportunités pour tous*, Rapport de la Commission mondiale sur la dimension sociale de la mondialisation publié le 24 février 2004.

57. Source : Organisation internationale du travail.

se retrouver perdants au terme de ces discussions », avertit Gerry Barr, président du Conseil canadien pour la coopération internationale. Face aux inégalités exacerbées par la mondialisation, les organisations civiles et les ONG dédiées à la coopération internationale ont donc lancé une vaste campagne de lutte contre la pauvreté, intitulée « Un monde sans pauvreté ». Cette campagne vise particulièrement l'édiction de règles commerciales plus justes et plus équitables, l'amélioration de l'aide internationale et l'annulation de la dette des pays les plus pauvres. La prise en compte du genre dans le développement est aussi l'une des revendications majeures de la société civile réformiste.

Les femmes et les enfants d'abord

Les organisations féministes exigent l'égalité sexuelle et raciale dans les politiques économiques. Elles sollicitent l'application de mesures plus justes pour les pays en développement, l'augmentation de l'aide publique et le pardon intégral de la dette internationale des pays les plus pauvres. Elles revendiquent également une plus grande participation de la société civile aux instances gouvernementales et internationales pour prévenir les conflits et redistribuer l'aide humanitaire.

Selon les ONG vouées à la coopération internationale, la libéralisation commerciale prive des millions de personnes de leurs moyens de subsistance, en particulier les femmes et les enfants. En effet, les femmes, tant des pays en développement que des pays développés, sont les plus vulnérables. Elles travaillent souvent à titre de petites productrices agricoles de cultures vivrières de base, d'employées de manufactures de vêtement, d'infirmières ou d'employées domestiques. Leurs conditions de travail sont nettement moins bonnes que celles des hommes dans ces différents secteurs, car ces derniers sont plus fréquemment embauchés dans des cultures commerciales pour l'exportation, dans des usines automobiles ou à titre d'ingénieurs et d'ouvriers de la construction. « Les écarts entre riches et pauvres sont plus considérables encore pour les femmes, car elles représentent la moitié de la population mondiale, mais fournissent les deux tiers des heures de travail. Par contre, elles ne gagnent que le dixième du revenu mondial et possèdent moins du centième de la fortune mondiale[58]. » Elles représentent ainsi 70 % de la population pauvre du monde. Conséquemment, un enfant sur quatre souffre de malnutrition dans les pays en développement. Cette situation tragique prend des allures discriminatoires, selon les organisations féministes : analphabétisme, prostitution, enrôlement de soldats-enfants dans les armées, emploi comme domestiques ou exploitation dans les ateliers de misère.

Les ententes négociées à l'OMC ont une incidence importante sur les femmes et leurs enfants. Avec la libéralisation, des milliers de petites agricultrices ont été affectées par la concurrence des produits importés fortement subventionnés sur les marchés locaux. Même advenant l'élimination des subventions, les femmes ne possédant que des moyens rudimentaires risquent de ne pas pouvoir rivaliser avec les grandes exploitations agricoles plus mécanisées de différents pays. La fin des contingents multifibres en vertu de l'Accord de l'OMC sur les textiles et les vêtements[59] en 2005 pourrait mener à une redistribution des emplois à travers le monde. Les ouvrières des Maldives, de Thaïlande ou du Lesotho seraient ainsi désavantagées au profit des travailleuses chinoises, dont le salaire est moindre et

---

58. *2000 bonnes raisons de marcher*, Cahier des revendications mondiales, Marche mondiale des femmes en 2000.

59. Cet accord conclu en 1995 a remplacé l'Accord multifibres et mis en place un processus transitoire en vue de la suppression définitive de ces contingents en 2005.

la productivité supérieure[60]. Malgré l'augmentation de l'emploi dans le secteur des services, les femmes et les filles sont particulièrement touchées par les compressions dans la prestation publique des services essentiels et par les hausses du prix des services à la suite de privatisations. Un assouplissement des règles en matière de propriété intellectuelle (médicaments et semences) et d'accès aux marchés pourrait toutefois créer de nouvelles ouvertures pour les femmes.

Comme la pauvreté est plus fréquente dans les familles monoparentales dirigées par des femmes, les organisations civiles canadiennes demandent que soient respectés les engagements pris lors des conférences internationales en faveur des droits de la femme et de l'équité entre les sexes. Dans cette foulée, l'Initiative d'Halifax enjoint le gouvernement canadien de respecter ses engagements pris lors de la Conférence des Nations Unies sur la population et le développement, tenue au Caire, pour financer l'aide aux femmes et aux enfants pauvres : il ne dépense que le quart des 200 millions $ par année promis. Pour réduire la pauvreté, la Marche mondiale des femmes a proposé l'adoption par tous les États d'une loi-cadre visant l'élimination de la pauvreté, de même que l'apport des femmes aux processus décisionnels. Cette loi assurerait aux femmes les droits et l'accès aux ressources de base (eau, nourriture, logement, services de santé, protection sociale, sécurité du revenu), à la culture, à la citoyenneté, aux ressources naturelles et économiques, à l'éducation et à l'égalité au travail. Tous les gouvernements seraient ainsi obligés d'accroître leur soutien aux organisations qui se portent à la défense

60. *Notes pour la « discussion du panel sur l'égalité des sexes, le commerce et le développement »*, Cinquième Conférence ministérielle de l'OMC à Cancún, Institut Nord-Sud ; ainsi que Marie-Ève Cousineau, « Le Lesotho joue sa chemise », *L'actualité*, 15 mars 2005, p. 40.

des femmes et s'assurer que leurs programmes sociaux bénéficient à la population féminine.

Les associations féministes souhaitent en outre que les préoccupations et les besoins spécifiques des femmes soient incorporés aux débats sur la libéralisation commerciale. Elles répètent inlassablement qu'en respectant la Convention des Nations Unies sur l'élimination de toute forme de discrimination contre les femmes, « les accords commerciaux devraient reconnaître les rôles économiques, culturels et sociaux des femmes, ainsi que le travail non rémunéré[61] ». Les organisations civiles prêchent par ailleurs pour l'application de l'Initiative 20/20 des Nations Unies, qui demande aux pays en développement et aux pays donateurs de consacrer 20 % de leurs budgets nationaux et de coopération respectifs à des programmes de développement social (santé, éducation, accès à l'eau potable et infrastructures d'hygiène publique). Il semble évident que les engagements pris par les pays membres de l'ONU ne sont pas nécessairement suivis par des actions concrètes, étant donné le caractère non coercitif de ces résolutions. Qui plus est, dans le cadre de programmes de lutte contre la pauvreté, les efforts visant à promouvoir la productivité des pauvres ciblent surtout les hommes. Les femmes continuent de contribuer à la subsistance du ménage et de s'occuper de leur famille sans que leur apport ne soit suffisamment reconnu ou appuyé. La négligence des inégalités hommes-femmes dans la répartition des ressources et des responsabilités entrave ainsi l'élimination de la pauvreté, non seulement chez les femmes mais aussi chez leurs enfants et les autres personnes à leur charge[62].

---

61. *Cahier de revendications de la Marche mondiale des femmes*, 2000.

62. Naila Kabeer, *Intégration de la dimension genre à la lutte contre la pauvreté et objectifs du Millénaire pour le développement. Manuel à l'intention des instances de décision et d'intervention*, Les Presses de l'Université Laval/CRDI, 2005, 260 p. env.

Lorsqu'ils vivent dans des familles pauvres, les enfants doivent travailler en bas âge. Ils sont nombreux à le faire : en 2001, 1 enfant sur 6 ayant de 5 à 17 ans, soit 246 millions, était astreint au travail et plus de la moitié d'entre eux travaillaient à plein temps[63] ! Plus préoccupant encore, 1 sur 8, soit 179 millions d'enfants, était assujetti aux pires formes de travail, celles mettant en danger sa santé physique ou mentale ou sa moralité. La majorité des enfants travaillent dans l'agriculture, mais l'artisanat et l'industrie sont aussi des secteurs-clés (manipulation des fours pour couler du verre en Inde, fabrication de tapis au Népal et au Pakistan, ateliers de textile au Bangladesh, etc.). Cette situation, dénoncée par les syndicats et les ONG du Nord, se reproduit dans la plupart des pays en développement, où le travail des enfants répond à un besoin. À ce titre, les partisans libéraux rappellent que la moitié des enfants qui travaillent occupent un emploi à temps partiel, souvent pour financer leurs études. Un boycott des produits qu'ils fabriquent a parfois non seulement pour effet d'aggraver leur situation, mais peut être considéré comme un geste protectionniste de la part des pays riches. L'abolition du travail des enfants fait toutefois partie des droits fondamentaux du travail promus par l'OIT, que les grandes firmes transnationales se targuent de respecter. Elles peuvent rompre leurs relations d'affaires avec leurs sous-traitants pris en défaut, après inspection. Mais comme l'a révélé le cas de Wal-Mart[64], ces inspections sont loin d'être systématiques.

---

63. Source : Les droits de l'enfant, à l'adresse http://www.droits-enfant.com/

64. Une enquête de l'émission Zone libre, diffusée en décembre 2005 de la Société Radio-Canada, a révélé que des enfants travaillaient dans certains ateliers de sous-traitants de la compagnie Wal-Mart.

La souveraineté alimentaire des peuples

Alors que l'ouverture commerciale est au cœur de la globalisation, la sécurité alimentaire des populations – droit fondamental reconnu par le Pacte international sur les droits économiques, sociaux et culturels[65] – est devenue l'un des fers de lance de la société civile canadienne. Environ 5 % de la population des pays du Nord dépend de l'agriculture et de l'élevage pour sa survie, mais cette proportion grimpe à plus de 70 % dans les pays du Sud. Face à la compétition sauvage des pays industrialisés – qui subventionnent leurs producteurs agricoles et fixent des tarifs douaniers élevés –, de nombreuses organisations réformistes suggèrent d'éliminer la formule de l'OMC qui dicte les mêmes règles pour tous, car elle est injuste selon elles. « La gestion au cas par cas, selon la situation prévalant dans les différentes communautés, n'est pas une panacée mais elle est beaucoup moins nocive que de passer de façon uniforme le rouleau compresseur de la main invisible du marché », avance Ken Traynor, de l'Association canadienne du droit de l'environnement. Les syndicats canadiens[66] estiment que les arrangements économiques internationaux devraient tenir compte des différences dans les stades de développement des pays et exclure les principaux services publics clés et les ressources naturelles des marchés ou des règles commerciales. Les secteurs sensibles d'un pays devraient également jouir d'une période de dégrèvement plus longue.

Avant la Conférence de l'OMC à Hong Kong, en décembre 2005, les agriculteurs canadiens et québécois

---

65. Voir l'article 11 de ce pacte.

66. *Négociations commerciales multilatérales actuelles : le besoin de réévaluer les priorités du Canada*, Déclaration devant le sous-comité du Commerce international, des différends commerciaux et des investissements internationaux du Comité permanent des Affaires étrangères et du Commerce international, 10 avril 2002.

réclamaient à cet effet le retrait de l'agriculture des négociations en raison de la menace qui pesait sur le système de gestion de l'offre. Ce système, qui touche le secteur des œufs, de la volaille et du lait, est caractérisé par un contrôle administratif des prix, de la commercialisation et des quantités produites. Moyennant une somme importante, le gouvernement octroie aux agriculteurs des quotas de production sur le marché local et les protège de la concurrence internationale grâce à des tarifs douaniers exceptionnellement élevés, atteignant jusqu'à 300 %. Mais selon l'OCDE, la gestion de l'offre se traduit pour les Canadiens par des prix deux à trois fois plus élevés que les prix mondiaux du lait depuis 1986[67]. En même temps, le marché canadien demeure fermé aux compétiteurs d'autres pays qui pourraient offrir des aliments à meilleur prix. Le prix des quotas s'avère également inabordable pour les cultivateurs qui n'héritent pas des quotas de leur parenté. Ce système a jusqu'ici été épargné par l'OMC puisqu'il ne constitue pas une subvention directe et que la distorsion commerciale qu'il provoque au plan de l'exportation est relativement faible : seulement 6 % de la production agricole canadienne est exportée, le reste étant destiné au marché local.

Le manque de moyens et la vulnérabilité des pays en développement sont reconnus dans les textes des accords commerciaux, par le biais du traitement spécial et différencié, mais « la mise en œuvre des clauses d'exception demeure insuffisante, voire inexistante[68] ». La discrimination à leur endroit se manifeste notamment à travers les barrières commerciales (tarifs et

67. Valentin Petkantchin, *Production laitière : les coûts de la gestion de l'offre au Canada*, Institut économique de Montréal, 1er février 2005.

68. Philippe Faucher, « Un agenda pour une mondialisation équitable », dans *L'OMC. Où s'en va la mondialisation*, Fides et *La Presse*, Collection Points chauds, 2002, p. 171.

quotas) imposées par les pays riches aux produits à valeur ajoutée et à travers les subventions accordées à leurs producteurs locaux dans les domaines de l'agriculture, du textile, des aliments et de l'acier. Tout en permettant la recherche scientifique, la reconnaissance des droits de propriété intellectuelle risque par ailleurs de renforcer la dépendance de pays pauvres face aux produits et techniques de production, qui viennent principalement du Nord. De plus, les coûts d'ajustement requis pour la mise en œuvre des accords de libéralisation sont prohibitifs pour les pays pauvres, qui disposent aussi de faibles ressources et de peu d'expertise à consacrer aux processus de négociations multilatérales.

L'asymétrie des mesures adoptées semble criante. L'Accord sur l'agriculture de l'OMC exige, tant de la part des pays développés que de ceux en développement, une réduction de leurs subventions. Cependant, ces derniers sont nettement désavantagés, car le niveau de leurs subventions est bien en deçà de celui des pays riches. En outre, malgré leur situation délicate, les pays en développement ne sont pas autorisés à introduire ni à augmenter leurs mesures de soutien. Ils doivent respecter un plafond quant aux subsides, aux investissements, aux intrants et aux tarifs douaniers qui serviraient à protéger leurs marchés. Les pays développés, eux, arrivent à contourner ces engagements en ayant recours à l'adoption de mesures vertes (phytosanitaires) ou à l'imposition de tarifs douaniers pourtant interdits par les accords de libre-échange[69]. Ces règles bénéficient principalement aux riches agriculteurs et aux propriétaires de plantations dans les pays en développement, ainsi qu'à l'agro-industrie des grandes

69. Lauren Posner, *Récoltes inégales. Le commerce international et le droit à l'alimentation vu par les agriculteurs*, Droits et démocratie, 2001, p. 18.

sociétés américaines et européennes, spécialisées dans la production d'intrants agricoles et la transformation d'aliments.

Les pratiques de subvention des pays riches, qui se traduisent par le dumping agricole, donnent à leurs secteurs agricoles un avantage concurrentiel jugé déloyal par rapport à ceux des pays en développement. Selon Oxfam-Québec, un agriculteur européen reçoit une subvention de 2$ par jour pour chacune de ses vaches, alors que la moitié de l'humanité ne dispose même pas de cette somme pour subsister... Les subventions accordées aux produits agricoles ou d'élevage, notamment au sucre, au riz et au coton, permettent ainsi aux producteurs du Nord d'exporter leurs produits à un prix équivalant à 40 % ou 60 % du prix de revient. Selon l'ONG, ce dumping empêche les agriculteurs locaux de vivre du produit de leur terre et a provoqué des crises importantes en Haïti et au Niger, entre autres. Par contre, les pays développés imposent des tarifs prohibitifs aux pays pauvres pour l'exportation de produits transformés, forçant ceux-ci à demeurer pourvoyeurs de matières premières, comme c'est le cas du Ghana pour le cacao. Certes, les subventions ont pour effet de réduire le prix des denrées chez les pays importateurs nets, mais elles envoient de faux signaux à ces pays, les incitant à négliger leur propre agriculture.

Pour s'assurer que les règles du commerce agricole ne compromettent pas la sécurité alimentaire, les organisations civiles canadiennes estiment que les pays développés devraient mettre fin au dumping, éliminer progressivement leurs subventions agricoles et améliorer l'accès à leur marché pour les importations du Sud. Selon elles, les pays membres de l'OMC ne devraient pas être obligés de signer l'Accord sur l'agriculture tant qu'ils ne sont pas prêts à le faire. Une fois entériné, cet accord ne devrait s'appliquer qu'aux cultures jugées prêtes à être déréglementées. Les Canadiens présents au Forum mondial sur la souveraineté alimentaire, organisé par l'Association nationale des petits agriculteurs de Cuba et divers mouvements internationaux de gauche, ont été plus virulents. Dans la Déclaration finale adoptée à La Havane en septembre 2001, ils ont condamné toute ingérence de l'OMC dans les domaines de l'alimentation, l'agriculture et la pêche, ainsi que sa prétention de déterminer les politiques nationales d'alimentation.

De nombreux pays en développement membres de l'OMC désirent s'insérer dans l'économie mondiale, mais ils souhaitent le faire dans une situation de relative équité face aux États-Unis et à l'Union européenne. L'Afrique, qui ne compte que pour 1 % dans le commerce mondial, s'est engagée dans les négociations de l'OMC sur la promesse d'un progrès en agriculture et d'une réforme des droits de propriété intellectuelle. Toutefois, les ONG craignent que l'actuel cycle de négociation de Doha, qui devait porter sur le développement, n'ait été détourné au profit des pays développés qui se préoccupent davantage d'ouvrir de nouveaux marchés et de défendre leurs propres intérêts. En décembre 2005 à Hong Kong, l'accord conclu *in extremis* prévoit la suppression des subventions à l'exportation des produits agricoles d'ici 2013, notamment sur le coton dès 2006. Cependant, la plupart des pays demandaient que ce délai soit fixé à 2010. De plus, les subsides à l'exportation ne constituent qu'une faible part des aides internes accordées aux agriculteurs[70]. D'ici 2008, les pays moins développés ont obtenu un accès sans restriction aux marchés des nations riches,

70. Dans l'Union européenne, par exemple, les subventions à l'exportation ne constituent que 3,6 % du total de l'appui accordé aux agriculteurs. Quant à celles sur le coton aux États-Unis, elles ne représentent que 10 % de l'aide totale accordée aux agriculteurs américains. *What happened in Hong Kong. Initial Analysis of the WTO Ministerial. December 2005*, Oxfam Briefing Paper, décembre 2005.

mais pour 97 % de leurs produits agricoles : les 3 % restants pourront être utilisés pour restreindre l'accès à des produits stratégiques, comme le textile aux États-Unis et le riz au Japon. En plus d'exclure la majorité des pays du Sud, cet accord laisse aux pays développés la possibilité de bloquer l'importation de la plupart des produits libéralisés[71]. Selon Christine Laliberté, d'Oxfam-Québec, l'entente trahit les promesses pour le développement. « Les maigres progrès réalisés sur certains aspects des négociations agricoles sont annulés par les propositions extrêmement nuisibles sur les services et l'industrie[72]. » Les pays pauvres ont en effet dû faire des concessions considérables dans les domaines des services (ouverture de l'eau, de l'éducation et de la santé à l'investissement étranger, notamment) et ont dû abaisser leurs tarifs douaniers pour l'importation de produits manufacturiers des pays développés[73]. Le Canada aurait plaidé pour cette mesure qui pourrait nuire aux industries naissantes, selon Oxfam-Québec. Les ONG canadiennes d'aide internationale estiment plutôt que le Canada devrait promouvoir au sein du G8 et de l'OMC des règles commerciales plus justes, permettant un échange commercial équilibré entre les peuples[74].

Qu'en est-il des adhérents au libéralisme ? Ils envisagent les choses sous un autre angle : pour eux, l'ouverture commerciale – même effectuée de façon unilatérale – est en soi positive. Car l'arrivée de produits importés plus compétitifs sur le marché local permet

---

71. Éric Desrosiers, « Perspectives - Examen de conscience », *Le Devoir*, 19 décembre 2005.

72. « OMC : le cycle de Doha reste en vie », *Le Devoir*, 19 décembre 2005.

73. Joned Khaned, « Le statu quo de l'OMC, un sursis », *La Presse*, 21 décembre 2005.

74. *Compte rendu de la présentation de l'AQOCI aux consultations du Comité permanent des affaires étrangères sur la tenue du G8 à Montréal*, le 27 février 2002.

aux économies émergentes ou en développement de libérer des ressources pour se spécialiser dans des activités leur donnant un avantage comparatif. Les barrières tarifaires visant à freiner les importations constituent non seulement une restriction au libre choix du consommateur, mais font augmenter les prix des marchandises[75]. De fait, rien n'est simple : lorsque l'Europe et les États-Unis abaisseront leurs subventions agricoles, le prix de l'importation de ces produits augmentera proportionnellement... ce qui permetta toutefois aux producteurs des pays pauvres de les concurrencer. Mais les néolibéraux dénoncent la bêtise des pays développés qui, pour protéger leurs producteurs, appliquent eux-mêmes des mesures antidumping et refusent de réduire leurs propres tarifs à l'OMC avant que les autres n'en fassent autant, ce qui porte préjudice à leurs propres consommateurs. L'Organisation des Nations Unies pour l'agriculture et l'alimentation (FAO)[76] a donné raison à cette thèse, avec quelques réserves. Les pays en développement devraient mettre en place des politiques et des investissements pour tirer profit des nouvelles possibilités et protéger les groupes vulnérables contre les chocs liés à l'évolution du commerce.

La défense du droit de propriété peut également constituer une avenue pour aider les plus démunis à accéder au crédit pour sortir de la misère. Le libéral Hernando de Soto[77] propose pour sa part d'établir clairement les droits de propriété des millions de pauvres sur la planète. En effet, « entre 50 % et 70 % des citoyens des pays en développement travaillent dans le

75. Johan Norberg, *op. cit.*, p. 81.

76. *La situation mondiale de l'alimentation et de l'agriculture 2005*, SOFA, 2005.

77. Hernando de Soto, *The Mystery of Capital : Why Capitalism Triumphs in the West and Fails Everywhere Else*, Londres, Bantam Press, 2000.

secteur informel et près de 80 % des maisons et des terrains ne sont pas enregistrés au nom de leur propriétaire actuel[78] ». La complexité des processus bureaucratiques visant l'enregistrement légal des propriétés, qui peut prendre des mois voire des années, représente un obstacle infranchissable pour les pauvres. Ceux-ci ne bénéficient donc d'aucune protection légale et n'osent pas investir à long terme dans leur propre patrimoine. La légalisation de leurs droits de propriété leur donnerait accès au crédit et leur permettrait de s'insérer dans le marché mondial de façon profitable.

La réduction de la dette internationale

La réduction de la dette internationale des pays pauvres est aussi un enjeu primordial pour la société civile canadienne réformiste. Les faits parlent d'eux-mêmes : le montant de la dette des pays en développement atteignait 2,4 milliards à la fin de 2003, soit près de quatre fois et demi plus que ce qu'ils devaient au début de la crise internationale de la dette en 1980[79]. Les nouveaux emprunts ont souvent servi au paiement de la dette plutôt qu'à des investissements dans les infrastructures ou autres facteurs de développement. Alors que l'Afrique consacre 14$ *per capita* au service de la dette, seulement 5$ par personne sont destinés aux soins de santé de base[80] ! Selon Kairos, le paiement de la dette des pays pauvres à leurs créanciers internationaux empêche des populations entières d'avoir accès à une nourriture suffisante, à de l'eau potable, à un logement, à des soins de santé et d'éducation.

Pour atteindre l'objectif du Millénaire, soit de réduire de moitié la pauvreté dans le monde d'ici 2015, leur

---

78. Johan Norberg, *op. cit.*, p. 65.

79. *Kairos Statement on Global Day of Action Against Debt Domination*, 8 décembre 2004, dans le site Internet de l'Initiative d'Halifax (www.halifaxinitiative.org).

80. *Idem.*

dette devra être effacée à 100 %, clament les ONG canadiennes. Cette dette, d'après elles, est l'héritage des mauvaises pratiques de crédit de la Banque mondiale et du FMI, qui ont largement prêté aux pays en développement pendant les années 1970 en raison d'une surabondance de liquidités dans le système bancaire international et d'une baisse de la demande de crédits émanant des pays industriels, déprimés par le choc pétrolier. Une bonne part des fonds prêtés aurait d'ailleurs servi à financer les multinationales pour la réalisation de vastes projets de développement ou aurait été appliquée à l'augmentation des coûts d'importation dus à la dévaluation de la monnaie, comme ce fut le cas au Brésil. Le problème de la dette repose également sur la corruption des gouvernements débiteurs. En ce sens, même les libéraux sont favorables à l'allègement de la dette, souvent contractée par des dictateurs corrompus. Les populations démunies n'ont pas à faire les frais de ces erreurs, desquelles le FMI et la Banque mondiale doivent assumer une part de la responsabilité. Le FMI pourrait vendre une partie de son or pour payer la dette des pays pauvres. Mais ce sont sans doute les contribuables des pays riches qui devront faire les frais du manque de jugement des dirigeants de la Banque mondiale et des autres institutions financières internationales[81].

Pour éviter les défauts de paiement de la part des pays ayant un taux d'endettement insoutenable, la Banque mondiale et le FMI ont lancé, à l'automne 1996, un programme d'allègement de la dette nommé l'Initiative pour les pays pauvres très endettés (PPTE). En 2005, l'Initiative PPTE était appliquée dans 38 pays, dont 32 situés en Afrique subsaharienne. Le niveau d'allègement de leur dette pourrait atteindre jusqu'à

---

81. Pour réduire la dette des 32 pays les plus pauvres du monde, chaque citoyen des pays riches devra débourser en moyenne 2 $ par an, selon Oxfam.

70 milliards $ d'ici les deux prochaines décennies[82]. Selon le FMI, les dépenses consacrées par les pays participants à la santé, à l'éducation et à d'autres services sociaux sont désormais en moyenne quatre fois supérieures aux paiements allant au service de la dette. Le Canada a pour sa part été l'un des premiers pays à reconnaître l'urgence de l'effacement de la dette internationale octroyée aux pays pauvres, en consentant une aide de 35 millions $ principalement aux pays d'Afrique australe. Mais cela ne doit pas faire oublier qu'il subventionne aussi avec les deniers de l'État ses champions nationaux d'affaires qui œuvrent à l'étranger.

Les programmes d'allègement de la dette sont toutefois conditionnels à l'application de politiques économiques spécifiques et de pratiques de bonne gouvernance, qui visent notamment l'équilibre budgétaire, le combat contre l'inflation et la corruption, l'ouverture à la concurrence, la déréglementation, la privatisation et la réduction des dépenses militaires au profit de la santé et de l'éducation. Ces recommandations, qualifiées de *programmes d'ajustements structurels*, garantissent au créancier le remboursement des sommes prêtées. Ils font toutefois l'objet de vives critiques chez les groupes réformistes. D'après l'Initiative d'Halifax, « le fait de présenter l'allègement de la dette comme une récompense à adjuger, plutôt qu'une nécessité économique et sociale, constitue une tentative évidente de la part du FMI et de la Banque mondiale de détourner une situation pénible à leur propre avantage[83] ». La Guinée, par exemple, qui a signé une entente avec le FMI en 1999 en vue de l'annulation de sa dette, a dû procéder à la privatisation de l'énergie, des télécommunications, à la dérégulation des prix du pétrole et au retrait des subventions pour le transport public. L'imposition de

---

82. Voir le site Internet de la Banque mondiale sur l'allègement de la dette, à l'adresse www.banquemondiale.org

83. *Idem*.

ces conditions, favorables à l'entreprise privée et aux investisseurs des pays occidentaux, a obligé les habitants pauvres à débourser davantage pour les services indispensables. Mais une question se pose : le prix de ces services aurait-il dû être majoré de toute façon, étant donné que l'État ne pouvait maintenir ces infrastructures à un prix inférieur ?

La coalition 50 Years Is Enough a demandé pour sa part l'adoption de procédures plus transparentes et exigé la création d'une Commission de la vérité pour enquêter sur les impacts des politiques mises en place par le FMI et la Banque mondiale. Selon les membres de cette coalition, les dirigeants de ces institutions devraient se porter responsables des torts causés aux pays en développement par les programmes d'ajustements structurels. L'existence future, la structure et les politiques de ces institutions devraient aussi être soumises à une réévaluation menée sur la base des résultats de la Commission de la vérité. Les organismes de la coalition ont sollicité non seulement l'annulation sans condition de la dette des pays pauvres à 100 %, mais aussi la fin des programmes d'ajustements structurels et un dédommagement pour les désastres sociaux et écologiques survenus dans les pays forcés d'appliquer ces politiques. Ils ont demandé aux institutions internationales et aux gouvernements de cesser d'appuyer financièrement les entreprises du Nord et d'acheminer les fonds ainsi économisés aux pays lésés.

Une révision de ces programmes a été motivée par les multiples critiques de la société civile. Les bailleurs de fonds internationaux ont décidé en 1999 d'alléger plus rapidement et de façon plus substantielle la dette d'un plus grand nombre de pays. Pour être admissible au PTTE, les pays à faible revenu doivent maintenant établir un *Document de stratégie pour la réduction de la pauvreté* avec la collaboration de partenaires extérieurs. Ce document définit notamment les politiques et les programmes macroéconomiques, structurels et sociaux que le pays devra mettre en œuvre au cours des années pour promouvoir la croissance et réduire la pauvreté[84]. Mais selon certains chercheurs, ces nouvelles stratégies – qui constituent une réplique des programmes d'ajustements structurels – risquent de réduire les espaces politiques sans mettre en place de véritables mécanismes pour venir à bout de la pauvreté. Car si les PTTE incluent officiellement la participation de la société civile, celle-ci a du mal à se faire entendre. C'est souvent aux créanciers que l'État doit rendre des comptes, plutôt qu'à sa propre population.

« Sous couvert d'efficacité et de bonne gouvernance, une série de conditions et de normes redéfinissent dans un sens restrictif les notions d'équité et de justice sociale, risquant ainsi de remettre en cause ce qui était auparavant considéré comme des droits sociaux et économiques[85] », affirme Bonnie Campbell, professeur en sciences juridiques à l'Université du Québec à Montréal. Les organisations civiles suggèrent donc que les programmes du FMI laissent une plus grande marge de manœuvre aux États débiteurs pour leur permettre de préserver les services publics. Elles recommandent aussi une meilleure collaboration de la société civile locale, qui jouit d'ailleurs d'une plus grande crédibilité aux yeux des bailleurs de fonds que les gouvernements souvent corrompus des pays pauvres. Pour leur part, les partisans libéraux estiment qu'il est normal que les pays créanciers imposent des conditions pour s'assurer du remboursement de leurs prêts.

---

84. Se référer au site Internet du FMI à l'adresse http://www.imf.org/external/np/exr/facts/fre/prspf.htm

85. Bonnie Campbell, *Réformes institutionnelles et espaces politiques ou les pièges de la gouvernance pour les pauvres*, Paris, L'Harmattan, 2005, 207 p.

L'amélioration de l'aide internationale

Les pratiques d'aide bilatérale et multilatérale ont pris naissance au milieu du XXe siècle, à la suite de la Seconde Guerre mondiale. En 1944, lors des accords de Bretton Woods, les institutions financières internationales voient le jour : la Banque mondiale – qui finance aujourd'hui des projets dans les pays en développement – est mandatée à cette époque pour assurer la reconstruction de l'Europe de l'après-guerre. Le FMI, qui aide maintenant les pays pauvres à redresser leur balance des paiements, est quant à lui responsable de stabiliser l'économie mondiale. En 1947, les États-Unis lancent aussi le Plan Marshall pour reconstruire l'Europe, mais cette aide répond en fait à des nécessités économiques et politico-stratégiques : la reconstruction européenne doit fournir des débouchés au potentiel industriel américain et constituer un tremplin pour lutter contre le bloc soviétique en formation[86]. Cette première expérience laisse présager de l'utilité de l'aide internationale pour les pays donateurs : l'aide publique au développement (APD) n'est généralement pas dépourvue d'intérêts et est orientée vers l'insertion des pays à faible revenu dans le marché international, au bénéfice des bienfaiteurs.

Le cas de l'Angola, le second récipiendaire de l'aide internationale en Afrique subsaharienne, illustre bien cette tendance : les États-Unis importent presque 7 % de leurs besoins énergétiques en pétrole de ce pays et cette proportion pourrait s'accroître de 15 % durant les dix prochaines années[87]. C'est principalement cette finalité mercantile que dénoncent les organisations civiles réformistes, de même que l'insuffisance et l'inefficacité de l'aide. Malgré les milliards injectés dans les

---

86. Eric Marclay, « Le virage sécuritaire de l'aide au développement », dans *L'aide internationale, à quoi bon ?*, Congrès de l'Entraide missionnaire, 10-11 septembre 2005.

87. *Idem.*

pays en développement, la disparité de richesses entre les pays du Nord et du Sud est six fois plus grande qu'il y a 50 ans, d'après l'ONU. Selon les ONG, l'APD doit principalement permettre aux enfants de s'éduquer, réduire les taux de mortalité infantile, améliorer la santé des mères, créer des emplois décents et enrayer le VIH-sida. Ces aspects-clés dans la réduction de la pauvreté ne reçoivent en fait que 20 % de l'assistance officielle au développement, d'après le Conseil canadien pour la coopération internationale[88].

Après l'adoption d'une résolution[89] des Nations Unies en 1960, qui envisageait une augmentation de 1 % des revenus nationaux dédiés à l'aide internationale, un Comité d'aide au développement formé des pays de l'OCDE est fondé l'année suivante. Durant les années 1970 et 1980, une nette progression des flux d'APD est enregistrée, suivie d'une forte baisse dans les années 1990. À partir des années 2000, on assiste toutefois à un redressement. Les objectifs du Millénaire stipulent que les nations favorisées des Nations Unies devraient hausser les fonds destinés à l'aide internationale à 0,7 % de leur produit intérieur brut (PIB) d'ici 2015, afin de réduire la pauvreté dans le monde. Pressés par l'opinion publique de reconnaître les limites du Consensus de Washington, les gouvernements décident alors de se réunir pour améliorer l'efficacité de l'aide afin de répondre à la demande formulée par les pays du G-77. La Conférence internationale sur le financement du développement de Monterrey, en mars 2002, marque un tournant dans la philosophie de l'APD en accordant une place aux questions sociales. Ce nouveau consensus vise à concilier les impératifs macroéconomiques et

88. Selon le CCCI, au moins 30 % de l'assistance officielle au développement devrait être consacré aux besoins essentiels excluant l'aide humanitaire) et 60 % au développement humain durable.

89. Résolution 1522 de l'Assemblée générale de l'ONU, 15 décembre 1960.

humains, en mettant l'accent sur la lutte contre la pauvreté et la bonne gouvernance[90]. En fait, « le Consensus de Monterrey repose sur le double principe que les pays à faible revenu doivent assumer leurs responsabilités et mener des politiques avisées, dans un contexte de bonne gouvernance. Ces efforts doivent aller de pair avec un appui plus ferme de la communauté internationale[91] ».

Cette orientation est fidèle aux fondements de l'orthodoxie néolibérale. Les pays donateurs s'engagent à réduire la dette des pays pauvres et à renforcer leur coopération internationale en contrepartie d'une lutte contre la corruption et de l'établissement de politiques macro-économiques saines recommandées par le FMI dans les pays receveurs. Le FMI conditionne en effet l'octroi de prêts aux pays en développement à l'application de programmes d'ajustements structurels, qui imposent aux nations en difficulté l'austérité budgétaire, la privatisation des sociétés d'État et l'ouverture des marchés locaux à l'économie globale. Tout cela dans le but de créer un contexte propice aux investissements. Mais si les pays signataires ont convenu à Monterrey qu'une augmentation importante de l'APD était nécessaire, ils ont refusé de s'engager à atteindre un objectif financier précis, contrairement aux recommandations des Nations Unies. La faiblesse de la déclaration et la stratégie favorable au secteur privé sont donc condamnées par les ONG réunies à l'occasion d'une rencontre précédant la conférence.

Les organisations canadiennes[92] et internationales présentes se dissocient du Consensus de Monterrey.

---

90. Éric Marclay, *op. cit.*

91. Voir le site Internet du Fonds monétaire international, à l'adresse www.fmi.org

92. Conseil canadien pour la coopération internationale, Association québécoise des organismes de coopération internationale, Développement et Paix, Droits et démocratie, Marche mondiale des femmes, etc.

« Ce document est imbibé du langage néolibéral et prend clairement position en faveur des institutions multilatérales financières, du jamais vu à l'ONU, dénonce Nancy Burrows, agente de liaison internationale de la Marche mondiale des femmes. On n'y traite ni d'éducation, de santé, d'impact écologique du modèle économique actuel, de travail, des femmes ou des droits humains. On suggère seulement au Sud de se faire alléchant pour les investisseurs étrangers, car le secteur privé s'avère le moteur du développement. C'est vide de tout engagement concret, sans date ni somme avancée, contrairement à la Déclaration du Millénium, adoptée en 2000 par les Nations Unies », résume-t-elle. Considérant que le commerce international ne constitue que l'une des sources du développement, les ONG réclament donc l'abolition des conditions à l'aide et à la réduction de la dette[93]. « Nous disposons d'abondantes preuves que des décennies de promotion de politiques de privatisation, d'investissements étrangers directs, de libéralisation financière et commerciale et de services sociaux à recouvrement des coûts dans les pays en développement ont aggravé la pauvreté et l'inégalité », ont-elles déclaré dans une lettre adressée à l'ex-premier ministre Chrétien.

Adopté au Sommet du G8 à Kananaskis, en juin 2002, le Nouveau Partenariat pour le développement démocratique en Afrique (NOPADA) est également vu comme une copie des programmes d'ajustements structurels par les ONG. « Ce n'est pas de l'aide internationale, mais bien une façon déguisée d'insérer l'Afrique dans l'économie néolibérale en favorisant l'investissement privé », s'est insurgée July Graham, de Kairos. Depuis la rencontre du G8 à Halifax, en 1995, Kairos réclame l'annulation de ces programmes considérés

93. Source : *Courrier de la planète* à l'adresse www.courrierdelaplanete.org/67/article3.html

comme des outils visant à forcer l'ouverture de secteurs protégés à la concurrence mondiale. Les ONG de coopération internationale regrettent aussi la priorité accordée par l'ACDI au secteur privé dans son nouvel énoncé de politique, rendu public à l'été 2003. Elles souhaitent pour leur part une politique de développement axée sur l'entreprenariat social. Selon elles[94], la mission de l'ACDI devrait plutôt viser l'élimination de la pauvreté dans le monde et le développement humain durable, à travers un respect scrupuleux des droits humains. L'établissement de la justice et du progrès social rejaillira ensuite sur l'économie, d'après elles. À l'opposé, la logique qui sous-tend les décisions de l'ACDI veut que l'octroi de fonds aux entreprises privées génère le progrès économique, qui à son tour permettra le progrès social. L'ACDI a cependant convenu de l'importance d'associer la société civile et les divers groupes des pays en développement à ses processus consultatifs[95].

Autre fait contesté par la société civile réformiste : le virage sécuritaire de l'aide internationale depuis septembre 2001. Dans le cadre de la guerre contre le terrorisme, le Comité d'aide au développement de l'OCDE a recommandé, en avril 2003, de lier développement et terrorisme dans la conception des programmes mis sur pied par les donateurs. En effet, même si la plupart des pays pauvres ne connaissent pas le terrorisme et n'y sont pas associés, la prévention des conflits fait partie de la lutte contre la pauvreté. Des milliards de dollars engloutis dans les campagnes préventives d'Afghanistan et d'Irak ont ainsi été détournés des ressources développementales[96]. Certains

---

94. Source : Association québécoise des organismes de coopération internationale.

95. *Énoncé de politique en faveur d'une aide internationale plus efficace*, ACDI, septembre 2002.

96. Éric Marclay, *op. cit.*, et le rapport du Bilan de l'aide 2004, lancé le 28 mai 2004 et produit par le Réseau Bilan de l'aide, un réseau inter-

voient dans l'accroissement de l'aide humanitaire une menace au développement durable. Actuellement, une grande part de l'aide internationale est consacrée aux crises humanitaires : aide aux réfugiés de guerres, famine au Niger, tsunami en Asie, ouragans en Amérique centrale, au Mexique et aux Antilles, inondations dans le sud des États-Unis, etc. Mais s'il est vrai que l'aide alimentaire ou d'urgence ne règle pas les enjeux de fonds à l'origine de la pauvreté, elle ne crée pas en soi de dépendance[97].

Les ONG ont également réagi à l'annonce des pays du G8 réunis au Sommet de Gleneagles en Écosse, en juillet 2005. Elles considèrent insuffisante l'annulation de 40 milliards $ de la dette externe des 18 pays les plus pauvres du monde, en Afrique et en Amérique latine, de même que l'augmentation de l'APD à une trentaine de pays pauvres (moins de 80 milliards $ US en 2004 à près de 130 milliards $ US en 2010)[98]. « L'aide promise par les leaders dans leur déclaration reste bien en deçà des 180 milliards supplémentaires que les Nations Unies estiment indispensables, en 2005, à la réalisation des Objectifs du Millénaire pour le développement », ont-elles rappelé. Si elles ont salué la concentration accrue de l'aide aux pays dans le besoin dans l'Énoncé de politique internationale du Canada, publié en avril 2005, les ONG ont dénoncé la vision canadienne de la pauvreté, considérée comme un instrument de poursuite des intérêts particuliers du Canada en vue de promouvoir sa propre prospérité, de réduire la menace

national qui rassemble plus de 40 réseaux de la société civile œuvrant dans le domaine de la coopération internationale. Ces réseaux sont présents dans 22 pays donateurs d'Asie, d'Amérique et en Afrique.

97. Josiane Gauthier, « La problématique de l'aide humanitaire : symptôme ou remède ? », dans *L'aide internationale, à quoi bon ?*, Congrès de l'Entraide missionnaire, Montréal, 10-11 septembre 2005.

98. Source : Statistiques de la Direction de la coopération pour le développement de l'OCDE.

du terrorisme mondial, de réagir à l'insécurité dans les régions concernées[99].

L'économie solidaire

Les organisations civiles canadiennes ne font pas que rappeler les États et les institutions internationales à l'ordre. Elles investissent elles-mêmes le créneau de la finance et de l'économie pour lui insuffler une orientation socialisante. Certaines d'entre elles incitent en effet les sociétés à réserver au moins 1 % de leur chiffre d'affaires pour des dons aux causes charitables et environnementales. Mais plusieurs organisations communautaires et ONG, notamment Résultats-Canada, travaillent aussi à donner à des millions de familles pauvres, particulièrement aux femmes, un accès au microcrédit et à des services financiers indispensables à leur survie. Cette incursion dans le milieu des affaires indique que les organisations de la société civile ne s'opposent pas au marché en tant que tel, mais qu'elles plaident essentiellement pour la prise en compte de priorités sociales et environnementales.

De nombreux organismes communautaires privilégient l'économie sociale pour tenter à la fois de satisfaire les besoins urgents vécus par les personnes défavorisées – besoins non répondus par les secteurs public et privé – et permettre l'expression des aspirations citoyennes de participation et de démocratisation. Par le biais d'une participation citoyenne dans les OBNL, les coopératives, les mutuelles ou les conventions d'actionnaires, l'économie sociale et solidaire reconnaît explicitement la dimension sociale des échanges, en donnant priorité aux personnes sur les capitaux[100]. Selon ses partisans,

---

99. *Commentaire du CCCI* sur l'Énoncé de politique internationale 2005, avril 2005.

100. Benoît Lévesque, *Économie sociale et solidaire dans un contexte de mondialisation : pour une démocratie plurielle*, Montréal, CRISES, cahier n° 0115, 2001, 21 p.

ce type de production représente une façon alternative de créer de la richesse : sa rentabilité n'est pas purement économique, elle est aussi d'ordre social. Elle contribue à l'amélioration de la qualité de vie et du bien-être des populations en offrant un plus grand nombre de services et en créant des emplois[101].

Au Canada, plusieurs programmes d'aide fédéraux et provinciaux ont été établis dans cette perspective. Le Québec, tout comme la France, le Royaume-Uni et les États-Unis, a procédé à des modifications dans sa législation et ses programmes de soutien aux petites entreprises pour mieux appuyer l'entrepreneuriat social[102]. Les entreprises d'économie sociale œuvrent actuellement dans le domaine sanitaire, social, éducatif, culturel, des communications et des nouvelles technologies, du logement, du transport, des ressources naturelles, des loisirs et de l'environnement. Le modèle québécois a d'ailleurs connu un succès important. Sous le chapeau du Chantier de l'économie sociale, les entreprises d'économie sociale ont une présence croissante sur l'ensemble du territoire du Québec[103]. La cohérence du système d'économie sociale mis en place au Québec – qui se manifeste à travers les fonds de travailleurs, les caisses d'économie solidaire, les OBNL, les coopératives, le bénévolat, la finance éthique ou solidaire et la consommation responsable – en a fait un laboratoire pour l'OCDE, le Bureau international du travail, l'Union européenne et les autres provinces canadiennes.

---

101. Au Québec, 75 000 emplois ont été créés par les OBNL et les coopératives de 1996 à 2005.

102. Voir le dossier sur l'économie sociale et le microcrédit sur le site Internet www.politiquessociales.net

103. Avec quelque 6 300 entreprises et 65 000 emplois créés, l'économie sociale génère aujourd'hui un chiffre d'affaire 4,3 milliards $. Statistiques datant de 2002 excluant les coopératives de travailleurs actionnaires, les coopératives financières, les mutuelles d'assurances et les deux plus grandes coopératives agricoles.

Plusieurs critiques sont toutefois formulées à l'égard de l'économie sociale. Tout d'abord, on reproche à ce type d'entreprises de créer des emplois qui remplaceront ceux du secteur public. Mais cette crainte ne s'est pas encore matérialisée, en particulier dans le secteur de l'aide domestique, où les employés d'OBNL ne dispensent aucuns soins médicaux aux personnes âgées et ne font pas compétition aux employés des CLSC. Les faibles salaires octroyés dans ces entreprises, qui ne sont guère plus élevés que le salaire minimum, font aussi l'objet de condamnations. Cependant, les emplois créés ont permis à des personnes travaillant dans le secteur informel d'avoir accès à un travail à temps plein, avec une rémunération régulière et des bénéfices marginaux. Les préjugés les plus persistants concernent le fait que l'existence de l'économie sociale repose sur les subventions gouvernementales. Il est vrai qu'une part importante des budgets de fonctionnement – soit par un financement direct ou par l'entremise du financement des usagers – provient du gouvernement. Mais les promoteurs de l'économie sociale affirment que ces fonds ne doivent pas être considérés comme des subventions mais bien comme un investissement de la part du secteur public. En effet, l'économie sociale contribue à la diminution du chômage et l'activité économique qu'elle génère a des effets multiplicateurs sur l'économie[104], ce qui pourrait contribuer à alléger le fardeau fiscal des contribuables.

La taxation internationale pour le développement

La globalisation étant caractérisée par une large circulation des capitaux financiers à travers les transactions sur les devises et les taux d'intérêts, les groupes de la société civile signalent aussi l'urgence d'agir à ce

104. D'après Marguerite Mendell, professeure associée et vice-principale de la School of Community and Public Affairs de l'Université Concordia, à Montréal.

niveau. « Il faut promouvoir une nouvelle régulation de la finance, fondée sur une forte réglementation des mouvements de capitaux, la suppression du secret bancaire et des privilèges fiscaux, le renforcement de la taxation des opérations financières internationales ainsi que le contrôle démocratique des autorités publiques nationales et internationales[105]. » Plusieurs organisations réformistes sont en accord avec cet énoncé provenant du conseil scientifique d'ATTAC. Selon elles, l'imposition d'une taxe sur les transactions de devises (taxe Tobin) pourrait stabiliser l'économie globale et contribuer à la création d'un fonds spécial dédié au développement. L'idée d'imposer une taxe sur les transactions dans le marché des changes vient en fait d'un économiste américain, James Tobin, qui avait dénoncé en 1972 les effets néfastes de la volatilité des devises induites par la spéculation. Selon ATTAC-Québec, « c'est par le biais de transactions spéculatives sur les monnaies que les fonds de pension, les grandes banques occidentales et les compagnies d'assurance déstabilisent l'économie des nations, augmentent l'endettement et forcent les banques centrales à hausser les taux d'intérêt[106] ».

L'Initiative d'Halifax et la Marche mondiale des femmes, notamment, font donc campagne en faveur de l'implantation de la taxe Tobin. Le but de cette campagne est d'instituer un système de taxe financière multilatéral qui freinerait les mouvements de capitaux, accroîtrait l'autonomie fiscale et monétaire des États, et générerait des revenus substantiels pour le développement et la protection environnementale. Dans les faits, il s'agirait d'appliquer localement une taxe de 0,1 % sur chaque conversion d'une devise à l'autre.

---

105. *La réforme des institutions financières internationales*, Conseil scientifique d'ATTAC France, 17 juillet 2001, p. 8.

106. *Tobin, la dette des pays pauvres et les paradis fiscaux*, ATTAC-Québec : Projet de formation, 3e partie.

Cette taxe pénaliserait la spéculation sans freiner la production, car les entreprises commerçant ou investissant à l'étranger effectuent peu de transactions monétaires. Pour accentuer son effet dissuasif, un taux progressif en période de forte spéculation pourrait s'ajouter au taux de base, ce qui diminuerait les risques de fuite de capitaux en temps de crise. Un organisme de type onusien serait chargé de superviser l'administration de la taxe auprès des différentes nations chargées de son prélèvement, lequel rapporterait 110 milliards $ par année à la communauté internationale[107]. Une somme suffisante, puisque la Conférence des Nations Unies sur le commerce et le développement estime qu'il faudrait environ 40 milliards $ US l'an pour éliminer la pauvreté extrême dans le monde, permettre l'accès universel à l'eau potable et aux services essentiels.

Cependant, en raison des difficultés d'application administrative et des risques de déstabilisation des marchés financiers, cette taxe n'a pas encore vu le jour. En effet, chaque pays devrait y adhérer afin d'éviter que les transactions ne migrent vers les pays non signataires. Chaque instance réglementaire nationale devrait aussi superviser la bonne marche du prélèvement fiscal et acheminer les sommes perçues vers un fonds international ; dans certains pays, la corruption risquerait d'empêcher ces sommes de parvenir à bon port. Les critiques libéraux[108] affirment d'une part qu'en réduisant le nombre de transactions, la taxe diminuerait les possibilités de financement externe pour les pays dans le besoin et retiendrait les capitaux là où ils sont déjà, c'est-à-dire dans les pays riches. Cela nuirait de toute évidence aux nations pauvres. D'autre part, les activités spéculatives, comme les produits dérivés par exemple, assurent aux compagnies une couverture du risque qui

---

107. *Idem.*
108. Johan Norberg, *op. cit.*, p. 165-168.

leur permet entre autres d'investir dans des pays à risque élevé, particulièrement ceux en développement. La bureaucratie mise en place pour la perception de la taxe risquerait aussi de gruger une bonne partie des profits. Alors que certains analystes proposent d'instaurer un contrôle des changes pour éviter l'effondrement de la monnaie en cas de crise, comme l'avait fait la Malaisie en 1998, les penseurs libéraux suggèrent d'abolir tout contrôle. Car si elles ont atténué les effets immédiats de la crise, les mesures prises par le gouvernement malais ont fait fuir les capitaux durant les années qui ont suivi. James Tobin avait lui-même avancé que les taux de change fixes étaient la cause possible de la crise asiatique[109]. L'adoption d'un traité international contraignant les gouvernements des pays riches à augmenter leur aide publique au développement à 0,7 % de leur PIB pourrait être envisagée pour remplacer une taxe internationale.

L'abolition des paradis fiscaux

Afin de freiner l'évasion fiscale et le blanchiment d'argent, les altermondialistes suggèrent d'abolir les paradis fiscaux. Plus d'une soixantaine d'États ou de territoires, dont les fameuses îles Caïman, sont considérés comme des paradis fiscaux : les sommes qui y fructifient sont évaluées à 8000 milliards $, soit dix fois le PIB du Canada[110]. Pour les investisseurs, les paradis fiscaux sont attrayants, vu les taux d'imposition très faibles et l'anonymat que peut conserver le détenteur de capitaux. Une réglementation laxiste sur les mouvements de capitaux de même que l'absence de coopération judiciaire à l'échelle internationale leur permet d'opérer en toute impunité. Ces endroits rendent donc possibles la dissimulation des revenus imposables et la création d'entre-

---

109. *Idem*, p. 172.

110. *Tobin, la dette des pays pauvres et les paradis fiscaux*, ATTAC-Québec : Projet de formation, 3e partie.

prises *off shore* où est transférée une partie des revenus et des profits des grandes entreprises. Ils permettent aussi le blanchiment d'argent (approximativement 1000 milliards $ US par an) provenant d'activités illicites telles que la vente d'armes, le trafic de drogue, la corruption, le terrorisme ou la prostitution.

Selon ATTAC-Québec, ces sommes représentent un manque à gagner important pour les États, ce qui contribue à la dégradation des services publics. Le Canada n'est pas exempt de ces pratiques : 61 filiales des banques canadiennes[111] seraient logées dans les paradis fiscaux ! Pris à partie par les députés du Bloc québécois, l'ex-premier ministre canadien Paul Martin a lui-même défendu l'utilisation de paradis fiscaux dans la gestion de la société maritime Canadian Steamship Lines, dont il était le propriétaire jusqu'en 2003. Mais le transfert de plus en plus massif de montants vers les paradis fiscaux incite les pays développés à réduire les taux d'imposition applicables aux revenus élevés. Pour mettre fin aux paradis fiscaux, les gouvernements devraient renforcer la coopération judiciaire internationale et procéder à la création d'une instance juridique internationale chargée de sanctionner des établissements financiers qui refuseraient de coopérer, selon les organisations canadiennes. Les pratiques commerciales illégales et injustes devraient également être documentées à large échelle, comme le suggère Transparency International, une ONG internationale qui milite contre la corruption.

Pour la droite, la meilleure solution consisterait tout simplement à réduire les impôts... Selon une étude de l'Institut économique de Montréal[112], une hausse des

111. Banque de Nouvelle-Écosse, Banque de Montréal, Banque Toronto Dominium, CIBC, Banque Royale du Canada, d'après ATTAC-Québec.

112. James Gwartney, Randall Holcombe et Robert Lawson, *Taille de l'État et richesse des nations*, Cahier de recherche, Institut économique de Montréal, février 2000.

dépenses gouvernementales équivalant à 10 % du PIB s'accompagne généralement d'une baisse approximative de 1 % du taux de croissance annuelle. Conformément à l'orthodoxie libérale, le rôle de l'État devrait se limiter à ses fonctions premières, soit la protection des individus et de leur propriété, de même que la production de biens et services qu'il s'avère difficile d'obtenir par le marché. Dans cette perspective, un gouvernement pourrait s'acquitter des fonctions premières qui lui incombent avec moins de 15 % du PIB. En 2002, les recettes fiscales du gouvernement canadien atteignaient près de 34 % du PIB[113], soit près de la moyenne des pays de l'OCDE qui est de 36 %. Aux États-Unis, ce montant était toutefois de 26,4 % du PIB à la même période. Les libertariens estiment que le taux d'imposition du Canada est dissuasif pour les investisseurs, ce qui explique notamment l'évasion fiscale.

Le commerce équitable

Pour de nombreux militants québécois et canadiens voulant agir à titre de consommateurs responsables, la solution aux inégalités et à la pauvreté passe par le commerce équitable, qui veut donner aux produits du Sud un prix « juste ». Plusieurs organisations, tels Équiterre, Oxfam-Canada, Oxfam-Québec, Kairos et le Conseil canadien de coopération internationale, font la promotion de ce concept qui tente d'établir des règles d'échange plus favorables aux producteurs des pays pauvres. Ils ont été rejoints dans leurs efforts par les syndicats, qui veulent changer les pratiques d'exploitation et de distribution commerciale actuelles. Le commerce équitable est né aux États-Unis dans les années 1940, à l'initiative de groupes caritatifs de type religieux. Mais c'est en 1988 que cette forme d'échange alternative prend son véritable

113. Source : Statistiques de l'OCDE.

essor, avec la fondation aux Pays-Bas du premier organisme de certification des produits équitables[114].

Le café a été l'un des premiers produits certifiés, mais d'autres produits tels le thé, le sucre, le cacao, le riz, l'artisanat et certains fruits portent maintenant l'étiquette Transfair – organe canadien de la Fairtrade Labelling Organization –, l'un des organismes qui identifie les produits certifiés équitables. La Fairtrade Labelling Organization certifie les producteurs qui prennent leurs décisions de façon collégiale, qui n'utilisent pas les pesticides prohibés dans les pays du Nord et qui réinvestissent une partie de leurs profits dans des programmes communautaires. Selon un porte-parole d'Équiterre, le producteur reçoit en général une rémunération de 3 à 10 fois plus importante que dans le commerce conventionnel. Quelque 800 000 familles d'agriculteurs et de travailleurs de 48 pays d'Afrique, d'Asie et d'Amérique latine bénéficient des avantages que procure la certification. Le commerce équitable tente en fait d'éliminer les intermédiaires trop gourmands et d'encourager les coopératives dans les pays en développement. Selon Oxfam, les producteurs de café, par exemple, ne touchent que 6 % des recettes de la vente de café qu'encaissent les supermarchés sous les marques *Maxwell House*, *Nescafé*, *Folgers* et *Douwe Egberts*. Les marges bénéficiaires sont empochées par les *Kraft*, *Nestlé*, *Proctor and Gamble* et *Sara Lee*, des grands torréfacteurs qui achètent à eux seuls près de la moitié des stocks de café vert (non torréfié)[115].

D'après l'Union des consommateurs du Québec, le mouvement pour le commerce équitable contribue à améliorer l'existence des populations démunies des

114. Pour en savoir davantage, consulter le *Guide du consommateur responsable. Le pouvoir de nos choix*, Collection Protégez-vous, avril 2004.

115. Claude Lévesque, « Rapport d'Oxfam sur la crise. Les producteurs de café se font siphonner… jusqu'à la dernière goutte », *Le Devoir*, 19 septembre 2002.

pays pauvres et la qualité de vie des agriculteurs en leur permettant « de s'offrir des soins de santé adéquats, une éducation et une habitation pour eux-mêmes et leur famille ». Comme le soutiennent Oxfam-Canada et Équiterre, le commerce équitable « donne au consommateur l'occasion d'utiliser son pouvoir d'achat pour changer la donne, même dans une faible mesure, en faveur des pauvres ». Le prix des produits équitables est par contre évalué, à qualité égale, en moyenne à 10 % (dans le cas du café) plus cher que les autres produits, en raison du coût de la certification et au surplus accordé aux producteurs.

À l'heure actuelle, les produits équitables ne représentent qu'une très faible part du marché au Canada. La vente de café équitable y demeure marginale, soit seulement 1 % de tout le café vendu en 2003. En Europe, le café équitable représente déjà 5 % du marché et en Suisse, la vente de bananes équitables accapare jusqu'à 20 % du marché[116]. Le commerce équitable a le vent dans les voiles : la croissance mondiale des produits certifiés équitables varie de 10 % à 20 % par année depuis 1997[117]. Et le mouvement pourrait se poursuivre en intégrant notamment les produits du terroir du Nord pour les vendre aux riches consommateurs du Sud.

Le commerce équitable fait cependant face au défi de définir de façon cohérente les produits distribués. Transfair Canada, qui certifie plusieurs milliers de livres de café au pays chaque année, applique les critères définis par la Fairtrade Labelling Organization. Ce cadre est reconnu à l'échelle mondiale par plusieurs organismes de certification, mais il n'a pas force de loi. Et les normes et pratiques en matière de commerce de

116. Denis Lord, « Équiterre. Après le café, le transport équitable », *Le Devoir*, 17 mars 2004.

117. Luc Chartrand, « Le marketing de la charité », *L'Actualité*, 1er juin 2005.

café équitable au Québec, par exemple, sont parfois définies sur une base personnelle et subjective[118]. Plusieurs intervenants[119] proposent donc la mise sur pied d'un Conseil de gérance des produits de base, où toutes les parties engagées dans la production, le commerce et la consommation des produits de base (producteurs, intérêts commerciaux et environnementaux et consommateurs) participeraient à un processus en vue de créer, à l'extérieur de l'OMC, un système chargé d'établir les normes relatives au commerce équitable des produits de base, d'assurer l'étiquetage des produits dits équitables et de développer de nouveaux réseaux d'échange pour ces produits. Seule une réglementation claire, voire une appellation protégée, pourrait uniformiser la notion d'équitable dans l'univers commercial.

Malgré tout, certains[120] croient que les montants supplémentaires déboursés par les consommateurs pour les produits équitables auraient pu être dirigés vers des organismes d'aide humanitaire et distribués dans les populations démunies de façon plus équitable, selon les besoins les plus pressants. En plus, plusieurs marchands et distributeurs du Nord faussent la donne en haussant les prix pour empocher une marge de profit supérieure sur ces produits dits « de niche ». D'autre part, une véritable lutte contre la pauvreté sous-entend non seulement une redistribution de la richesse produite, mais aussi une augmentation de la production, ce qui n'est pas l'objectif du commerce équitable. Malgré ses vertus, le commerce équitable ne fait l'affaire ni des socialistes purs et durs ni des libéraux. D'un côté, les premiers estiment qu'il ne peut à lui seul

118. D'après une étude réalisée par l'Union des consommateurs du Québec.

119. Cette proposition a été avancée dans le cadre du Forum international de Montréal 2002.

120. Antoine Belgodere, *Commerce équitable : pour ou contre ?* 16 juin 2005, sur le blogue Optimum.tooblog.fr

modifier la logique capitaliste et résoudre la crise qui frappe 25 millions de petits cultivateurs de café dans le monde, dont la subsistance est menacée par la baisse des prix internationaux et la concurrence des pays riches. De l'autre, il est vu comme un « engagement politique dont les motivations idéologiques sont par nature contraires au commerce libre, estimé nécessairement juste et équitable[121] ».

Le maintien des services publics

Alors que nous vivions autrefois dans une société définie par un espace territorial, les territoires nationaux coexistent et interagissent maintenant avec les espaces mondiaux. Cette situation a de profondes répercussions sur le rôle de l'État, un enjeu qui oppose aujourd'hui altermondialistes, partisans du libéralisme et du libertarianisme. Doit-on privilégier l'autogestion, l'économie mixte, accroître le rôle des institutions étatiques ou laisser les lois du marché réguler l'économie ? Au Québec[122] et au Canada[123], l'État conserve un certain pouvoir d'intervention économique et demeure propriétaire et administrateur de plusieurs moyens de production. Alors que les libéraux et les libertariens prônent une réduction draconienne de la taille de l'État, les organisations civiles réformistes recommandent en fait un renforcement des pouvoirs étatiques et de ses capacités de redistribution à travers l'imposition. La sphère publique s'est en effet affaiblie en raison des processus de privatisation et de déréglementation découlant des négociations multilatérales.

---

121. Marc Grunert, « Le commerce équitable : une escroquerie intellectuelle », *Le Québécois libre*, n° 142, 15 mai 2004, à l'adresse www.quebecoislibre.org

122. Hydro-Québec, la Société des alcools du Québec, Loto-Québec et Télé-Québec comptent parmi les entreprises d'État au Québec.

123. Au Canada, la Société Radio-Canada et la Banque centrale, par exemple, sont des sociétés de la Couronne.

Cette situation, conjuguée aux plans de réduction d'impôts des libéraux, menace le maintien des services publics au pays, lesquels pourraient faire l'objet de privatisation partielle par le biais des partenariats public-privé.

Pour contrer ce risque, les organisations réformistes somment l'État de préserver coûte que coûte l'universalité et l'accessibilité des services publics stratégiques, telles la santé et l'éducation. Elles rejettent non seulement les accords de l'OMC sur la libéralisation des services, mais exigent du gouvernement une révision de l'ALENA, un accord commercial qu'elles jugent néfaste pour la masse des travailleurs et des agriculteurs[124]. Elles combattent spécifiquement les clauses de l'ALENA et de la ZLEA sur les services et les règles d'investissement, qui pourraient inciter les gouvernements à privatiser, déréglementer ou éroder les services publics existants[125]. Selon elles, le secteur public est capable de faire preuve d'innovation et de spécialisation – des valeurs habituellement associées au secteur privé – en établissant par exemple des centres chirurgicaux de court séjour plus spécialisés et en adaptant des méthodes modernes de gestion de listes d'attente d'autres secteurs[126]. Appuyé par une série d'organisations, le Congrès du travail du Canada réclame aussi l'abolition de la clause investisseur-État de l'ALENA, qui crée selon lui un pouvoir de chantage des entreprises à l'égard de la réglementation[127]. Un procès est

---

124. Selon Common Frontiers et le Réseau québécois sur l'intégration continentale.

125. Scott Sinclair et Ken Traynor, *Divide and Conquer. The FTAA, U.S. Trade Strategy and Public Services in the Americas*, Public Services International, novembre 2004.

126. Michael Rachlis, *Genuine solutions to health care wait-time problem lie in the public sector*, Canadian Centre for Policy Alternatives, décembre 2005.

127. *Négociations commerciales multilatérales actuelles : le besoin de réévaluer les priorités du Canada*, *op. cit.*

même en cours à ce sujet. Le Conseil des Canadiens et le Syndicat des travailleurs et travailleuses des postes ont demandé en 2005 à la Cour supérieure de l'Ontario de déclarer inconstitutionnelles les règles de l'ALENA relatives à l'investissement[128].

Toutefois, les demandes citoyennes axées sur le renforcement de l'État sont vivement contestées non seulement par les partisans du néolibéralisme, mais aussi par les adeptes du libertarisme. Ces disciples de l'action humaine individuelle ne reconnaissent aucun rôle légitime à l'État, sauf la production de la justice et de la défense collective. D'après eux, le système politico-économique canadien et québécois actuel est davantage inspiré du socialisme que du libéralisme, ce qui explique la faillite des systèmes d'éducation et de santé. « Même si ses partisans ne l'ont toujours pas compris, une planification rationnelle est impossible dans un système socialiste, disent-ils. Les prix, au lieu d'être déterminés par l'offre et la demande, et donc par la rareté réelle des ressources, sont fixés par décret administratif, ce qui entraîne d'immenses distorsions[129]. » L'élimination de la concurrence expliquerait donc les inefficacités grossières du système de santé, comme les listes d'attente pour certaines opérations, par exemple. « Les incitations qui poussent les acteurs privés à prendre les décisions de gestion les plus susceptibles de satisfaire leur clientèle ne jouent plus leur rôle[130]. » Pour les libertariens, les services publics devraient donc être privatisés si l'on souhaite améliorer le système.

Les démarches en vue de la libéralisation des services au Canada ont commencé depuis longtemps déjà.

---

128. *Décision de la Cour sur les violations constitutionnelles de l'ALÉNA*, communiqué, 24 janvier 2005, Conseil des Canadiens.

129. Martin Masse, « L'assurance-santé : reprendre le débat où il était en 1960 », *Le Québécois libre*, n° 159, 15 octobre 2005, à l'adresse www.quebecoislibre.org

130. *Idem*.

Durant son mandat, l'ex-premier ministre canadien Bryan Mulroney avait admis que les efforts concertés de réduction des déficits, de dérégulation et de privatisation faisaient partie des conditions domestiques exigées pour s'insérer dans le marché mondial[131]. En tant que signataire de l'Accord de libre-échange avec les États-Unis, le Canada a procédé dès la fin des années 1980 à d'importantes compressions budgétaires dans les domaines de la santé et de l'éducation afin de satisfaire aux exigences de lutte au déficit que lui imposait le traité. L'Accord général sur le commerce des services négocié à l'OMC érodera davantage le filet social qui subsiste. Ce dernier accord, dont certaines clauses font toujours l'objet de négociations, vise à créer les conditions d'une libéralisation des services. Il pourrait obliger les gouvernements à ouvrir les marchés publics, ceux de l'éducation et de la santé notamment, à la concurrence du secteur privé. Il faut spécifier que les services fournis dans l'exercice du pouvoir gouvernemental « sur une base non commerciale et n'étant pas soumis à la concurrence d'autres fournisseurs de services, pourront être exemptés[132] ». Toutefois, plusieurs acteurs privés agissent déjà dans les secteurs de l'éducation. Des mesures d'exception pourront cependant être invoquées si les dispositions de l'accord empêchent un État de prendre des mesures « nécessaires à la protection de la santé et de la vie des personnes et des animaux ou à la préservation des végétaux[133] ».

Les services aux enchères ?

Conçu au terme du cycle de l'Uruguay en 1994, l'Accord sur le commerce des services a été négocié selon les

131. Naomi Klein, *Fences and Windows, op. cit.*

132. Voir Accord général sur le commerce des services, partie 1, article premier : les portées et définitions.

133. Voir l'article XIV a) de l'Accord sur le commerce des services de l'OMC.

mêmes principes que le GATT, qui porte sur le commerce des marchandises. Dans le cadre du GATT, les États signataires s'engageaient à offrir le traitement national, qui oblige les pays à se comporter avec les fournisseurs de services étrangers de la même façon qu'avec les fournisseurs internes. L'accès aux marchés internes leur est également autorisé en vertu de la clause de la nation la plus favorisée[134]. Selon le Conseil des Canadiens, les sociétés transnationales pourraient donc intervenir dans des domaines aussi vitaux que les soins de santé, hospitaliers, dentaires et à domicile, les garderies, l'éducation (primaire, secondaire et postsecondaire), les musées, les bibliothèques, le droit, l'assistance sociale, l'architecture, l'énergie, les services d'eau, la protection de l'environnement, les assurances, le tourisme, les services postaux, les transports, l'édition et la radiodiffusion. La prestation de services à tous les paliers de gouvernement serait assujettie à la concurrence entre les entreprises privées, même si ces dernières n'ont aucune considération pour les objectifs et les priorités des communautés. « Non seulement cet accord menace-t-il la capacité d'offrir des services dans le secteur public, mais il s'en prend également à l'autorité du gouvernement de réglementer les services quels qu'ils soient, publics ou privés[135]. » Soulignons à cet effet que la libéralisation des services, qui exige une main-d'œuvre abondante, suscite un grand intérêt chez les pays en développement.

Il reste que l'adoption du chapitre 11 sur les investissements de l'ALENA remet en cause la capacité de l'État à légiférer dans l'intérêt public et porte à s'interroger sur le traitement favorable accordé aux investis-

134. Selon cette clause, tout avantage commercial consenti par un pays membre de l'OMC à un autre doit être étendu à tous les autres membres, sauf dans les cas d'unions douanières et de zones régionales de libre-échange.

135. Voir le site Internet du Conseil des Canadiens à l'adresse: www.canadians.org

seurs étrangers. En effet, cette clause permet aux entreprises étrangères de solliciter des compensations monétaires à un État si elles jugent qu'une réglementation adoptée à la suite de leur établissement est susceptible de compromettre leurs profits anticipés. Ce traitement semble discriminatoire face aux entreprises nationales qui, elles, ne peuvent se prévaloir de cette clause sur le territoire canadien. L'application de la clause investisseur-État a donc soulevé un tollé chez les environnementalistes et les altermondialistes.

Sur la douzaine de cas répertoriés de poursuite d'entreprises contre le gouvernement, huit ont rapport aux questions environnementales, spécifiquement à la gestion des déchets toxiques (Ethyl, S.D. Myers, Methanex, Metalclad, Waste Management et Desona) et à la gestion des ressources (Sun Belt, Pope et Talbot). Certes, des améliorations ont été apportées à cette clause afin d'éviter que les entreprises n'aient démesurément recours au concept d'expropriation étatique pour entamer des poursuites. Mais le chapitre 11 de l'ALENA a déjà permis aux compagnies américaines de s'attaquer à la Loi sur le contenu canadien des magazines, à la Société canadienne des postes ou encore aux règlements environnementaux. Le cas de la compagnie Ethyl est en ce sens emblématique : non seulement le gouvernement canadien a-t-il dû payer en 1998 un dédommagement de 13 millions $ US à cette compagnie pour avoir tenté d'interdire en sol canadien la vente d'un additif à l'essence jugé nuisible à la santé, mais il a dû aussi se raviser pour en permettre la vente. « Le gouvernement est prêt à se faire hara-kiri[136] », lance Pierre Laliberté, économiste au Congrès du travail du Canada. Il faut toutefois préciser que la loi canadienne contestée par la compagnie Ethyl ciblait cette compagnie étrangère sans s'attaquer aux firmes canadiennes.

136. Entrevue réalisée en juin 2001.

Elle interdisait en outre l'importation et la circulation interprovinciale du produit, mais pas sa production. C'est en partie cette incohérence qui a donné lieu à la poursuite[137]. Cependant, la menace de représailles du secteur privé en vertu de la clause investisseurs-États pourrait avoir un effet dissuasif sur les gouvernements qui voudraient légiférer en faveur de lois environnementales rigoureuses ou d'un système national d'assurance automobile afin de stopper la hausse vertigineuse des prix dans certaines provinces, selon certains analystes.

En dépit des propos rassurants du gouvernement, la perspective d'une privatisation des services, pas seulement par le biais des partenariats public-privé, est envisagée au plan régional. En effet, des clauses de la ZLEA en négociation proscriraient même le monopole public des sociétés de l'État dans certains domaines. En vertu de l'approche dite « négative » utilisée depuis l'ALENA, tous les services – même ceux qui en sont exclus temporairement – font potentiellement l'objet de négociations en vue de la libéralisation, note Dorval Brunelle, directeur de l'Observatoire des Amériques à l'UQAM[138]. Advenant l'ouverture à l'entreprise privée dans une province, ce même traitement deviendrait possiblement applicable à l'échelle nationale. Il sera très difficile de faire marche arrière, car les règles de l'OMC et de l'ALENA obligent les gouvernements à verser des compensations aux compagnies étrangères lésées par tout changement de cap de leur part. Les organisations sociales réclament donc l'exclusion de l'éducation, de la santé, des services sociaux, de la culture et des services de distribution d'eau de ces accords.

---

137. Gilbert Gagné, « The Investor-State Provisions in the Aborted MAI and in NAFTA. Issues and Propects », *The Journal of World Investment*, vol. 2. nº 3, septembre 2001.

138. Dorval Brunelle, *Démocratie et privatisation dans les Amériques : de l'ALENA à la ZLÉA, en passant par l'ACI*, GRIC, UQAM, 22 août 2000, p. 12.

Les négociations effectuées dans le cadre de l'Accord général sur le commerce des services affectent l'administration des services à tous les paliers gouvernementaux, y compris ceux fournis par des administrations municipales. Le secteur privé pourrait donc contester les décisions de toute municipalité devant l'OMC en soutenant que celles-ci vont à l'encontre de la libéralisation commerciale. Si les municipalités ne se plient pas à leurs volontés, le Canada pourrait se voir imposer des sanctions commerciales exécutoires. D'autres dispositions sont en discussion, qui empêcheraient totalement ou partiellement les municipalités de recourir à bon nombre d'instruments politiques, telles les subventions, les normes du travail, les ententes d'enregistrement ou les dispositions sur le transfert de technologie. La Fédération canadienne des municipalités a réagi vigoureusement à cette menace en s'opposant fermement à la signature de l'Accord sur le commerce des services. Le Conseil municipal de Vancouver, suivi par les conseils des villes de Kamloops, Yellowknife et Regina, a même demandé au gouvernement fédéral d'exempter tout palier gouvernemental de cet accord. Plusieurs autres villes du Québec ont également rejeté cet accord.

Dans le cadre des négociations régionales et multilatérales en cours, les ententes sur les investissements, les services, les mesures sanitaires et phytosanitaires pourraient également avoir des répercussions sur la souveraineté nationale. Les lois et les règlements sanitaires du pays devront désormais passer des tests de nécessité à l'OMC pour justifier leur existence. Le fardeau de la preuve reposera sur les gouvernements qui encouragent ces mesures[139]. « Toutes les réglementations provinciales

139. *Négociations commerciales multilatérales actuelles : le besoin de réévaluer les priorités du Canada*, Déclaration devant le sous-comité du Commerce international, des différends commerciaux et des investissements internationaux du Comité permanent des Affaires étrangères et du commerce international, 10 avril 2002.

concernant l'eau potable ou les services de foresterie, par exemple, seraient potentiellement contestables à l'OMC[140] », allègue Ken Traynor, coordonnateur à l'Association canadienne du droit de l'environnement. Il estime toutefois qu'un tribunal de l'OMC à Genève n'est pas l'instance appropriée pour juger du poids et de la nécessité de mesures adoptées en vue de protéger le public et les écosystèmes.

La privatisation de la santé et de l'éducation

Un certain nombre d'organisations altermondialistes[141] estiment que le système de santé canadien est juste et efficace et souhaitent le conserver tel quel. Les mesures envisagées pour diminuer les coûts du système et en améliorer l'efficacité – ticket modérateur, comptes d'épargne médicaux, hôpitaux privés, etc. – sont autant de mesures allant à l'encontre de l'esprit de la Loi canadienne sur la santé et favorisant l'américanisation de notre système, d'après leurs porte-parole. De plus, l'adoption de l'Accord général sur le commerce des services pourrait empêcher le Canada d'accroître la portée du régime d'assurance-maladie pour y inclure les médicaments sur ordonnance et les soins à domicile. Selon le Conseil des Canadiens, « les solutions proposées à la crise dans le domaine de la santé auraient pour effet de diminuer l'efficacité, d'augmenter les coûts, de rendre l'accès moins équitable, d'ouvrir la porte à une plus grande privatisation et de créer un système de santé à deux vitesses au Canada[142] ». En tant que membre d'une coalition de défense des soins de

140. Entrevue réalisée en juin 2001.

141. Notamment le Conseil des Canadiens, Kairos, ATTAC-Québec, la Fédération étudiante collégiale du Québec.

142. Énoncé diffusé dans le cadre de la campagne intitulée « Votre mandat ne vous autorise pas à négocier notre système de santé ». Voir le site Internet du Conseil des Canadiens à l'adresse www.canadians.org

santé publics[143], le Conseil des Canadiens a intenté en 2002 un procès en vue d'examiner les implications juridiques du non-respect de la Loi canadienne sur la santé par le gouvernement fédéral. Cette contestation judiciaire vise à obliger le gouvernement à assumer ses responsabilités en matière de contrôle du système public de santé et à respecter les principes de protection du système contre la privatisation inscrits dans la législation canadienne.

Soutenu en ce sens par une majorité de la population, Ottawa a réitéré sa préférence pour le renforcement du système public, pourtant géré par les provinces. Malheureusement, les transferts de fonds fédéraux se sont avérés jusqu'ici insuffisants pour colmater les brèches. Le jugement Chaoulli a en effet souligné les lacunes du système québécois au chapitre de l'accessibilité. Pendant ce temps, le taux d'insatisfaction des Canadiens à l'égard de leur système de santé grimpait de 5 % à 23 % en dix ans[144] à cause de l'augmentation des listes d'attente dues aux compressions budgétaires. Face à cette situation, les adeptes du libéralisme[145] recommandent que le Québec et le reste du Canada, à l'instar de la plupart des pays de l'OCDE, permettent l'émergence d'un système de santé privé parallèle au système public actuel. Le recours à des partenariats public-privé devrait aussi être autorisé pour améliorer la performance du système public. Pour responsabiliser davantage les utilisateurs des services de santé canadiens, ceux-ci pourraient rembourser au gouvernement une partie des coûts des soins prodigués

143. Cette coalition est formée du Syndicat canadien de la fonction publique, de la Coalition canadienne de la santé, de la Fédération canadienne des syndicats d'infirmières et infirmiers, du Syndicat canadien des communications, de l'énergie et du papier et du Conseil des Canadiens.

144. De 1988 à 1998.

145. L'Institut économique de Montréal et l'Institut C.D. Howe, notamment.

par le biais de leur déclaration de revenus[146]. À la décharge des partisans de la coexistence d'un système privé parallèle, il faut mentionner que les baisses d'impôt résultant d'un retrait éventuel de l'État en santé pourraient permettre aux malades d'avoir recours à des soins de santé au privé. Mais d'un autre côté, l'expérience américaine a démontré les aléas de cette formule : même si les dépenses en matière de santé représentaient 14 % du PIB des États-Unis, comparativement à 9 % au Canada, 44 millions d'Américains n'avaient toujours pas d'assurance-maladie en 2000[147].

La diminution de l'enveloppe budgétaire allouée à l'éducation a pour sa part entraîné le recours des établissements scolaires à différentes formes de financement privé, notamment par le biais de l'octroi de contrats d'exclusivité, de collectes de fonds, de dons de compagnies, de la création de fondations autonomes et de la sous-traitance[148]. Les grandes unités de recherche scientifique reçoivent aussi des fonds provenant du secteur privé, ce qui désavantage la recherche généraliste et les disciplines générales. La définition de certains programmes universitaires et collégiaux est donc partiellement établie en fonction des besoins des entreprises. Certes, cet enseignement garantit des emplois pour les finissants, mais certains groupes militants estiment qu'il imprègne l'éducation d'une logique marchande plutôt que de favoriser l'épanouissement de l'être. En raison des restrictions budgétaires gouvernementales, les conditions de travail du per-

---

146. Shay Aba, Wolfe D. Goodman et Jack M. Mintz, « Funding Public Provision of Private Health : The Case for a Copayment Contribution through the Tax System », *Commentaire de l'Institut C. D. Howe*, n° 163, mai 2002, 20 p.

147. Helena Katz, « Le système de santé américain, le remède au mal canadien ? », *McGill News*, vol. 80, n° 1, printemps 2000.

148. *Recherche sur le privé dans les cégeps. Constats et analyses*, Fédération des cégeps, 22e Congrès ordinaire, Saint-Hyacinthe, 27-28 novembre 2004.

sonnel enseignant se sont également détériorées et le dégel des frais de scolarité est l'une des solutions avancées pour aider à financer les collèges et les universités au Québec. Ces tendances inquiètent vivement les nouvelles générations, notamment au Québec où les frais de scolarité sont relativement moins élevés qu'ailleurs au Canada.

Selon les associations étudiantes, il suffirait qu'une université canadienne devienne entièrement privatisée pour qu'une université américaine poursuive le Canada en vertu de la clause sur l'investissement de l'ALENA. « La privatisation de l'éducation aura de nombreuses répercussions, prévient Nicolas Brisson, ex-président de la Fédération étudiante universitaire du Québec. Elle signifiera la dilution du financement public, la déréglementation et l'augmentation des frais de scolarité, la diminution de l'accessibilité, l'endettement étudiant, l'influence sur le cursus, la perte de contrôle de la formation et un réseau d'éducation postsecondaire à deux vitesses[149]. » Pour plusieurs groupes étudiants canadiens et des Amériques, « la ZLEA est une menace à la qualité de la formation et à la liberté académique. Les gouvernements qui tenteront de résister à la privatisation et à l'exploitation feront face à de lourdes pénalités financières qui ruineront leurs économies[150] ». D'après les représentants des Premières Nations[151], l'éducation au profit de l'industrie et surtout l'éducation assujettie aux besoins économiques des Amériques ne sauront pas tenir compte des Premiers Peuples, puisque ceux-ci ont été dépossédés de tout pouvoir économique.

149. Entrevue réalisée en avril 2001.

150. *Déclaration étudiante des Amériques*, 31 octobre 2002.

151. Ghislain Picard, chef régional de l'Assemblée des Premières Nations, Québec Labrador, a exprimé son opinion lors du Congrès de l'Internationale de l'Éducation de 2000 dans le texte « Les sociétés modernes dépossédées de la démocratie ».

En matière d'éducation, les chercheurs associés au libéralisme[152] défendent pour leur part le libre choix des parents, par le biais d'un système de bons d'éducation qui permettrait à tous (incluant les moins nantis) d'envoyer leur enfant à l'école de leur choix, qu'elle soit publique ou privée. Une hausse des frais de scolarité permettant le financement des universités pourrait également être accompagnée d'une hausse des prêts et bourses pour les 45 % d'étudiants qui terminent leurs études avec une dette. Quant aux libertariens, ils saluent la privatisation de l'éducation, qui pourrait être enfin payée selon la valeur réelle de l'enseignement prodigué, financée volontairement par les élèves, les entreprises, et non plus seulement par les impôts. Le choix serait ainsi déterminé par le prix et la qualité réels de l'éducation, ce qui stimulerait l'innovation[153].

Les mises en garde citoyennes face aux privatisations sont-elles trop alarmistes ? Nos gouvernements peuvent-ils continuer de financer des systèmes d'éducation et de santé performants à même les impôts des contribuables ? Quelles sources de financement pourraient s'avérer les moins préjudiciables pour la croissance à long terme ? C'est là toute la question. Mais d'ores et déjà, une majorité de Québécois et de Canadiens ont affirmé par voie de sondage leur attachement à ces institutions, quitte à assumer une hausse de leur niveau d'imposition. Les citoyens ont-ils en main toutes les informations sur ce débat, qui ne fait que commencer ?

La défense des biens communs

En opposition avec la tendance généralisant la privatisation à tous les aspects de la vie, les organisations

152. En particulier l'Institut économique de Montréal.

153. Hervey Duray, « École libre en France. Rêvons un peu », *Le Québécois libre*, n° 92, 10 novembre 2001.

civiles réformistes veulent mettre un frein à l'avidité du secteur privé dans le but de rendre le bien commun accessible à tous. Le bien commun est le terme générique employé pour définir l'ensemble des principes, institutions, biens, moyens et services indispensables à la survie des collectivités et des écosystèmes, dans l'intérêt du droit à la vie des générations futures et de l'ensemble des espèces vivantes[154]. Pour les libéraux et les libertariens, le bien commun est l'équivalent du droit de propriété privé, dont l'accès et la protection doivent être assurés par des législations adéquates. Les altermondialistes, eux, réclament plutôt l'intervention vigoureuse de l'État pour la protection du patrimoine collectif. En matière d'environnement, la comptabilisation et l'internalisation des dommages écologiques par les entreprises sont au cœur de leurs revendications. Les organismes réformistes lancent ainsi un vibrant appel à la protection de l'eau, de l'air, des semences, des forêts et des gènes, puisque les règles de propriété intellectuelle laissent aux compagnies privées le champ libre pour s'approprier des éléments vivants considérés comme faisant partie du patrimoine de l'humanité.

La dette écologique

L'eau et l'air sont reconnus comme des biens limités et épuisables. Mais depuis un siècle, l'industrie – assistée par les États qui ont conclu des ententes avec le secteur privé sans comptabiliser les dommages causés – a abusé de ces ressources non renouvelables. Sur les cinq millions de lacs que compte la planète, 25 % sont pollués. Avec la croissance de la production industrielle et la globalisation, les émissions de gaz à effet de serre provenant des pays industrialisés (tant du Canada, des

154. Ricardo Petrella, *L'eau, bien commun public. Alternatives à la «pétrolisation» de l'eau*, Paris, Éditions de l'Aube, 2004.

États-Unis que de Chine) peuvent affecter la planète tout entière. L'économie axée sur l'exportation se heurte aussi à des coûts de transport grandissants. Selon les représentants des ONG canadiennes, ce modèle économique « énergivore » menace les ressources de la planète et la survie même des espèces vivantes. Il est donc urgent de repenser l'économie pour réduire les capacités de production et avoir une consommation responsable.

Les environnementalistes canadiens, dont David Suzuki, soutiennent que la nature est un « véritable capital indispensable à la santé », mais qu'elle est pourtant considérée comme gratuite. Les coûts de sa dégradation sont incalculables et l'industrie doit reconnaître cette valeur. Les experts réunis au Sommet du G6B à Calgary[155] estiment que les dommages causés à l'environnement par les sociétés transnationales devraient être comptabilisés dans le coût des produits et que les gouvernements du monde devraient inclure dans leur comptabilité l'empreinte environnementale laissée par les humains. Ces traces comprennent les altérations faites à l'environnement aux différentes étapes d'un processus de production. Les réclamations des ONG canadiennes sur ce thème trouvent par ailleurs un écho auprès de certaines institutions internationales. Même la Commission de coopération environnementale de l'ALENA a dénoncé les dommages écologiques causés par les firmes transnationales et demandé de soustraire ces dommages du PIB des nations. Malheureusement, les règles commerciales n'en tiennent pas encore compte.

Les pays occidentaux ont par ailleurs une importante dette écologique envers les pays en développement. Aujourd'hui, la façon de vivre des habitants du

---

155. *Déclaration finale du Sommet du Groupe des 6G* organisé par les OSC canadiennes à Calgary en contrepartie du Sommet du G8 à Kananaskis, en juin 2002.

Nord, lesquels sont responsables de plus de la moitié de la pollution atmosphérique dans le monde, hypothèque la vie au Sud. On estime que 20 % de la population mondiale, établie dans les pays riches, consomme 80 % des ressources naturelles de la planète[156]. En outre, la pollution environnementale causée par les compagnies transnationales affecte profondément la relation des populations autochtones du Canada et d'ailleurs avec la terre. « L'assaut perpétré contre les écosystèmes a entraîné le déplacement des populations autochtones et accentué leur pauvreté, avec pour effet la perte permanente des savoirs traditionnels et ethnobotaniques », stipule la déclaration finale du Sommet du G6B.

Pour les environnementalistes canadiens, les pays développés doivent effectuer un virage radical dans leurs pratiques environnementales. Selon eux, les accords de libre-échange devraient « comporter des prévisions et des plans d'internalisation graduelle des coûts environnementaux et sociaux découlant de la production et de la consommation de produits non durables[157] ». Les principes de la planification intégrée des ressources devraient aussi faire partie des accords commerciaux, en vue d'un développement énergétique durable. La planification intégrée des ressources vise le meilleur usage des formes appropriées d'énergie, l'économie des ressources et l'efficacité technologique. Cela inclut la restructuration et un financement accru des services de transport public afin de réduire la pollution atmosphérique, de même que l'adoption de législations sur l'efficacité énergétique des véhicules et des VTT (véhicule tout terrain). Pour diminuer les émanations d'essence produites par le transport aérien,

---

156. *Déclaration du Forum Environnement*, Deuxième Sommet des peuples, Québec, 18 avril 2001.

157. *Idem*.

qui consomme une très grande quantité de carburant, les environnementalistes suggèrent d'utiliser la téléconférence, l'autobus ou le train. Ils privilégient bien sûr les énergies renouvelables, tels l'hydroélectricité et l'éolien. Le transport et le tourisme équitable, un « ensemble d'activités et de services proposés par des opérateurs touristiques à des voyageurs responsables et élaborés par les communautés d'accueil autochtones[158] », ont d'ailleurs vu le jour pour répondre aux préoccupations environnementales et sociales. Fait ironique, les militants eux-mêmes voyagent beaucoup pour se rendre aux conférences ou aux rencontres internationales telles que le Forum social mondial. De là, l'idée avancée par les militants les plus radicaux de mettre un frein au *summit tourism*. Mais dans le domaine environnemental, le marché veille au grain : il est clair que les coûts énergétiques croissants se chargeront de ramener les consommateurs sur le droit chemin...

Les écologistes estiment par ailleurs que la Convention sur la diversité écologique devrait avoir préséance sur toute entente en matière d'échanges. L'exploration et l'exploitation minière dans les zones écologiques et culturelles devraient ainsi être soumises à un moratoire, selon eux. Pour conserver la diversité biologique, les organisations canadiennes estiment qu'un effort plus important doit être fait pour protéger les espèces en voie de disparition et freiner la déforestation. En ayant recours à une législation provinciale, le Western Canada Wilderness Committee de Colombie-Britannique, par exemple, a tenu le premier référendum citoyen visant à bannir la chasse à l'ours et à augmenter considérablement les pénalités pour la chasse sans permis. De son côté, le chanteur et poète Richard Desjardins a vertement dénoncé l'apathie gouverne-

158. Selon la définition donnée dans le site Internet du *Guide du routard*, à l'adresse www.routard.com/mag_dossiers/id_dm/19/ordre/2.htm

mentale au Québec et sa collusion avec le secteur forestier. Les environnementalistes demandent aussi aux gouvernements d'améliorer la récupération des déchets, le contrôle des rejets agricoles et la qualité de l'eau potable. La décision prise au Sommet de Johannesburg d'encourager les partenariats entre gouvernement et secteur privé en matière d'accès à l'eau potable, de services sanitaires et énergétiques pour les pays pauvres inquiète les organisations canadiennes[159]. Elles s'alarment de la prédominance du rôle octroyé au secteur privé dans le développement, même si la société civile a été invitée à participer à ces partenariats. De fait, la Déclaration de Doha, entérinée par les pays membres de l'OMC en 2001, recommande de soumettre les accords multilatéraux sur l'environnement aux objectifs commerciaux de l'OMC.

En matière de changements climatiques, le travail de sensibilisation environnementale effectué par les organisations de la société civile canadienne n'est certes pas étranger à la ratification du Protocole de Kyoto par Ottawa, entériné en décembre 2003. Celles-ci ont pu compter sur le soutien de l'opinion publique : en décembre 2002, 78 % des Canadiens se disaient en faveur de l'application de l'Accord de Kyoto au pays. Devant la réticence de l'Alberta à adhérer à Kyoto, plus de 150 éminents Canadiens se sont manifestés en faveur du protocole. On retrouvait notamment dans cette liste les auteurs Farley Mowat, Margaret Atwood et Michael Ondaatje, le musicien Bruce Cockburn, les comédiens Gordon Pinsent et Sarah Polley, le cinéaste Atom Egoyan, le syndicaliste Buzz Hargrove, David Suzuki et le prix Nobel, John Polanyi. Même s'ils chantent aujourd'hui les louanges de Kyoto, les mouvements écologistes s'étaient à prime abord indignés de la notion même de permis de polluer, arguant que l'on

159. En particulier le Conseil des Canadiens et l'Institut Polaris.

ne pouvait vendre à quiconque le droit de polluer l'environnement. Il leur a cependant fallu admettre qu'en l'absence de tels mécanismes, les entreprises auraient continué de polluer gratuitement[160].

Pour contrer les arguments économiques évoqués à l'encontre du protocole, les ONG environnementales avaient soutenu que cet accord aurait des répercussions positives sur l'économie du pays. Elles avaient fait valoir en particulier les gains de compétitivité qui résulteraient des systèmes d'échange de droits d'émissions, des contingents d'énergie renouvelable et des normes d'efficacité du carburant pour véhicule. Selon elles, les occasions d'affaires en énergie éolienne, éthanol et piles à combustibles pourraient aussi se multiplier pour les entreprises innovatrices[161]. Bref, Kyoto pourrait contribuer à créer 52 000 emplois[162] et à faire augmenter le PIB canadien de 2 milliards $ d'ici 2012[163]. Plusieurs économistes ne partagent pas cet optimisme. D'après la Chambre de commerce du Canada, la mise en œuvre du Protocole de Kyoto pourrait coûter 30 milliards $, soit 2,5 % du PIB d'ici 2010, avec un effet minime sur les émissions de gaz à effet de serre[164]. Kyoto est-il un traité aussi vertueux que le prétendent les écologistes ?

La ratification de cet accord oblige le Canada à réduire, dès 2012, ses émissions de gaz à effet de serre de 6 % en deçà des émissions de 1990. Dans le cadre du Protocole, un système international d'échange de droits

160. Jean-Louis Caccomo, « L'analyse économique de la pollution : les permis de polluer », *Le Québécois libre*, n° 108, 31 août 2002.

161. Vision Quest (énergie éolienne), Ballard (piles à combustible) et Iogen (éthanol) sont des entreprises de pointe du Canada citées en exemple.

162. Dont 18 000 dans le secteur de la construction.

163. *The Bottom Line on Kyoto : The Economic Benefits of Canadian Action*, Fondation David Suzuki, 2002.

164. *L'Institut économique de Montréal questionne les chefs sur les impacts économiques de Kyoto*, Communiqué, Institut économique de Montréal, 2 décembre 2005.

d'émission a été créé et sera lancé dès 2008 : ce système alloue des quotas aux entreprises pour leurs émissions en fonction des objectifs de leur gouvernement en matière d'environnement. Il permet ainsi aux entreprises de produire un taux d'émissions supérieur à leurs quotas à condition qu'elles trouvent des entreprises moins polluantes intéressées à racheter leurs surplus. « Cette procédure liée au marché constitue un incitatif indéniable pour la réalisation de Kyoto », affirme Steven Guilbault, de Greenpeace.

Afin de rendre opérationnel le protocole, un processus d'application (marché du carbone, sanctions, etc.) a été adopté à la Conférence des Nations Unies sur les changements climatiques de Montréal, en décembre 2005. Selon un mécanisme unique, les nations développées pourront transférer des technologies et investir dans des projets de développement durable dans les pays en développement ou développés (particulièrement en Europe de l'Est) tout en obtenant des quotas leur permettant de respecter leurs propres engagements. Les 157 nations réunies à Montréal se sont aussi entendues dans le cadre du Plan d'action de Montréal pour démarrer les pourparlers en vue d'en arriver à une entente de réduction à long terme d'ici 2020.

Toutefois, il faut préciser que le Protocole de Kyoto est quelque peu symbolique : d'une part, les 39 pays occidentaux qui se sont engagés à réduire leurs gaz à effet de serre ne représentent qu'environ le tiers des émissions actuelles. Ni les États-Unis ni les pays émergents tels l'Inde et la Chine n'ont ratifié ce Protocole, même s'ils ont décidé de se joindre aux discussions en vue de réductions supplémentaires à partir de 2012. Ces pays ont jusqu'ici privilégié des mesures volontaires pour favoriser les transferts de technologies, en signant une entente parallèle avec le Japon, la Corée du Sud et l'Australie : le Partenariat Asie-Pacifique sur le développement propre et le climat, surnommé le « pacte du charbon ». Les principales technologies propres développées et déployées par les États-Unis seront sans doute le charbon épuré et l'énergie nucléaire.

D'autre part, le processus d'allocation des émissions aux entreprises émettrices et d'échange des droits d'émission est contesté par certains économistes américains[165]. Le fait que l'État conserve un contrôle sur l'octroi des permis d'émission permet aux lobbies industriels d'obtenir des crédits pour effectuer leur propre transition verte. « Les actions des industriels pour tenter de restreindre la production et élever les coûts des industries concurrentes (comportement de cartel) sont encouragées. Les politiques nationales qui auraient été vues comme des violations aux règles du commerce international sont maintenant autorisées. Ce changement renforce la capacité de groupes d'intérêts organisés d'obtenir des avantages de l'État en façonnant les règles de ces accords en leur faveur[166]. » L'empressement de Shell et de British Petroleum à se convertir aux énergies renouvelables cache d'ailleurs des intérêts mercantiles : l'implantation de Kyoto implique une demande accrue du gaz naturel, considéré comme un substitut au charbon. En appuyant inconditionnellement le Protocole de Kyoto, les environnementalistes contribuent à camoufler le jeu des grandes entreprises qui profiteront de ces nouvelles règles.

Il faut cependant souligner que les écologistes canadiens et québécois ont vivement dénoncé le plan d'action canadien, jugé inéquitable entre les provinces et entre les principaux émetteurs. En effet, la tolérance de l'État face à l'industrie pétrolière et gazière de l'Ouest

165. Bruce Yandler, *Bootleggers, Baptists and Global Warming*, Political Economy Research Center, 1998, 28 p. et « After Kyoto. A Global Scramble for Advantage », *The Independent Review*, vol. IV, nº 1, été 1999, p. 19-40.

166. *Idem*, p. 4-5.

permettra à celle-ci de continuer à croître, tout en forçant d'autres secteurs à diminuer leurs émissions[167]. « C'est le principe du pollueur payé », soutient Hugo Séguin, coordonnateur du Centre québécois d'actions sur les changements climatiques. De fait, la majorité des efforts consentis reviendront aux individus, qui ne produisent pourtant que 23 % des gaz à effet de serre. Dans le plan d'action fédéral, seulement 15 % des dix milliards $ qu'il en coûtera pour réduire de 270 mégatonnes les émissions de gaz à effet de serre d'ici 2012 sera facturé aux entreprises polluantes, alors qu'elles produisent près de la moitié des émissions[168]. L'ex-ministre de l'Environnement, Stéphane Dion, a affirmé avoir agi ainsi pour ne pas nuire à la compétitivité des entreprises canadiennes sur le marché américain, où sont destinées 85 % des exportations canadiennes. Mais selon l'Institut Pembina, les termes du plan d'action pourraient permettre à des compagnies de financer à même les crédits octroyés par le gouvernement des projets qu'elles auraient effectués de toute façon.

Il faut mentionner ici que le renforcement des droits de propriété ne fait pas partie des recommandations altermondialistes, bien que le respect de ces droits puisse représenter une voie de solution au problème environnemental. La doctrine libérale avance que, dans un contexte de saine concurrence, les produits sont généralement plus accessibles à tous : lorsque la ressource se raréfie, les prix montent et les consommateurs s'ajustent en conséquence. L'économie de marché fournirait aussi plus d'incitatifs pour préserver et créer de nouvelles ressources que la gestion publique. « Dans une économie de marché, les titres de propriété sont

---

167. Interview réalisée avec Hugo Séguin en décembre 2005.

168. L'objectif de réduction des 700 grands émetteurs finaux (secteur pétrolier et gazier, centrales thermiques, mines, fabrication) ne dépasse pas 45 mégatonnes.

clairement établis et le propriétaire d'une ressource a tout intérêt à en faire le meilleur usage possible pour en obtenir le meilleur prix de vente. Par contre, lorsque des fonctionnaires et des politiciens gèrent les ressources naturelles, ils n'ont aucun intérêt à en faire le meilleur usage, tout en étant beaucoup plus susceptibles d'être influencés par le lobbying de producteurs puissants[169]. » Un système de bien commun où la propriété est considérée comme une ressource gratuite, en tant qu'héritage commun de l'humanité utilisable par tous, mène inévitablement à la destruction de cette ressource, selon la thèse du biologiste et écologiste Garret Hardin[170]. Les gouvernements sont les premiers à piller leur propre propriété par l'octroi de concessions sans compensation. Dans la perspective libertarienne, les lots de la Couronne devraient être mis aux enchères pour protéger les forêts publiques.

L'entreprenariat pourrait ainsi être utilisé pour empêcher le gaspillage et préserver les espèces en voie de disparition, l'habitat sauvage ou les espaces naturels. « Par exemple, les consommateurs sont prêts à payer pour des activités touristiques récréatives, de chasse et de pêche. Le revenu qu'un propriétaire d'aires vertes pourrait tirer de la vente de ces services motiverait les dépenses qu'il pourrait faire pour améliorer les conditions de vie de l'habitat sauvage et la surveillance de l'usage de la terre, limiter la chasse de certaines espèces et empêcher le détournement de cours d'eau. Certains entrepreneurs pourraient même évaluer que la protection de la vie sauvage sur leur propriété leur rapporterait davantage dans l'avenir que de cultiver leur terre[171]. » Selon

169. Pierre Desrochers, « Les Bolchévick de l'environnement », *Le Québécois libre*, n° 37, 15 mai 1999.

170. Garret Hardin a publié en 1968 un article intitulé « The Tragedy of the Commons » dans le magazine *Science*.

171. Edward W. Younkins, « Free Market Environmentalism », *Le Québécois libre*, n° 100, 16 mars 2002.

l'« économie écologiste », le libre marché, la science et la technologie peuvent s'associer pour minimiser la pollution au plus bas coût possible.

Il est difficile, voire impossible pour un individu de poursuivre un gouvernement pour les dommages causés à l'environnement. Par contre, le système juridique de la Common Law (mais pas le Code civil du Québec) permet aux propriétaires lésés de poursuivre les industries ou tout autre contrevenant afin d'obtenir une compensation en cas de transgression de ses droits de propriété. Au Canada anglais, des dédommagements ont été accordés à des individus dans des causes judiciaires concernant la pollution de l'air et de l'eau par des industries[172]. Si les droits de propriété étaient élargis pour protéger notre propre corps, notamment nos poumons, ils pourraient freiner la pollution de façon notable. Ces solutions sont encore peu envisagées car l'État conserve une place prédominante dans la protection des ressources. À ce titre, certains considèrent que l'allocation par les gouvernements de droits d'émission aux entreprises dans le cadre du Protocole de Kyoto favorise le secteur privé au détriment des citoyens. En effet, pourquoi une entreprise aurait-elle davantage le droit de polluer qu'un individu ? Au lieu d'être alloués gratuitement aux entreprises par le gouvernement, les permis d'émission de gaz à effet de serre pourraient être donnés en quantité égale à chaque citoyen puis rachetés par les compagnies, ce qui aurait été plus équitable. Ou encore, le gouvernement pourrait en garder la propriété et les louer.

L'agriculture biologique et l'élevage non polluant

D'autres causes environnementales retiennent l'attention des militants, notamment les mégaporcheries,

---

172. Elizabeth Brubaker, *Property Rights in the Defence of Nature*, Toronto, Earthscan Publications Limited and Earthscan Canada, Canada, 1995.

l'usage indu des pesticides et l'agriculture biologique. Au Québec, la pression des environnementalistes et des résidents ruraux avait entraîné l'adoption d'un moratoire sur la production porcine, mais celui-ci a toutefois été levé au bout de trois ans, en 2005. La bataille se poursuit pour éviter la contamination des nappes phréatiques par le lisier de porc. Afin de réduire l'usage de pesticides et d'herbicides en agriculture, la société civile canadienne appuie également l'agriculture biologique.

Dans le but de réduire les dépenses d'énergie reliées au transport des marchandises et de favoriser l'emploi au niveau local, les ONG favorisent l'agriculture paysanne. Elles suggèrent de consommer des aliments produits localement, organiquement, non transformés et non empaquetés. Elles proposent même une formule de partenariat entre le producteur biologique et le consommateur qui favorise la santé humaine et la protection de l'environnement. Nommé « agriculture soutenue par la communauté », ce concept est né en Europe au milieu des années 1980 et s'est rapidement répandu en Amérique du Nord. Il existe environ un millier de projets de ce type sur le continent, dont une centaine au Canada.

Au Québec, une soixantaine de fermes familiales distribuent leur récolte selon cette formule. À la suite de la crise de la vache folle et de la grippe aviaire, la consommation de produits biologiques chez les consommateurs canadiens s'est accentuée. Mais contrairement aux consommateurs français et allemands, les Québécois et les Canadiens hésitent encore à choisir les produits biologiques[173], plus chers que les aliments industriels qui laissent par contre la facture de la dépollution à l'ensemble de la société. Faisant face

173. Fabien Deglise, « Les Québécois sont de piètres "alterconsommateurs" », *Le Devoir*, 21 juillet 2004.

à une conjoncture économique défavorable, de plus en plus d'agriculteurs se convertissent pourtant au biologique pour accroître leurs profits, en vertu du prix avantageux de ces produits sur le marché. Malgré tout, le bio occupait à peine 1 % de la surface cultivée au Canada en 2004.

Non à la marchandisation de l'eau !

Les organisations civiles canadiennes[174] se sont mobilisées aussi contre la marchandisation de l'eau, qu'elles estiment une ressource indispensable à la vie. Comme elles la définissent, « l'eau est un patrimoine commun de l'humanité et n'est pas réductible à une marchandise ou à un service. Elle devrait être conservée suivant le principe de précaution en regard des écosystèmes, des communautés humaines et des générations futures[175] ». Pourtant, un habitant sur cinq (1,4 milliard de personnes) dans le monde n'y a pas accès et 2,4 milliards d'êtres humains ne bénéficient d'aucun service sanitaire. Toutes les huit secondes dans le monde, un enfant meurt d'une maladie liée à la pénurie d'eau potable et de services sanitaires[176]. Sur les huit milliards de personnes qui vivront en 2020 sur la planète, trois milliards n'auront aucun accès à l'eau potable si un sérieux virage n'est pas amorcé pour assurer une distribution équitable de l'eau, d'après l'Association québécoise pour un contrat mondial de l'eau.

Puisqu'elle est rare et précieuse, les organisations canadiennes souhaitent que l'eau soit gérée comme un bien collectif faisant partie du patrimoine

174. Ces organisations sont notamment le Conseil des Canadiens, Développement et Paix, Farmer to farmer, Greenpeace-Canada, l'Association québécoise pour un contrat mondial de l'eau et le Western Canadian Wilderness Committee.

175. Louise Vandelac et Marie Mazalto, « Eau potable ; la ZLÉA, un marché de dupes », *Le bouquet écologique*, vol. 14, n° 4, décembre 2001, p. 4 à 7.

176. *Déclaration de la Marche mondiale des femmes*, 2000.

de l'humanité. Les adhérents du Manifeste pour un contrat mondial de l'eau proposent un financement collectif des investissements nécessaires aux besoins de base, plutôt que de tarifier l'eau au même titre que le pétrole, comme le suggèrent les multinationales de l'eau. « Un système de tarification des usages de l'eau dépassant le minimum vital, combiné à une partie de la redistribution d'une taxation des transactions financières internationales, pourrait assurer le financement collectif recherché[177]. » Cet énoncé suppose toutefois que la distribution publique assure l'abondance de la ressource alors que la distribution privée cause des pénuries. Ce pourrait bien être le contraire, comme on l'a vu plus haut... À l'encontre du désir exprimé par les groupes civils, le modèle privilégié par la communauté internationale est axé sur le partenariat public-privé, qui sous-entend la privatisation partielle de la gestion de l'ensemble des services de l'eau. Le modèle de gestion des ressources en eau élaboré par la Banque mondiale se fonde sur les mécanismes du marché et sur la fixation du juste prix de l'eau basée sur le principe du *full cost recovery*. Un retour important sur les investissements réalisés par les entreprises implique généralement des prix élevés pour les usagers, mais un approvisionnement sûr.

D'après les organisations signataires du Contrat mondial de l'eau, la privatisation des richesses collectives accorde des droits exclusifs à une minorité de nantis et contribue à l'appauvrissement de la majorité. Elles craignent que les Américains fassent pression sur le Canada, l'un des pays où se concentrent les plus grands réservoirs d'eau douce naturelle, pour que celui-ci privatise son eau. « Ce bassin d'or bleu inestimable attise la convoitise des États-Unis, un pays confronté à des limites d'approvisionnement, voire des craintes de

177. Selon le Contrat mondial de l'eau.

pénuries d'eau en raison d'usage abusif et non approprié de leurs propres ressources[178]. » Les organisations canadiennes sonnent donc l'alarme. Selon elles, l'éventuelle privatisation des infrastructures publiques touchant l'eau (réseaux d'aqueduc, épuration des eaux usées) pourrait restreindre l'accès à l'eau potable pour les Canadiens moins fortunés.

Dans le cadre des partenariats public-privé, les services dispensés en matière d'eau par le secteur privé seraient toujours plus chers, d'après Sylvie Paquerot, juriste spécialisée en droit international. « Au strict plan financier, dit-elle, les entreprises privées ont des conditions de prêts moins avantageuses que le public et leur méthode de calcul leur permet d'actualiser la valeur de ces emprunts en refilant ces hausses aux consommateurs. Nous assistons donc à une privatisation des profits et à une socialisation des coûts. » Selon elle, le statut du propriétaire n'offre pas non plus de meilleures garanties en termes d'efficacité, en grande partie à cause de la situation de monopole dans laquelle se retrouve le partenaire privé.

En s'associant au secteur privé pour faire des économies dans la prestation des services, les élus omettent d'inclure dans leurs calculs plusieurs variables : les coûts sociaux, l'impact sur les travailleurs, la qualité des services et la participation démocratique. Le cadre temporel des ententes est un autre élément à considérer : un horizon de cinq ans permet habituellement de réduire la dépendance entre le secteur public et le partenaire privé. Les risques de transposition d'un monopole public en monopole privé sont en effet diminués par un renouvellement fréquent des contrats qui accentue la concurrence. Cependant, le secteur public pourrait profiter de l'expertise et du savoir-faire

---

178. Selon les propos de Louise Vandelac, dans la préface de *L'or bleu*, de Maude Barlow et Tony Clarke, Montréal, Éditions Boréal, 2002.

du secteur privé sans transférer nécessairement le financement et la propriété des infrastructures[179].

Plusieurs groupes canadiens[180] réclament à grands cris l'exclusion de l'eau des accords de l'OMC, le retrait de l'ALENA des dispositions relatives à l'eau et le maintien de la souveraineté canadienne sur cette ressource vitale. Malgré les protestations de nombreux citoyens, l'eau n'a pas été exemptée de l'Accord de libre-échange Canada-États-Unis et de l'ALENA, sous prétexte que cette ressource ne fait l'objet d'aucun commerce dans ces accords et qu'elle est protégée dans son état naturel. Cependant, le chapitre trois de l'ALENA concernant l'accès au marché et le commerce des biens inclut bel et bien les eaux, y compris les eaux naturelles, artificielles et les eaux aérées, soit les eaux ordinaires de toutes sortes autres que l'eau de mer[181]. La conjonction de plusieurs articles de l'accord[182] permet la privatisation et la vente d'eau sans discrimination à nos partenaires nord-américains[183]. Dans le cadre de la renégociation de la Charte des Grands Lacs par les huit États riverains, les groupes environnementalistes d'Ontario ont fait également campagne pour empêcher toute exportation ou déviation d'eau du bassin vers les États-Unis, afin de garantir la protection des eaux des Grands Lacs pour les générations futures[184].

---

179. Gabriel Danis, *Les partenariats public-privé : mythes, réalités et enjeux. Balises pour une réflexion syndicale sur les PPP*, CSQ, octobre 2004.

180. Comme l'Association québécoise pour un contrat mondial de l'eau, la Coalition Eau-Secours, le Conseil des Canadiens, le Canada-Cuba Farmer to Farmer Project et les peuples autochtones canadiens, entre autres.

181. Louise Vandelac et Marie Mazalto, *op. cit.*

182. En l'occurrence les articles 309, 310, 315, 711 et 1102.

183. Selon le Canada-Cuba Farmer to Farmer Project. Voir www.farmertofarmer.ca

184. *Environmental Groups Comments on the Proposed Great-Lakes Basin Water Resources Compact*, à l'adresse http://www.speakongreatlakes.org/joint-engo/compact-comments-summary-9-06-04.doc

Dans la possibilité d'une ouverture au secteur privé de la gestion municipale de l'eau, l'application du chapitre 11 de l'ALENA pourrait également porter atteinte aux normes canadiennes d'eau potable et donner un usage prioritaire à l'industrie. En effet, la menace de représailles de la part d'entreprises s'estimant lésées par l'adoption de règlements contraignants contribuerait à inhiber les législateurs et entraînerait un gel réglementaire en matière d'eau. Enfin, si une certaine quantité d'eau était vendue aux Américains, cette quantité pourrait difficilement diminuer par la suite, selon l'analyse du Conseil des Canadiens. Certains agriculteurs canadiens redoutent que la politique du gouvernement Bush, qui privilégie l'énergie fossile non renouvelable, soit dévastatrice pour les réserves d'eau canadiennes. En effet, huit litres d'eau sont requis pour le raffinement d'un litre de pétrole en sol américain. Si les États-Unis venaient à manquer d'eau, ils pourraient éventuellement s'en prendre à nos ressources.

Les Autochtones canadiens appellent de leur côté à la création d'un organisme international de supervision qui aurait pour tâche de suivre de près tout commerce de l'eau impliquant les peuples autochtones. Pour préserver l'eau de la pollution et du gaspillage, les représentants des Premières Nations veulent responsabiliser les entreprises, les gouvernements nationaux et les institutions financières internationales, comme la Banque mondiale et le FMI. Selon les Autochtones, des systèmes de restauration et de compensation devraient être adoptés afin de restituer à l'eau et aux écosystèmes leur pureté originelle. Ce sont des demandes coûteuses qui n'ont toujours pas obtenu de réponse favorable, malgré la responsabilité des gouvernements dans ce pillage.

Cependant, l'alerte lancée par les altermondialistes a été entendue dans les officines de l'ONU : l'accès à l'eau, inscrit dans le Pacte des droits économiques, sociaux et culturels en 2002, est reconnu comme un droit humain depuis mars 2004 aux Nations Unies. Si aucun mécanisme coercitif n'est associé à cette reconnaissance, les obligations des États sont clairement définies dans le pacte et des poursuites peuvent être intentées en ce sens auprès des instances internationales lorsque les recours juridiques ont été épuisés à l'échelle nationale.

Des règles de propriété intellectuelle injustes

Le droit international sur la propriété intellectuelle couvre les droits d'auteur de tous types : savoirs, dessins, médicaments traditionnels des peuples autochtones, etc. Cependant, les lois internationales du commerce et des brevets, adoptées sous l'influence des États-Unis, sont nettement plus favorables à la protection des droits des multinationales, selon les organisations réformistes. Les firmes pharmaceutiques, dont une partie des profits servent à la recherche et au développement[185], exigent en effet que les risques associés à la recherche soient reconnus par les droits de brevet pour s'assurer de la rentabilité de leur investissement. Le brevet, un mécanisme juridique qui balise et protège l'innovation et la recherche, est perçu comme un moteur du développement scientifique. En contrepartie, les populations déshéritées n'ont souvent pas les moyens de se procurer les médicaments indispensables à leur survie en raison de leur prix élevé.

Selon Droits et démocratie, « les accords de l'OMC sur la propriété intellectuelle ont empêché 40 millions de personnes porteuses du VIH, dont 28 millions en Afrique, d'avoir accès à des médicaments leur permet-

185. Les profits des multinationales pharmaceutiques s'élevaient à 400 milliards en 2003. En plus, d'importants crédits d'impôts au Canada et au Québec subventionnent la recherche et le développement.

tant de rester en vie plus longtemps[186] ». Les organisations civiles canadiennes estiment ainsi que l'Accord sur les aspects des droits de propriété intellectuelle de l'OMC va trop loin. Il est raisonnable que les entrepreneurs puissent tirer profit du temps, de l'argent et de l'énergie qu'ils investissent dans la création de nouveaux produits. Cependant, la durée de protection des brevets, qui est généralement de 20 ans, dissuade les fabricants de médicaments génériques plus abordables et rend le coût des médicaments prohibitifs pour les populations des pays en développement, d'après les ONG. « L'accord garantit en fait aux entreprises la conservation de monopoles, pendant une génération ou plus, sur des médicaments essentiels[187]. » Les organisations canadiennes trouvent inconcevable que les médicaments essentiels soient considérés comme n'importe quel produit ou service. Cependant, la notion même de « médicament essentiel » prête à controverse, car ces médicaments n'existeraient pas sans l'apport du secteur privé dans leur invention.

Contrairement aux médicaments brevetés, la production de médicaments génériques est assujettie à une licence obligatoire. Selon ce principe, « l'autorité publique accorde à un fabricant autre que celui qui détient le brevet une licence pour produire un médicament, lequel se vend alors à un prix moindre puisque le fabricant n'a pas à amortir des coûts de recherche dans son prix de vente[188] ». L'État peut ainsi autoriser un tiers à acheter ou vendre un médicament sans avoir à obtenir l'assentiment du titulaire du brevet. Ces licences ne sont toutefois délivrées que pour approvisionner le marché

---

186. *L'OMC se réunit à Doha : quelles seront les répercussions sur les droits humains ?*, Droits et démocratie, 8 mai 2002.

187. Christophe Bezou, « Le commerce, les clauses sociales et les normes du travail », dans *L'OMC. Où s'en va la mondialisation ?*, p. 14.

188. Georges Azzaria, « Les brevets pharmaceutiques et l'accès aux médicaments », *ibid.*, p. 243-253.

intérieur, sans donner droit à l'exportation des médicaments. En ce sens, les pays en développement, sans industries pharmaceutiques sur leur territoire, sont désavantagés.

Les organisations canadiennes dénoncent aussi le fait que les droits aux brevets d'une entreprise puissent avoir préséance sur les autres droits, y compris sur le droit de l'homme à s'alimenter. L'Accord sur la propriété intellectuelle entre également en conflit avec le droit au développement tel qu'enchâssé dans l'article 28 de la Déclaration universelle des droits de l'homme, faisant passer les droits des investisseurs privés avant le droit du public à bénéficier du progrès scientifique. Selon les associations altermondialistes, l'OMC enfreint ainsi ses propres règles en faisant la promotion de cet accord, puisque son mandat est de promouvoir l'efficience et la concurrence pour le bénéfice du consommateur. Des dizaines de milliers de citoyens faisant partie de plus de 70 organisations civiles de 124 pays, incluant le Canada, demandent donc l'exclusion des règles de propriété intellectuelle de tout accord commercial régional ou international.

Certains instituts libéraux[189] font l'apologie du système de brevets en le présentant comme une pierre d'assise de la prospérité, alors que d'autres se prononcent ouvertement contre son maintien[190]. Pourtant, l'impact des brevets est, dans une large proportion, négligeable. La majorité des innovations brevetées ne consistent qu'en de petites modifications sur des inventions déjà brevetées. De plus, l'obtention d'un brevet peut être contre-productif, car celui-ci peut alors être contesté en justice par un concurrent détenant un brevet qui présente certaines similarités. « Bon nombre d'entreprises préfèrent donc ne pas breveter leurs

---

189. *How's and Why's of intellectual property protection*, Institut Fraser, septembre 2000.

190. Notamment le Cato Institute et le Mises Institute.

inventions. Cela est d'autant plus vrai dans les domaines où l'innovation technique est rapide et importante, car l'innovation devient souvent désuète entre le moment où une entreprise cherche à obtenir un brevet et celui où elle l'obtient[191]. » Une grande part des individus optent donc pour le secret professionnel. Les brevets pourraient alors être abolis sans porter préjudice à l'innovation, selon certains analystes, en raison principalement du coût élevé et du peu de protection réelle offert par ce système.

À la suite des pressions exercées par les ONG et les pays africains, des organismes des Nations Unies ont conclu en 2000 une entente avec les plus grands laboratoires pharmaceutiques visant à rendre les médicaments antirétroviraux contre le VIH-sida plus abordables financièrement et plus disponibles dans les pays en développement frappés par l'endémie. Dans la foulée de l'entente onusienne, la production des médicaments génériques pour faire face à des problèmes de santé publique dans des situations d'urgence a aussi été autorisée à la rencontre de Doha, en novembre 2001. Cependant, d'après les ONG œuvrant dans ce domaine, la Déclaration de Doha sur l'accès aux médicaments n'a pas été aussi contraignante qu'elle aurait dû l'être, puisqu'elle passe sous silence la protection des connaissances traditionnelles et la biopiraterie (vol d'espèces végétales rares). Certaines ONG canadiennes accusent l'Accord sur la propriété intellectuelle de l'OMC de « protéger les sociétés transnationales au détriment des peuples autochtones, qui se voient dépouillés de leurs droits territoriaux, leur culture et leurs savoirs traditionnels[192] ». D'autant plus que l'importation de médicaments génériques demeure proscrite pour les pays

191. Pierre Desrochers, « Les brevets, une mesure inutile », *Le Québécois libre*, n° 134, 3 avril 1999.

192. *Un cadre de référence des droits humains pour le commerce dans les Amériques*, Droits et démocratie.

pauvres qui n'ont pas d'industrie pharmaceutique chez eux. La Déclaration n'a pas non plus remis en cause le prix des médicaments, fixé par les compagnies pharmaceutiques elles-mêmes.

Inspiré par ces dénonciations, le Canada est devenu le premier pays à prendre des mesures concrètes pour mettre en œuvre la Déclaration de Doha, en autorisant le 16 novembre 2003 la production et la vente aux pays pauvres de médicaments génériques contre le sida, la malaria et la tuberculose. Des modifications législatives à la Loi sur les brevets et à la Loi sur les aliments et drogues permettent maintenant aux sociétés pharmaceutiques canadiennes d'exporter plus facilement leurs produits dans certains pays pauvres. Le directeur général de Médecins sans frontières Canada, David Morley, a toutefois mis un bémol à cette initiative en soutenant qu'elle était inadéquate. « Pour que cette démarche constitue un pas en avant en termes concrets, soit un accès réel aux médicaments et une véritable santé mondiale, l'amendement devrait être applicable pour tous les pays en voie de développement, il devrait porter sur tous les médicaments et il devrait favoriser la concurrence – des dispositions que le projet de loi présenté aujourd'hui ne contient toujours pas », a-t-il affirmé.

Médecins sans frontières Canada s'inquiète en outre de la présence de la clause de « droit de premier refus », qui donne aux fabricants de médicaments d'origine le droit de présenter une offre au moins paritaire à celle présentée par un fabricant de médicaments génériques, et de renchérir sur une deuxième offre. Or cette disposition décourage les fabricants de produits génériques de présenter des offres concurrentielles. Par ailleurs, la loi inclut un échéancier qui porte sur une liste établie de produits pharmaceutiques brevetés au Canada, ce qui n'est pas requis par l'OMC. Aussi, certains pays, pour une série de raisons administratives et commerciales, ne sont pas admissibles aux médicaments génériques. Ces limitations canadiennes restreignent le droit des pays défavorisés à se procurer des médicaments moins onéreux alors que plusieurs dispositions de l'OMC les en autorisent[193].

Haro sur le brevetage du vivant !

Ce ne sont pas que les médicaments qui sont en cause dans l'application des règles de propriété intellectuelle. Aujourd'hui, tout le vivant, des plantes communes et indigènes aux gènes humains, est maintenant sujet au brevetage par les multinationales qui ont les moyens financiers d'y procéder. Et c'est ce que dénonce la société civile canadienne. « Moins de 700 entreprises accaparent annuellement plus de 60 % des brevets déposés aux États-Unis[194] ». Les ONG constatent que les semences originales sont en voie de disparition au profit des semences brevetées et génétiquement modifiées. Certaines découvertes relatives aux gènes humains ont même été brevetées, autorisant les compagnies pharmaceutiques à s'approprier le patrimoine génétique humain. Selon les ONG, le génome humain en entier pourrait bientôt appartenir à une poignée de compagnies ou de gouvernements[195], laissant à leur bon vouloir les recherches qui pourraient aider à prévenir les maladies héréditaires. Au moins 74 gènes de tomates et plus de 14 000 gènes de souris ont donné lieu à des brevets, de même que 4 000 parties de gènes ou d'ADN humains ! Des brevets sur cinq céréales (riz, blé, maïs, soya et sorgho) ont déjà été accordés, ce qui restreint l'usage de ces semences. Six multinationales

193. Voir le site Internet de Médecins sans frontières à l'adresse www.msf.org

194. Pierre Desrochers, « Le gigo de l'innovation technique », *Le Québécois libre*, n° 52, 4 mars 2000.

195. *Breveter les semences de la vie : enjeux. La vie n'est pas à vendre*, Dossier thématique, Développement et Paix.

– Aventis, Dow, DuPont, Mitsui, Monsanto et Syngenta – contrôlent presque 70 % de ces brevets. En gros, 97 % des brevets détenus dans le monde appartiennent à des entreprises des pays industrialisés. Quel pays, en premier chef, détient la majorité des brevets sur la flore et la faune ? Les États-Unis, bien sûr.

En raison du pouvoir des multinationales sur les marchés, ces brevets affectent les populations pauvres du tiers-monde. Le fermier qui cultive des céréales brevetées pourrait avoir à signer un contrat et à payer des redevances au propriétaire du brevet afin d'avoir le droit d'utiliser ces graines. Cet engagement restreindrait son droit ancestral d'économiser, d'utiliser, d'échanger et de vendre ces graines, mettant en danger sa propre subsistance. Plusieurs cultivateurs ont déjà été poursuivis aux États-Unis et au Canada pour avoir utilisé des semences brevetées. Même certains agriculteurs, dont les terres avaient été contaminées par des semences génétiquement modifiées emportées par les vents, ont été l'objet de poursuites judiciaires de la part de compagnies de biotechnologie. C'est le cas, entre autres, de Percy Schmeiser, de la Saskatchewan, poursuivi par la compagnie Monsanto, premier producteur de semences génétiquement modifiées au monde. Monsanto a soutenu que le fermier de la Saskatchewan avait planté le canola transgénique *Roundup Ready* de façon délibérée sur sa terre en 1997, contrevenant ainsi au brevet de la compagnie sur le produit. La Cour suprême du Canada, qui a entendu la cause en février 2004, a donné raison au géant mondial des biotechnologies. Selon Greenpeace, « cette décision risque d'avoir des répercussions majeures sur le droit des agriculteurs de conserver les semences et de pratiquer l'agriculture sans OGM[196] ».

D'après les organisations canadiennes, les droits de propriété intellectuelle devraient s'appliquer essentiel-

196. Voir www.greenpeace.org

lement aux questions commerciales, comme les marchandises contrefaites. Toute forme de vie, matière et procédé biologique et génétique, incluant ceux dérivés du corps humain, devrait être exclue du champ des brevets. Une pétition de 180 000 noms a été envoyée le 15 janvier 2003 à Ottawa pour condamner le brevetage du vivant, particulièrement les brevets sur les semences. Les signataires demandent en outre au gouvernement canadien de défendre le droit des pays en développement de résister aux groupes de pression internationaux agro-industriels faisant la promotion de la brevetabilité de toutes les formes de vie. Le thème de la propriété intellectuelle pour homologuer les découvertes scientifiques n'a été abordé à l'OMC que pour permettre l'accès aux médicaments antirétroviraux.

L'étiquetage des OGM et le principe de précaution

Dans un autre ordre d'idées, les groupes sociaux et environnementaux canadiens réclament l'étiquetage des OGM et l'application du principe de précaution. L'Union paysanne demande même la séparation complète des produits OGM des autres produits, de la cueillette à la distribution. Toutefois, l'étiquetage pourrait s'avérer une tâche ardue en raison des faibles traces d'organismes manipulés dans plusieurs produits[197]. Malgré tous les bienfaits que leur prête l'industrie, les ONG canadiennes s'opposent aux OGM et dénoncent la position de la FAO, qui a donné son appui à l'industrie biotechnologique et aux cultures transgéniques[198]. Elles croient que les risques que représentent les OGM pour la santé sont importants.

Selon Greenpeace Canada, les principales réactions observées chez l'humain sont la contamination

---

197. Fabien Deglise, « OGM : le silence des étiquettes », *Le Devoir*, 21 février 2004.

198. *Biotechnologie : réponse aux nécessités des pauvres ?*, Rapport 2004 de la FAO.

alimentaire et une plus grande résistance aux antibiotiques. Équiterre soutient pour sa part que l'addition d'OGM dans la nourriture pour bébés pourrait affecter davantage les enfants dont le poids triple durant la première année d'existence. D'autres organisations estiment que les OGM pourraient contribuer à la perte de la biodiversité, à l'augmentation de l'usage des produits chimiques et à la création de nouvelles variétés de plantes qui seraient indestructibles. Les OGM mettent en péril la notion même d'espèce. Ils risquent d'augmenter la résistance de certains organismes vivants à l'usage des pesticides et des herbicides, ce qui déstabiliserait la chaîne alimentaire. Enfin, avec les OGM, de nouvelles allergies apparaîtront pour lesquelles aucun remède n'existe[199].

La plupart des ONG ne croient d'ailleurs pas que les OGM contribuent à la lutte contre la faim. D'une part, une étude du Service de recherche économique du Département américain de l'agriculture concluait en 1998 que la différence de rendement entre les cultures d'OGM et les cultures traditionnelles n'était pas significative. Ces cultures deviennent en outre plus résistantes aux pesticides ou pourraient nécessiter éventuellement d'autres traitements plus nocifs en cas de mutation. D'autre part, si l'Organisation mondiale de la santé affirme que les OGM permettent de renforcer la santé et le développement, elle souligne pourtant la nécessité de poursuivre les évaluations relatives à la sécurité sanitaire des aliments modifiés avant qu'ils ne soient commercialisés.

Le refus des États-Unis d'entériner le principe de précaution en matière d'OGM est estimé par la société civile comme un obstacle important au progrès environnemental. L'application de ce principe permet aux États d'interdire l'importation de produits contenant

---

199. Voir notamment la rubrique OGM du portail de Greenpeace Canada à l'adresse: http://www.greenpeace.ca/f/campagnes/ogm/index.php

des OGM sur leur territoire sans avoir à fournir de preuves scientifiques, s'ils mettent en doute l'innocuité de ces produits pour la santé et la conservation biologique. Ce principe est toutefois jugé par les libertariens comme symptomatique de l'usurpation par les États du pouvoir de décider des individus. En effet, ce sont des fonctionnaires qui décident de l'innocuité des aliments, déresponsabilisant ainsi les consommateurs face aux distributeurs[200].

Le Canada est l'un des pays où se trouvent les plus grandes exploitations agricoles d'OGM au monde. De 60 % à 75 % des aliments transformés vendus sur les étalages des Loblaws, Provigo et Maxi contiendraient des OGM[201]. Une campagne ciblant ces chaînes alimentaires a donc été lancée pour exiger l'étiquetage obligatoire. Afin de permettre à une nation de refuser des produits contenant des OGM, les ONG canadiennes et d'ailleurs se sont aussi mobilisées pour faire adopter le Protocole de Cartagena, ratifié le 29 janvier 2000 par 87 pays et appliqué en 2003. Il constitue la première entente internationale à reconnaître la primauté du principe de précaution. Toutefois, ce Protocole n'oblige pas l'étiquetage des OGM par les entreprises et les exportateurs de produits alimentaires[202]. Par ailleurs, le Protocole peut entrer en conflit avec les accords de l'OMC, qui considèrent la protection de l'environnement comme une exception, alors qu'elle est la règle dans le Protocole de Cartagena. De fait, l'organe de règlement des différends de l'OMC a réduit la portée du principe de précaution[203]. En raison de son

---

200. Lire François Guillemaut, « À quoi sert le principe de précaution ? », *Le Québécois libre*, n° 108, 31 août 2002.

201. D'après Greenpeace-Canada.

202. John Madeley, *Le commerce de la faim. La sécurité alimentaire sacrifiée à l'autel du libre-échange*, Enjeux-Planète, 2002, p. 27.

203. Mbengue, Makane Moïse « L'environnement, un ovni sur la planète de l'OMC », dans *L'OMC. Où s'en va la mondialisation ?*, *op. cit.*, p. 269-286.

introduction récente dans le droit international, les différents pays membres de l'OMC sont encore indécis quant à son inscription juridique dans le cadre de l'OMC. L'Union européenne le considère comme une règle du droit international coutumier de l'environnement auquel est assujettie l'OMC. Pour leur part, les États-Unis s'opposent à l'intégrer dans de présents ou futurs accords de l'OMC étant donné qu'il n'avait pas été explicitement prévu au départ. Les pays du Sud acceptent le principe de précaution, mais s'objectent à ce que son application se traduise par un protectionnisme déguisé de la part des pays développés.

Il est vrai qu'en évoquant l'infraction de règles phytosanitaires sous le couvert du principe de précaution, les pays industrialisés interdisent à leur marché l'importation de produits agricoles originaires du Sud. L'évolution du principe de précaution au sein des accords commerciaux est tributaire d'une double logique : d'une part, la fragilité de la biodiversité et les risques de maladies liées aux exportations de certains aliments – la viande d'animaux issue de diètes de farines animales, par exemple – plaide en faveur de son utilisation. D'autre part, le développement agricole du Sud, qui nécessite l'ouverture des marchés du Nord, est dépendant d'une application plus souple du principe de précaution ou de l'instauration de mesures commerciales dérogatoires qui rappelleraient les accords de Lomé[204].

Le refus de la guerre et de l'impérialisme

La plupart des militants réformistes et radicaux dénoncent le lien entre les phénomènes de mondialisation, guerre et impérialisme. Même si le nombre des conflits dans le monde est en baisse depuis la fin de la Guerre froide, les conflits internes (ethniques ou religieux) se

204. *Idem.*

sont multipliés et l'intervention des grandes puissances a rarement été désintéressée ou couronnée de succès. La libéralisation commerciale a facilité le commerce des armes: c'est d'ailleurs l'un des motifs à l'origine du premier accord de libre-échange conclu par les États-Unis, soit celui avec Israël en 1985. Les dépenses militaires ont considérablement augmenté dans le monde à cause de la guerre contre le terrorisme en Afghanistan et en Irak: au cours de la dernière décennie, elles ont progressé de 18% pour s'établir à 879 milliards $ en 2003. Environ le quart de ces dépenses étaient imputables aux États-Unis[205]. Les pays du G8 sont à eux seuls responsables de la livraison d'armements totalisant 28,7 milliards $ en 2003. Le Canada ne fait pas exception à ce titre: Montréal est un pôle majeur dans l'industrie militaire, avec sept des plus importantes entreprises productrices de matériel, technologies et services militaires, selon Plough Shares, un organisme ontarien voué au contrôle du commerce international des armes[206].

Amnistie internationale, Oxfam et le Réseau d'action international sur les armes légères demandent ainsi aux pays les plus riches, chez qui les dépenses militaires étaient dix fois plus élevées que le budget d'aide au développement en 2001[207], d'adopter un traité international contraignant sur le commerce des armes

205. Source: SIPRI Yearbook 2004. Les montants sont exprimés en dollars constants, aux prix et taux de change de l'année 2000. Le SIPRI est l'Institut international de recherche sur la paix de Stockholm.

206. Outre leur production civile et commerciale, les compagnies CAE, Bombardier, SNC-Lavallin, Pratt & Whitney, CMC-Électronique, Bell Helicopter et Héroux-Devtek fabriquent aussi des munitions pour armes légères et lourdes, des systèmes de surveillance et de communication, des simulateurs de vol et des avions destinés à l'usage militaire. Lire Frédéric Denoncourt, « L'industrie militaire dans la métropole. Boum économique », *Voir*, 4 septembre 2003.

207. Source: SIPRI Yearbook 2004. Voir « Dépenses mondiales d'armement: 777 milliards d'euros », *Horizons et débats*, n° 26, juin 2004, à l'adresse http://www.horizons-et-debats.ch/26/26_11.htm

pour empêcher la livraison d'armes aux groupes et personnes connus qui violent les droits humains. « L'insuffisance des contrôles et les carences dans l'application des lois et règlements en vigueur font que des armes continuent d'être exportées à partir des pays du G8 vers des groupes et gouvernements qui persistent à violer les droits humains, ce qui ne fait qu'aggraver les souffrances des populations », clame la campagne internationale *Contrôlez les armes*. L'incapacité des gouvernements à maîtriser la circulation d'armes inquiète les ONG qui œuvrent dans le domaine de la coopération. Les 8e Journées québécoises de la coopération internationale se sont d'ailleurs tenues sur le thème du militarisme comme frein au développement.

Pour la société civile, la courbe de l'évolution de la masse des échanges commerciaux internationaux chemine en parallèle avec celle des dépenses en armement. Selon les militants, l'appui renouvelé à l'industrie militaire à la suite du 11 septembre 2001 fait partie du processus de globalisation. « La croissance mondiale est en baisse et l'économie néolibérale a soif de nouveaux marchés pour se rassasier », affirme Naomi Klein[208]. D'après elle, c'est la raison pour laquelle les États-Unis, déçus de la tournure des événements en Amérique latine où plusieurs pays ont rejeté la ZLEA, sont prêts à faire main basse sur les marchés des pays arabes. L'invasion de l'Irak, qui vise à faciliter l'implantation au Moyen-Orient d'une zone de libre-échange, serait l'illustration d'une stratégie commerciale américaine *reloaded*.

Il faut toutefois rappeler que le libéralisme est une doctrine non violente en principe, voulant que le commerce soit un instrument de pacification des peuples. Bien sûr, le libéralisme stipule qu'en cas d'agression

208. Propos prononcés lors d'une conférence donnée à l'Université Concordia en 2003.

contre sa propriété, une personne ait le droit de se défendre de façon sélective contre son agresseur. De ce fait, les libertariens s'opposent eux aussi aux armes nucléaires et aux bombes classiques, car ces armes sont, de par leur nature, des engins aveugles de destruction de masse. « La conclusion s'impose donc que l'emploi ou la menace d'armes nucléaires ou d'armes du même genre n'est qu'un crime contre l'humanité qui ne se justifie d'aucune manière[209]. » Comme les États détiennent un monopole de la violence sur leur propre territoire, la guerre interétatique – qui dresse sans discrimination tous les citoyens d'un territoire contre ceux d'un autre – est considérée d'autant plus illégitime qu'elle impose un fardeau fiscal supplémentaire aux contribuables. Mais face au commerce des armes, les fabricants ne sont pas les seuls à blâmer : le commerce des armes n'existerait pas sans acheteurs. En ce sens, les politiques militaristes de certains pays en développement doivent également être dans la mire.

La lutte contre le terrorisme a entraîné la mise en place de mesures exceptionnelles qui représentent l'une des atteintes aux droits civils les plus significatives des 50 dernières années, d'après des organisations telles la Ligue des droits et libertés et la Coalition de surveillance internationale des libertés civiles. En vertu de la loi canadienne C-36, adoptée en 2002, une infraction commise dans un but idéologique, religieux ou politique peut dorénavant être qualifiée d'activité terroriste. Ces mesures, visant en principe à assurer la protection de la population face à la menace terroriste, ont été jugées disproportionnées par la société civile canadienne. « Les lois antiterroristes ont donné de nouveaux pouvoirs aux policiers et à l'État pour faire la

209. Murray Rothbard, « Des relations entre les États », *Le Québécois libre*, n° 99, 2 mars 2002.

surveillance de mouvements politiques », résume Jaggi Singh. Ces lois permettent aussi une discrimination entre les citoyens canadiens et étrangers dans l'accès à la justice, d'après François Crépeau, de l'Université de Montréal[210]. Un mouvement pancanadien[211] s'est donc formé pour exiger le retrait de cette loi.

La loi C-36 reprend, dans ses grandes lignes, les dispositions de la législation antiterroriste américaine, dite Patriot Act, qui criminalise les participants aux manifestations pacifistes contre la mondialisation. « La loi C-36 fait disparaître les deux piliers du droit criminel en matière d'établissement de la culpabilité, soit la *mens rea* (intention criminelle) et l'*actus reus* (acte coupable) », explique Michel Chossudovsky[212], professeur à l'Université d'Ottawa. Le principe selon lequel quiconque est innocent tant qu'il n'a pas été reconnu coupable n'existe plus. Selon la Ligue des droits et libertés, cette loi permet la criminalisation de la dissidence, donne des pouvoirs abusifs aux forces policières et remet en question le droit à un procès juste et équitable. Des cas patents d'intimidation policière ont été relevés[213] et certains projets de groupes altermondialistes ont été étouffés dans l'œuf[214]. Par ailleurs, le projet de loi C-42 sur la sécurité publique, qui a été modifié en avril 2002 sous la pression de l'opinion publique, aurait permis au gouvernement canadien de

---

210. François Crépeau, *The Foreigner and the Right to Justice in the Aftermath of September 11*, Université de Montréal, 12 mai 2005.

211. Le mouvement est composé du Conseil Negema, de l'AQOCI, du Conseil régional Simone Monet-Chartrand (FFQ), des Ligue des droits et libertés du Québec et de l'Ontario, ainsi que de l'Association des droits et libertés de Colombie-Britannique.

212. Michel Chossudovski, *Guerre et mondialisation. La vérité derrière le 11 septembre*, Montréal, Écosociété, 2002, p. 24.

213. D'après Garth Mullins. Entrevue réalisée en 2002.

214. D'après le PIRG de l'Université Concordia et la présidente de l'Association québécoise des organismes de coopération internationale, avec laquelle une entrevue a été réalisée en avril 2002.

créer arbitrairement des zones de sécurité militaires au Canada, n'importe où et n'importe quand. L'Association du Barreau canadien a également sollicité la modification de certaines dispositions de cette loi, qui permet la collecte et l'utilisation de renseignements sur les passagers en vertu de la Loi sur l'immigration.

Le resserrement des politiques d'immigration et les atteintes des lois antiterroristes contre les immigrants canadiens ont aussi incité les défenseurs des droits humains à dénoncer les effets du militarisme. « L'utilisation des armées et des guerres est importante pour protéger les biens des riches », souligne Jaggi Singh, qui a mis sur pied au Québec la campagne Personne n'est illégal[215]. Ce groupe milite en faveur du respect des droits des immigrants, des réfugiés et de l'autodétermination des peuples autochtones. La coalition Comprendre et agir pour une paix juste a en outre fait campagne en faveur des droits des réfugiés, afin d'encourager une réflexion sérieuse sur les causes de la violence, principalement au Proche et au Moyen-Orient.

La Coalition pour la surveillance internationale des libertés civiles[216] a pour sa part recommandé la mise sur pied d'un mécanisme parlementaire chargé d'examiner et de réviser le bien-fondé, l'application et les effets de toutes les politiques, lois et mesures spéciales

---

215. Personne n'est illégal fait partie de la coalition Solidarité sans frontières, qui regroupe la Coalition contre la déportation des réfugiés palestiniens, le Comité d'action pakistanais contre le profilage racial, le Comité d'action des sans-statut algériens, le collectif Personne n'est illégal (Montréal), Colombiens unis, la Coalition Justice pour Adil Charkaoui, le Comité de support des prisonniers politiques basques, l'Institut kurde de Montréal, Bloquez l'Empire, NEFAC, ainsi que d'autres individus.

216. La Coalition pour la surveillance internationale des libertés civiles réunit des ONG, des Églises, des syndicats, des défenseurs de l'environnement, des défenseurs des libertés civiles, d'autres groupes confessionnels et des groupes représentant des collectivités d'immigrants et de réfugiés au Canada.

adoptées au nom de la lutte contre le terrorisme. Membre de cette coalition, la Ligue des droits et libertés a lancé en 2004 la campagne Nos libertés sont notre sécurité pour mettre en lumière les dispositions et pratiques qui entravent les droits et libertés. Pour beaucoup de citoyens, le cas de Maher Arar[217] a illustré la dérive à laquelle peut conduire la logique sécuritaire. Outre la loi C-36, la liste de projets contestés s'est allongée : création d'un mégafichier d'information sur les voyageurs, recours accru aux « certificats de sécurité » pour les immigrants et à la détention de demandeurs du statut de réfugié, arrestations préventives et massives lors de manifestations, projet de surveillance des communications électroniques Accès légal.

Plusieurs organisations canadiennes se sont opposées au projet Accès légal, qui permet aux autorités d'écouter les conversations téléphoniques, d'intercepter les courriels et les transactions bancaires de tous les citoyens. Elles s'opposent en outre à l'adoption de la carte d'identité avec photo, empreintes digitales et de la rétine. Le Collectif sur la surveillance électronique[218] a d'ailleurs été mis sur pied au Québec pour dénoncer ces restrictions au droit à la vie privée jugées inacceptables. « Aucune balise n'est suggérée dans l'utilisation de ces renseignements », plaident les porte-parole du Collectif. Ceux-ci blâment Ottawa d'avoir adopté le projet trop vite, après une consultation effectuée en catimini et sans campagne d'information publique.

Les conséquences du 11 septembre 2001 ont certes refroidi l'ardeur des altermondialistes qui sont, notam-

217. Maher Arar est un citoyen canadien d'origine syrienne qui a été arrêté aux États-Unis et détenu pendant plus de trois semaines dans une prison de New York parce qu'il était soupçonné d'entretenir des liens avec Al-Qaïda, d'après les services secrets canadiens. Il a ensuite été envoyé en Syrie, où il a croupi en prison durant un an.

218. Ce collectif comprend entre autres la Ligue des droits et libertés et la Fédération des infirmières et infirmiers du Québec.

ment aux États-Unis, fréquemment associés au terrorisme. Le cas de l'administration Bush est à la fois emblématique et source d'inquiétudes autant pour le mouvement lui-même que pour les nombreux pacifistes qui se sont mobilisés contre l'intervention américano-britannique en Irak et contre la participation du Canada au bouclier antimissile. Avant l'annonce du retrait d'Ottawa du bouclier antimissile, ce projet avait été vivement dénoncé par la société civile canadienne qui craignait la militarisation de l'espace et la perte de la souveraineté nationale sur le secteur de la défense. Selon les organisations sociales, l'unilatéralisme américain face au Conseil de sécurité illustre la détérioration des instruments de gouvernance mondiale.

La défense de la diversité culturelle

Dans le cadre de la globalisation, la conservation de l'héritage culturel des différentes ethnies est un gage de préservation identitaire. Le thème de la défense de la « diversité culturelle » commence à rallier la société civile québécoise et canadienne à la fin des années 1990. Fédérées dans le combat mené contre l'AMI, plusieurs associations culturelles pancanadiennes se regroupent au début de 1998 et fondent la Coalition pour la diversité culturelle. Cette coalition canadienne s'associe par la suite au Réseau international pour la diversité culturelle, qui voit le jour la même année. Avec pour mandat premier de faire échouer l'AMI, la coalition milite également pour la création d'une instance internationale qui veillerait au respect de la diversité culturelle et à l'inscription de toutes les formes de culture en tant que richesse patrimoniale. La coalition réunit des représentants des milieux de la création, de la production et de la distribution des arts.

Dans ses fonctions, elle reçoit l'appui financier de Patrimoine Canada et du ministère de la Culture du Québec ainsi que le soutien de premier plan de l'UNESCO, le principal promoteur de la diversité culturelle à l'échelle internationale. Toutefois, la place qu'occupait initialement la société civile en appui à la diversité culturelle s'est réduite après le retrait de l'AMI et surtout après que diverses instances gouvernementales aient pris le relais. Au Canada et au Québec, le dossier de la diversité culturelle est aujourd'hui porté par les autorités gouvernementales qui l'inscrivent dans leurs deux logiques propres : celle du nationalisme et celle du multiculturalisme. Leurs efforts ont d'ailleurs porté fruits. En dépit des atermoiements de Washington, la Convention sur la protection et la promotion de la diversité des expressions culturelles a été adoptée à l'UNESCO et ratifiée par le Canada à l'automne 2005.

Par ailleurs, la proximité des artisans du Réseau international pour la diversité culturelle des tenants de l'économie mondiale, illustrée par leur succès à introduire les questions culturelles dans les réunions de l'OMC à Seattle, a eu pour effet de les distancer des éléments les plus radicaux de la société civile. Néanmoins, la société civile poursuit son combat pour la diversité culturelle de façon originale en utilisant le biais de la culture – souvent locale et régionale – pour dénoncer le monde qui l'entoure. De sujet initialement protégé, la culture est devenue, sous l'impulsion de la production artistique contestataire, une arme pour contrer son dépérissement annoncé par la globalisation. De leur côté, les libertariens croient que les cultures n'ont pas besoin de protection ou de barrières douanières pour demeurer vigoureuses. Comme le dit l'écrivain Vargas Llosa, « elles doivent vivre à l'air libre, être exposées aux comparaisons constantes avec d'autres cultures qui les renouvellent et les enrichissent ».

Une nouvelle gouvernance à l'échelle nationale et mondiale

À l'ère de la mondialisation, la gouvernance contemporaine n'est plus assurée uniquement par l'État mais se fait à divers plans, notamment par le biais de la coordination intergouvernementale. Si elle est inextricablement liée aux réalités nationales, la gouvernance s'étend aussi aux régions infraétatiques et supraétatiques, du local au transnational. « En outre, depuis quelques décennies, la gouvernance agit de plus en plus par l'entremise d'instruments tant publics que privés. Dans ce contexte, les compétences en matière de régulation sont devenues beaucoup plus décentralisées et diffuses[219]. » En effet, le multilatéralisme se traduit aujourd'hui par la tenue de rencontres internationales de ministres et de chefs d'État (G8), de conférences au sommet des Nations Unies et par l'existence de réseaux transgouvernementaux de technocrates (aux plans judiciaire, économique et environnemental, etc.). Les quelque 250 organismes supranationaux à l'échelle régionale et mondiale (FMI, OMC, ALENA, etc.) sont également d'importants instruments de gouvernance. Ces organismes ont toutefois acquis « une marge de manœuvre et une influence qui échappent au contrôle et à la surveillance serrée et constante des gouvernements nationaux[220] ». Cela sans compter que les organismes privés se sont accaparés une part importante de la régulation mondiale, notamment dans le domaine des télécommunications, des codes Internet, de l'environnement et de la finance internationale. Résultat de la transformation des relations mondiales, ces diverses formes de régulation sont maintenant décentralisées : elles ne suivent ni le modèle de l'appareil public centralisé ni ne sont chapeautées par un gouvernement mondial. « En

219. Jan Aart Scholte, *op. cit.*, p. 10.
220. *Idem*, p. 11.

général, la participation populaire, la consultation, la transparence et l'imputabilité laissent à désirer dans tous les secteurs des politiques mondiales. Il n'est donc pas exagéré d'affirmer que la mondialisation contemporaine a provoqué une crise de la démocratie[221]. »

Faisant flèche de tous bois, les groupes réformistes sollicitent une nouvelle forme de gouvernance financière et économique mondiale ainsi qu'une réforme des institutions financières internationales. Les mouvements sociaux canadiens revendiquent en premier lieu une participation plus importante au sein des instances de gouvernance, ce qui contribuerait à leur légitimation. Ils proposent plusieurs façons de répondre aux défis politiques que pose la mondialisation. Ces mesures ne sont pas conçues de façon exclusive et renvoient, dans tous les cas, à la nécessité de renforcer la démocratie. Tentons de schématiser ces propositions qui forgent les discours et les actions militantes d'aujourd'hui.

Le renforcement de la citoyenneté à travers la démocratie participative

Le premier modèle – soutenu notamment par ATTAC, la Marche mondiale des femmes et la Confédération internationale des syndicats libres – met l'accent sur la citoyenneté comme moyen efficace pour résoudre les « problèmes globaux ». Au cœur de cette proposition réside l'idée qu'il faut d'abord « redémocratiser » la société afin que les citoyens aient une voix plus importante au chapitre des décisions qui touchent la communauté nationale ou étatique. Les projets de démocratie participative au sein des gouvernements locaux ou des communautés rurales visent à favoriser l'engagement de nouveaux pans de la population. En effet, comme nous l'avons vu, la légitimité de la démocratie représentative est remise en cause notamment par

221. *Idem*, p. 12.

l'existence de multiples organismes supraétatiques et par la désaffection électorale[222]. Une meilleure participation citoyenne à la chose publique serait un moyen d'améliorer la représentation des diverses minorités. Les projets de démocratie locale et de proximité – tel le projet de démocratie participative d'Alternatives[223], par exemple – sont issus de ce premier modèle de contrepoids à la mondialisation libérale. Lancé en 2003, ce projet vise à sensibiliser les citoyens à la démocratie participative en tant que mécanisme d'inclusion des jeunes, des immigrants et des femmes à la vie politique. Ainsi, pour les initiateurs du projet, l'inclusion serait un moyen de réduire le cynisme des citoyens envers la chose publique et de rééquilibrer le partage des pouvoirs entre les politiques et les marchés.

Le rejet des structures décisionnelles hiérarchiques et du principe de délégation est au cœur de la pensée altermondialiste. Naomi Klein[224], journaliste et militante altermondialiste, croit que la voix citoyenne se fait maintenant entendre dans un mode de « décentralisation coordonnée », à l'image du réseau Internet. Les groupes anarchistes et radicaux, les médias alternatifs et certains groupes réformistes favorisent l'expérimentation de la démocratie directe à travers l'autogestion. « Pour décider des actions à entreprendre, des appuis à apporter à différents groupes ou des communications à émettre, nous pratiquons la démocratie directe et consensuelle », indique Tania Hallé, membre active dans les comités d'éducation populaire de la Convergence des luttes anticapitalistes (CLAC). Les comités de travail (comités d'action, d'éducation populaire et

222. Jules Duchastel, « Légitimité démocratique : représentation ou participation ? », *Éthique publique*, vol. 7, n° 1, 2005.

223. Ce projet est intitulé « La démocratie participative conçue comme un outil d'inclusion ».

224. Naomi Klein, *Fences and Windows. Dispatches from the Front Lines of the Globalization Debate*, Vintage Canada, 2002.

de liaison externe) de la Convergence sont ouverts à tous ceux qui s'y inscrivent et fonctionnent sans chef, secrétaire ou animateur. Dans cette optique, les décisions sont prises par toutes les composantes d'une organisation, contrairement au mode de décision hiérarchique qui domine le fonctionnement des gouvernements actuels. Ainsi, lors d'une assemblée de citoyens fonctionnant selon le mode participatif, les décisions sont adoptées après que tous (citoyens et représentants) aient eu le temps de débattre d'un point pour en arriver à une décision. Celle-ci est ensuite soumise au vote des participants. Inspiré de l'autogestion, ce processus favorise le débat et permet de mieux intégrer les citoyens aux mécanismes décisionnels.

Plusieurs projets inspirés du modèle de la démocratie participative existent aujourd'hui de par le monde. Ils trouvent un appui grandissant parmi la population, qui cherche à reprendre le contrôle de sa vie politique et économique. Le projet de budget participatif de la ville brésilienne de Porto Alegre[225] – où la population définit le montant des recettes et des engagements financiers – est certes l'un des plus connus. Des expériences similaires au niveau municipal existent également en France, en Italie, en Espagne et en Argentine. Dans ce dernier pays, plusieurs assemblées locales ont été mises sur pied à la suite de la crise économique de 2001 afin d'assurer la gestion collective d'usines en faillite. Au Canada, des projets de démocratie participative sont actuellement à l'étude dans les villes de Toronto, Québec et Montréal. À Montréal, des consultations publiques auront lieu en 2006 dans plusieurs arrondissements de la ville, qui ont vu leur budget annuel augmenter considérablement depuis la fusion des municipalités de l'île de Montréal. Celles-ci auront pour thème l'instauration d'un méca-

225. Raul Pont, « L'expérience du budget participatif de Porto Alegre », *Le Monde diplomatique*, mai 2000, p. 33.

nisme de budget participatif au niveau des quartiers. À Toronto, le Toronto Participatory Budgeting Network a été fondé en 2001 afin de promouvoir la décentralisation vers les citoyens d'une partie de la gestion des budgets de fonctionnement de la Ville. Le réseau recommande que 10 % du budget total de la Ville soit soumis à la participation citoyenne d'ici 2010.

Malgré l'intérêt suscité par les projets visant à rendre la démocratie participative, la voie qui mène à leur réalisation est truffée d'obstacles. Mentionnons en vrac certains d'entre eux. La démocratie participative rend plus fastidieuse la prise de décisions en raison du grand nombre d'intervenants. Elle est dans ce sens chronophage : elle requiert du temps. La grande périodicité des appels à la participation peut également avoir pour résultat de rebuter les citoyens, trop pris par leurs occupations quotidiennes. Ceux-ci n'ont pas non plus toujours le temps d'approfondir leur compréhension des enjeux sur lesquels ils sont appelés à se prononcer. La popularité de la pratique participative lors des forums sociaux masque une réalité bien plus complexe en situation de prise de décisions : les délégués des forums sociaux n'ont pas à voter de budgets ni à prendre des décisions d'ordre politique, tout au plus ont-ils à ratifier les grands principes directeurs émis par les instances auxquels ils participent. Ainsi, toute analogie entre la pratique démocratique au sein des forums sociaux et celle au sein de systèmes démocratiques gouvernementaux est, selon certains, sinon fallacieuse, du moins nocive pour l'évolution même de l'idée participative. L'invitation à participer peut également trouver un meilleur écho chez ceux qui sont déjà intéressés par la chose publique. Ainsi, les groupes d'intérêt et les lobbyistes, qui situent justement leurs actions sur l'arène publique, risquent de mieux répondre à l'appel à la participation que les citoyens dans l'ensemble. Loin de nous toutefois l'idée d'exclure tout projet qui vise son étude et son expérimentation.

L'union citoyenne contre le capital

Ce second modèle appelle au renforcement des réseaux citoyens transnationaux. Par le biais de réseaux, leurs artisans et supporteurs proposent d'utiliser les possibilités qu'offre la démocratisation des moyens de communication et d'échange comme outil de contrepouvoir aux globalistes. Les campagnes transnationales menées par la société civile canadienne et québécoise s'inscrivent dans ce second modèle, qui a pour principal argument les écrits de Michael Hardt, Antonio Negri et Ulrich Beck[226]. Pour Hardt et Negri, la « multitude », qui représente une forme de transnationalisation des réseaux citoyens et inclut tous les citoyens du monde, en viendrait à vaincre l'« Empire » actuel qui se caractérise par sa déterritorialisation et par un pouvoir en réseaux. Pour ces penseurs de l'altermondialisme, nul besoin de recourir aux stratégies révolutionnaires qui sont du reste obsolètes. Selon Ulrich Beck, la société de consommation est la société mondiale réellement existante. Ainsi, le consommateur politique – grâce à l'arme du client mondial – peut saper le pouvoir du capital transnational en choisissant d'acheter ou de ne pas acheter un produit offert. En constituant des réseaux de citoyens/consommateurs transnationaux, le camp globaliste ne peut que sortir affaibli de cette action, d'après cette thèse. Les campagnes qui font la promotion du commerce équitable, ce à quoi travaille Équiterre et la coopérative Café Rico entre autres, sont des exemples de ce second modèle. Tout comme les campagnes de boycott de la pétrolière Esso, lancées

226. Michael Hardt et Antonio Negri, *Empire*, Paris, Exils, 2000 ; et Michael Hardt Antonio Negri, *Multitude. Guerre et démocratie à l'âge de l'Empire*, Montréal, Boréal, 2004 ; Ulrich Beck, *Pouvoir et contre-pouvoir à l'ère de la mondialisation*, Paris, Flammarion, 2003.

pour obliger la compagnie à reconnaître le lien existant entre l'utilisation d'hydrocarbures et le réchauffement de la planète.

Le renforcement des prérogatives étatiques et de l'État-providence

Le troisième modèle propose de renforcer les prérogatives étatiques et l'État-providence. Cette stratégie vise à « repolitiser » certaines questions, principalement celles touchant l'économie, afin que la démocratie – dont les ancrages sont encore aujourd'hui principalement nationaux en pratique – puisse mieux civiliser les excès du capitalisme sauvage. Le Conseil des Canadiens est l'un des groupes qui préconisent la voie étatique. Il fait campagne pour que les instances gouvernementales fédérale et provinciales s'arrogent plus de pouvoirs face aux pressions exercées par les multinationales, notamment dans le dossier de la privatisation de l'eau et de l'application de Protocole de Kyoto. Les groupes qui ont incité le gouvernement de Paul Martin à alléger le fardeau des familles démunies faisant face à une hausse du prix du pétrole plaident aussi indirectement pour une intervention accrue de l'État en matière de redistribution économique.

Avec la montée du néolibéralisme et la fin de l'État-providence – caractérisé par la prédominance du couple État-marché et le compromis entre patronat et syndicats –, plusieurs initiatives de la société civile ont vu le jour afin de réduire les inégalités et d'aménager de nouveaux espaces de délibération. L'économie sociale et le coopératisme, qui favorisent la gestion démocratique, l'autonomie, l'équité et la libre adhésion des participants, sont des moyens mis en place par les citoyens pour se réapproprier le développement économique de leur communauté. La force représentée par l'économie sociale – qui se manifeste à travers les fonds de travailleurs, les caisses d'économie solidaire, les

OBNL, les coopératives, le bénévolat, la finance éthique ou solidaire et la consommation responsable – permet d'entrevoir un nouveau paradigme de gouvernance où le tiers secteur complèterait l'action des secteurs publics et privés.

Cette économie plurielle exigerait toutefois un renouvellement de l'État-providence car, selon les analystes, les initiatives faisant appel au volontariat ne peuvent s'imposer sans le soutien des pouvoirs publics et sans liaison avec une économie de marché[227]. Dans cette perspective, une nouvelle vision de l'État émerge. « D'un État-providence orienté vers la réparation, la protection et le curatif, on passerait à un État-providence misant sur l'investissement social pour préparer l'avenir et permettre aux personnes d'affronter le risque plutôt que de simplement les protéger », énonce Benoît Lévesque[228]. En matière de développement économique, l'État agirait comme catalyseur et partenaire, incluant les collectivités locales et la société civile, puisque dans une économie de services, les entreprises accordent une importance de plus en plus grande aux facteurs sociaux (échange d'informations et de savoirs, formation, présence d'institutions d'enseignement, etc.). Cependant, le rôle accru de l'État dans l'économie ne devrait pas signifier une augmentation du fardeau fiscal des contribuables, vu les retombées positives de ce modèle sur l'emploi.

L'État minimal

Les militants radicaux et anarchistes s'associent généralement au courant philosophique libertaire, théoriquement opposé à l'État et à l'autorité[229]. Les libertaires

---

227. Benoît Lévesque, « Un nouveau paradigme de gouvernance : la relation autorité publique-marché-société civile pour la cohésion sociale », *Les choix solidaires dans le marché : un apport vital*, Tendances de la cohésion sociale n° 14, Strasbourg, Éditions du Conseil de l'Europe, 2005, p. 29-67.

228. *Idem*, p. 37.

229. Martin Masse, « Libertin, libertaire, libertarien », *Le Québécois libre*, n° 51, 4 décembre 1999.

prônent la liberté et l'égalité totale de condition entre les citoyens. « Ils croient que celle-ci surviendra si on abolit non seulement l'État, mais en plus la propriété privée et le marché. Leur modèle économique est centré sur l'autogestion, c'est-à-dire le contrôle à la base des moyens de production par les travailleurs, sans propriétaire ni hiérarchie[230]. » Ce mouvement, qui a eu tendance à s'intégrer à la mouvance socialiste, a toutefois eu historiquement peu d'influence. Il est également lié à des actions et des manifestations violentes.

Les libertariens considèrent pour leur part que la démocratie est « un système collectiviste qui justifie la mainmise de l'État sur des pans entiers de la vie des individus (santé, éducation, relations de travail, culture, etc.) par le fait que les décisions qui sont prises découlent de la volonté d'une majorité[231] ». Selon eux, qu'il s'agisse d'une majorité, d'une minorité ou d'un seul individu, ces décisions restent imposées par l'État et briment la liberté individuelle. « Plus on glorifie la démocratie, plus on justifie les décisions collectives et la mainmise de l'État sur des aspects de plus en plus étendus de la vie en société[232]. » Les libertariens prônent plutôt une réduction draconienne de l'État pour instaurer un système où régnerait à la fois la liberté et le respect des personnes et de la propriété d'autrui. Dans ces conditions, les actions collectives et la collaboration se feraient uniquement sur une base volontaire.

La démocratisation des instances multinationales

Un autre modèle propose le renforcement ou la démocratisation des instances multinationales actuelles afin que leurs décisions – dont la portée est mondiale – puissent être plébiscitées par les peuples de la terre.

---

230. *Idem.*

231. Martin Masse, « La démocratie est le socialisme », *Le Québécois libre*, n° 160, 15 novembre 2005.

232. *Idem.*

Les campagnes contre la pratique de négociations commerciales occultes, pratique courante à l'OMC et dans le cadre de la négociation de la ZLEA, sont axées sur ce dernier modèle. Les ONG internationales Oxfam et Les Ami(e)s de la terre, pour ne nommer que celles-ci, appuient cette stratégie. Selon ces ONG, la démocratisation des instances multilatérales garantirait une meilleure gouvernance et une meilleure représentativité des groupes de la société civile au sein des instances de pouvoir. L'argument développé pour justifier l'appel à la démocratisation est simple. Les dirigeants de l'OMC, du FMI et de la Banque mondiale – les principaux patrons de l'économie globalisée – ne sont pas élus par les citoyens, mais nommés par leurs représentants. L'influence des pays du Nord, notamment des États-Unis, rend grotesque tout discours qui présente ces institutions comme les légitimes représentantes de tous les citoyens de la planète. Le caractère antidémocratique de ces institutions est patent, selon Scholte[233].

La participation citoyenne pourrait combler le déficit démocratique qui caractérise les institutions internationales, en parallèle aux efforts de réforme des institutions démocratiques visant à assurer une meilleure représentation citoyenne dans le cadre du système électoral. Mais les intérêts citoyens peuvent-ils être portés adéquatement par les représentants d'association ? Les groupes associatifs ont tendance à se professionnaliser et sont souvent formés d'experts. En ce sens, les enjeux dont ils discutent demeurent souvent hors de la portée du citoyen moyen, qui s'éloigne généralement des débats trop techniques. En outre, la participation des représentants d'associations aux forums délibératifs officiels est davantage axée sur la consultation que sur la prise de décision elle-même. Les

233. Jan Aart Scholte, *op. cit.*

parties prenantes se retrouvent ainsi dans un rapport asymétrique face à leurs intervenants.

Avec la mondialisation marchande, un nouveau type de gouvernance devient pourtant nécessaire aux yeux d'un bon nombre d'organisations canadiennes[234]. Celles-ci sollicitent la création d'une organisation mondiale pouvant faire pression sur les États afin d'assurer la protection et le bien-être de l'ensemble des citoyens de la planète face à la mondialisation. « Les accords commerciaux internationaux ont facilité la création d'un marché unique, sans pourtant créer d'État unique pour le réguler[235]. » Avec l'appui du Centre de recherches pour le développement international, certains instituts ou fondations travaillent de concert avec des universités étrangères et les Nations Unies afin d'élaborer des modes de gouvernance qui prendraient mieux en compte les intérêts et les préoccupations des pays en développement. Dans un avenir imaginé par les partisans d'une gouvernance mondiale, les tendances actuelles seraient inversées : les Nations Unies auraient davantage de pouvoir, l'espace politique de l'OMC se limiterait à la réglementation équitable des multinationales et du commerce, tandis que les États souverains et les pouvoirs locaux seraient chargés du respect et de la protection des droits démocratiques des citoyens[236]. Une nouvelle société civile mondiale, représentée par les ONG et les organisations locales alliées au sein de coalitions internationales, pourrait voir le jour et revendiquer une place au sein de cette nouvelle gouvernance mondiale.

---

234. Ces organisations sont entre autres le Conseil canadien de coopération internationale, le Comité canadien d'action sur le statut de la femme, la Marche mondiale des femmes, Développement et Paix.

235. *Globalization : some implications and strategies for women*, CCA, *op.cit.*, p. 3.

236. *Rapport du Forum international de Montréal*, 2002.

Pour relancer la coopération multilatérale, autant la société civile que le secteur privé devraient être représentés au sein des institutions internationales. Les intervenants des organisations canadiennes caressent donc l'idée d'une Assemblée populaire mondiale élue au suffrage universel ou d'un amendement à la Charte de l'ONU qui permettrait l'avènement d'un parlement mondial composé de représentants de groupes de citoyens. Une assemblée mondiale annuelle des acteurs non étatiques (assemblée permanente d'ONG)[237] pourrait ainsi prendre forme de telle sorte que l'opinion des groupes d'experts serait prise en compte dans l'orientation des politiques mondiales. L'apport scientifique et technique de la société civile, qui a agi à maintes reprises en coopération avec les États et les institutions, s'est en effet avéré très utile à plusieurs occasions, notamment durant les pourparlers précédant l'établissement d'une Cour pénale internationale ou l'adoption du Protocole sur la biosécurité en janvier 2000. Des milliers d'ONG ont aussi participé à l'élaboration des déclarations des Nations Unies sur le racisme et sur les droits des peuples autochtones.

Mais pour ce faire, l'ONU devrait d'abord opérer une véritable démocratisation en permettant l'élargissement du Conseil de sécurité et en supprimant le droit de veto afin de donner une voix plus grande aux plus petits pays[238]. Plusieurs suggèrent aussi de déménager le siège social des Nations Unies de New York à l'extérieur des États-Unis. Il serait également possible d'envisager la création d'un Conseil pour la sécurité économique et financière, qui serait chargé de définir les règles d'un nouveau système financier mondial axé sur

---

237. *Cahier de revendications mondiales*, Marche mondiale des femmes en 2000.

238. C'est ce que soutiennent les auteurs des documents publiés par la Marche mondiale des femmes.

une répartition juste et équitable des richesses de la planète. Cet organisme, composé d'ONG et de syndicats, exercerait un contrôle politique des marchés financiers et des échanges commerciaux afin d'éviter la « criminalisation » de l'économie. Avec un statut similaire à celui du Conseil de sécurité, il assurerait une régulation des organisations à vocation économique, financière et commerciale. « Il faudrait accorder davantage de responsabilités au Conseil économique et social des Nations Unies en lui permettant entre autres de superviser le travail de la Banque mondiale, du FMI et de l'OMC », dit Susan McNamara Scott, présidente de Développement et Paix. Cette idée est également appuyée par le Conseil canadien de la coopération internationale, par la Coopération internationale pour le développement et la solidarité et par Caritas Internationalis, l'agence d'aide internationale de l'Église catholique située à Rome.

Exaspérés de n'entrevoir aucune solution à la détérioration de l'environnement à travers la Commission de la coopération environnementale de l'ALENA ou le Comité sur le commerce et l'environnement de l'OMC, les environnementalistes canadiens croient davantage pouvoir atteindre leurs objectifs par le biais des résolutions de l'ONU et de ses institutions. « Malgré toutes leurs lacunes, ces institutions constituent le meilleur espoir pour civiliser la mondialisation », avance Michelle Swenarchuk, de l'Association canadienne du droit de l'environnement. Selon elle, le système de négociation des conventions de l'ONU offre une approche alternative à l'élaboration de traités internationaux, les autres forums étant discrédités par le secret qui les entoure. Pour empêcher l'OMC de trancher seule dans les conflits impliquant commerce et environnement, les groupes environnementaux songent même à regrouper sous un même parapluie les conventions-cadres qui traitent de l'environnement afin de leur donner préséance sur les règles commerciales[239].

Comme nous l'avons vu, plusieurs demandes citoyennes réformistes sont adressées aux gouvernements et aux institutions internationales constituées d'États-membres. Pourtant ceux-ci perdent du pouvoir par rapport aux organisations supranationales et au secteur privé. Quels ont été les résultats de ces diverses initiatives ? Les stratégies mises en œuvre par la société civile canadienne ont-elles été efficaces ? Quelle influence les citoyens organisés exercent-ils sur les politiques adoptées à l'échelle nationale et internationale ? Dans le prochain chapitre, nous analyserons le type de stratégies utilisées par la société civile et leur efficacité au regard des résultats obtenus.

239. Louis-Gilles Francœur, « Développement durable : le temps d'agir », *Le Devoir*, 31 août et 1er septembre 2002.

3

Des stratégies variées

Alors que les groupes libéraux ou libertariens passent par les voies de la recherche, du lobbying, des médias conventionnels et d'Internet pour diffuser leur message, les organisations canadiennes et québécoises qui veulent « humaniser » les relations économiques s'efforcent de donner aux citoyens une voix et une conscience par le biais de multiples activités d'éducation populaire. Elles portent également leurs requêtes devant les gouvernements, les institutions internationales et les firmes multinationales. Leurs modalités d'action sont multiples : elles interviennent dans les processus de consultation, elles coopèrent à diverses initiatives gouvernementales ou institutionnelles, elles s'expriment par le biais de lettres aux ministres, de pétitions ou de participations à des commissions parlementaires. Elles investissent les forums internationaux et les institutions internationales, avec lesquels elles collaborent dans le cadre de certains programmes. Elles lancent aussi des campagnes pour dénoncer les violations aux droits établis commises par les entreprises privées. Voyons comment elles s'y prennent.

Une sensibilisation auprès du public

Pour sensibiliser et convier le grand public à discuter des enjeux de l'heure, les organisations réformistes et radicales lancent des campagnes d'information et organisent tour à tour des ateliers de travail, des débats, des conférences, des colloques ou des séminaires, des sommets parallèles, des festivals, du théâtre de rue, des concours, etc. Les positions émises par les militants sont fondées sur des analyses, pas seulement sur des slogans. Des études ont été réalisées sur les effets potentiels des biotechnologies, les enjeux de la privatisation de l'eau et les répercussions sociales des accords commerciaux et l'accroissement des disparités socioéconomiques au Canada, par exemple. « Les gens se sont mobilisés au Sommet des peuples de Québec parce qu'ils entendaient des arguments valables », fait remarquer Dorval Brunelle.

Des messages publicitaires accrocheurs, voire réducteurs dans certains cas, accompagnent toutefois les campagnes menées par les coalitions d'ONG. Ces dernières années, des débats tenus dans les enceintes universitaires et des documentaires « coup de poing » diffusés sur les ondes publiques ont alimenté la fibre militante des Québécois et des Canadiens. Mais la fréquente amnésie des médias et la crise de crédibilité dont souffrent leurs journalistes – rarement affectés à des dossiers de fond sur la mondialisation –, ont entraîné l'émergence d'une presse alternative critique et documentée. Les médias alternatifs, les listes de discussions sur Internet ou les pétitions électroniques ont nettement favorisé la propagation du discours altermondialiste. L'interactivité du réseau médiatique alternatif a permis la mobilisation massive des opposants au néolibéralisme. « Il suffit d'une nanoseconde pour se brancher et se joindre aux autres, pour faire part à son gouvernement, à son voisin ou à qui veut l'entendre de son opinion sur la guerre en Irak, Dieu, George Bush, l'environnement, les droits de la personne, le rap, le dernier film à la mode, l'éradication de la pauvreté ou le terrorisme international[1]. »

La popularité des réseaux alternatifs progresse : on estime que la fréquentation des sites Rabble, Canadian

---

1. Daniel Drache, « L'hypocrisie des échanges et la fabrication de la dissidence », dans *Crise de l'État, revanche des sociétés*, Athena Éditions (à paraître en 2006).

Forum et du Centre des médias alternatifs du Québec (CMAQ) augmente rapidement, quoique les médias alternatifs n'attirent qu'une portion minoritaire du lectorat. Sous-financés, leurs possibilités de publier des articles écrits par des journalistes ou des chercheurs professionnels sont souvent restreintes. La majorité des lecteurs s'abreuve donc aux médias de masse, dont le système de valeurs est habituellement conforme à l'idéologie néolibérale dominante et aux exigences des audimats. Mais même là, une part croissante des pages et du temps d'antenne est accordée aux artisans d'un « nouveau monde ». Cependant, le vedettariat médiatique de certains porte-parole altermondialistes, comme Naomi Klein ou Maude Barlow, agace certains jeunes anarchistes qui tiennent à mettre tous les militants sur le même pied.

Les interventions des militants auprès du public ont-elles été porteuses ? Une plus grande conscientisation des citoyens, leur soif d'en apprendre davantage sur la mondialisation libérale et leur désir accru de participer à la chose publique en témoignent. Cependant, certaines organisations ont tendance à évacuer de leur discours toute considération positive à l'égard des lois du marché, ce qui est trompeur. La complexité des enjeux liés à la mondialisation mérite un débat éclairé, pas seulement une propagande partiale. Toutefois, en raison de l'acuité des questions sociales qu'ils soulèvent, les messages diffusés par les ONG et les différentes coalitions suscitent la ferveur d'une partie importante de la population. Des foules entières se sont déplacées pour s'opposer à la guerre, favoriser les énergies vertes ou dénoncer les aspects pervers du libre-échange et des accords multilatéraux. Des communautés entières se mobilisent pour empêcher l'installation d'usines polluantes ou revendiquer des emplois. Mais dans le cadre de la lutte contre la mondialisation libérale, de nouvelles méthodes d'intervention radicales ont été mise au point et adoptées par plusieurs intervenants. Ces stratégies ont été, dans la plupart des cas, mal reçues par les pouvoirs publics et les journalistes. Cependant, elles ont forcé les politiques à prendre acte de l'opposition et à entamer un dialogue plus soutenu avec leurs interlocuteurs altermondialistes.

L'intervention auprès des politiques

Les différents groupes de la société civile emploient une panoplie de stratégies pour influencer les dirigeants, allant de la participation à la confrontation. Comme bon nombre d'entre elles ont constaté leur impuissance à pénétrer les instances de négociation multilatérales pour influencer les décideurs, elles ont choisi d'agir aussi bien à travers la coopération avec les pouvoirs – en participant aux commissions parlementaires et aux consultations – que par le biais de la confrontation et de la mobilisation massive. De façon spontanée, les militants d'un « monde nouveau » descendent dans les rues pour manifester leur solidarité face aux immigrants déportés, appuyer les victimes des compressions dans les programmes sociaux, dénoncer les politiques militaires ou les accords de libre-échange. Leurs récriminations se font entendre à la fois lors de sommets parallèles, de manifestations imposantes ou par le biais d'activités d'éducation et de mobilisation populaire. Accentuant leur impact sur plusieurs fronts, elles ont ainsi transformé les sommets et les rencontres officielles des décideurs en des lieux de revendication stratégique. Pour prendre la parole dans l'arène internationale, elles ont aussi bâti des réseaux de contestation qui se sont manifestés à Seattle, Washington, Davos, Prague, Québec et Gênes, lors des rencontres des dirigeants de l'OMC, du FMI, de la BM, du G8, de l'APEC et de la ZLEA.

En parallèle, les organisations réformistes mènent des activités de lobbying auprès des gouvernements et des institutions multilatérales. Elles participent aux processus de consultation mis en branle par différents ministères, organismes paragouvernementaux et internationaux comme l'ACDI, l'OMC, la Banque mondiale et l'OEA. Les représentants d'ONG s'intègrent en outre aux délégations canadiennes, à l'occasion de rencontres internationales. La recherche et la production de documents d'analyse, l'envoi de lettres aux députés et aux ministres, les pétitions (électroniques ou sur papier), tous ces moyens sont utilisés tour à tour ou même simultanément pour faire avancer la cause de la justice sociale. À titre d'exemple, Kairos a fait circuler une pétition visant l'annulation de la dette internationale dans les églises, les écoles et les ateliers de travail, qui a recueilli au Canada quelque 650 000 signatures. Jouissant du soutien d'organisations religieuses du monde entier, cette pétition a recueilli durant une décennie des millions de signatures recommandant le renforcement du rôle des gouvernements nationaux dans la mise en œuvre des initiatives, des stratégies et des programmes relatifs à l'allègement de la dette. La pétition a été remise en 1999 aux leaders du monde lors des différents sommets du G-8, dont celui d'Allemagne. Même le pape s'est déclaré favorable à la réduction de la dette des pays pauvres !

Certaines des stratégies employées pour forcer l'attention des dirigeants comportent toutefois des inconvénients. La collaboration avec les instances officielles peut, par exemple, être utilisée pour coopter les participants, diluer ou faire taire l'opposition. La participation civile peut aussi contribuer à légitimer les politiques d'une institution gouvernementale ou internationale avec laquelle une ONG collabore, ainsi que ses processus de consultation et ses politiques[2]. C'est

2. Annette Aurélie Desmarais, *The WTO… will meet somewhere, sometime. And we will be there*, Ottawa, Institut Nord-Sud, septembre 2003, p. 25.

justement cette légitimité que l'OMC et la Banque mondiale tentent d'obtenir en conviant la société civile au dialogue. Mais pour faire progresser la cause citoyenne, les groupes institutionnels sont persuadés qu'il vaut mieux entretenir des rapports constants avec leurs interlocuteurs à l'échelle nationale et internationale. La stratégie de confrontation, qui comprend notamment les manifestations et la désobéissance civile, comporte aussi ses limites puisque l'impact produit dépend souvent de l'ampleur de la réaction populaire et médiatique.

Dans une économie mondialisée, le maillage des organisations militantes au niveau mondial est essentiel pour garantir un impact international. Car si la stratégie de mobilisation des groupes réformistes ou radicaux leur permet de rassembler des foules de partisans, elle ne leur assure pas un impact direct sur l'ordre du jour ou le contenu des discussions en haut lieu. Par contre, même s'ils refusent de répondre aux demandes des groupes de militants nationaux, les gouvernements peuvent occasionnellement financer les activités transnationales de ces groupes pour leur donner un meilleur accès aux négociations économiques[3]. De cette façon, ils peuvent reprendre à leur compte les revendications exprimées par la société civile si elles s'inscrivent dans leur programme politique. Le Canada, par exemple, a parfois contribué au financement de coalitions ou de réseaux réformistes dont les revendications allaient dans le sens de ses positions traditionnelles : démocratisation et pacifisme, libre-échange, réduction de la dette internationale, protection de l'environnement, respect des droits du travail et des Autochtones. Cependant, le gouvernement canadien demeure relativement conservateur quant au respect des droits humains dans le marché

3. Margaret Keck et Katryn Sikkink, *op. cit.*

global. Cette position force donc les organisations sociales à s'en prendre directement aux firmes dont les comportements sont jugés problématiques et aux institutions internationales chargées d'appliquer les règles commerciales.

La bataille contre les firmes jugées délinquantes

La stratégie majoritairement employée par les ONG ou les syndicats pour forcer un comportement responsable n'est pas de miser sur la force coercitive de l'État, lequel s'est relativement retiré du champ de la régulation, mais sur le pouvoir de l'opinion publique et des consommateurs. La stratégie du boycott ou l'emploi de « l'arme du client global[4] » semble, jusqu'à présent, avoir porté plus de fruits que l'envoi de pétitions. D'après le sociologue Ulrich Beck, l'arme du client global ou la grève du consommateur est « un instrument de contrepouvoir *sans* instrument de contrepouvoir ». Après tout, la réaction qu'occasionne une perte de marché est plus importante pour l'homme d'affaires que le poids d'un argumentaire même bien développé. Quelques leaders de l'industrie sont donc pris pour cible et leurs activités sont minutieusement scrutées, afin d'inciter le reste de la profession à emboîter le pas. Le boycott a la cote chez Greenpeace Canada, Les Ami(e)s de la terre et le Sierra Club du Canada, qui ont toutes trois fait campagne contre les pétrolières Esso et Exxon Mobil, l'unique producteur de pétrole à n'avoir pas investi dans les énergies renouvelables. Les environnementalistes tentent en outre de convaincre les financiers du risque de prêter de l'argent ou de détenir des actions d'une compagnie qui viole les lois de la nature. Dans cette perspective, la constitution d'un dossier bien étayé est primordiale, car les décideurs

4. Ulrich Beck, *Pouvoir et contrepouvoir à l'ère de la mondialisation*, Paris : Aubier [Flammarion], 2003, p. 434.

sont perméables à des informations factuelles. Il ne s'agit plus seulement d'accuser, mais d'énoncer des faits crédibles pour s'assurer l'appui des contribuables et des fondations privées. Les ONG doivent obtenir les ressources nécessaires pour exercer cette vigilance et elles ont tout intérêt à resserrer leurs liens pour y arriver. Mais le boycott a aussi ses revers : les pertes occasionnées peuvent obliger les compagnies à fermer leurs portes dans les pays en développement, mettant ainsi à pied des travailleurs sans autre ressource.

Les ONG et les syndicats ont beau jeu de dénoncer l'inaction des entreprises en jouant un rôle de surveillance. Car l'éviction de la communauté d'affaires ou la perte de marchés (et des emplois !) qui découlent des campagnes de boycott constituent d'importants incitatifs pour les compagnies. Mais il est permis de se demander si, en adoptant un comportement responsable, « les firmes veulent uniquement légitimer leurs actions par le biais des codes de conduite ou concurrencer celles qui n'adhèrent pas encore à cette nouvelle pratique éthique[5] ». Car il n'est pas dans l'habitude des entreprises de prendre des engagements sans que ceux-ci leur rapportent un certain profit... Cependant, les codes de conduite émis par les instances de régulation sectorielle, qui tendent à éliminer les comportements pouvant avoir un effet négatif sur la profession, constituent une réelle inspiration pour les entreprises. Mais il n'est pas interdit de penser que « la logique de l'autorégulation puisse être pervertie et se transformer en pratiques relevant de la collusion[6] ».

L'impact des activistes et des actionnaires canadiens se fait sentir graduellement. Au plan environnemental, les compagnies canadiennes sont forcées de mettre

---

5. Anick Veilleux, « Les codes de conduite comme instrument de régulation », dans *Globalisation et pouvoir des entreprises*, sous la direction de Michèle Rioux, Montréal, Éditions Athéna, 2005, p. 63.

6. Charles-Albert Michalin, *op. cit.*, p. 201.

l'épaule à la roue pour contrer le réchauffement climatique, en respectant le Protocole de Kyoto. Ce n'est pas seulement la mauvaise conscience qui les pousse à agir : le marché des permis d'émissions négociables, accordés aux entreprises qui outrepassent leur objectif de réduction d'émission de gaz à effet de serre, pourrait s'avérer lucratif. De plus, l'investissement dans des technologies vertes pourrait éventuellement permettre aux firmes de réduire leurs coûts énergétiques. « On constate un éveil de la part des dirigeants. Ils prennent conscience que parce qu'ils utilisent des ressources naturelles, ils ont aussi un rôle social à jouer. Ils ne peuvent plus seulement faire des profits sans s'occuper du reste[7] », dit Steven Guilbeault, de Greenpeace Canada. Ajoutons qu'ils savent aussi anticiper une hausse des prix de l'énergie...

Les bonnes intentions cachent la plupart du temps des intérêts économiques, le principal moteur de changement. Appréhendant la hausse des prix du pétrole en raison de la diminution des réserves, la pétrolière Shell se positionne pour devenir le plus grand producteur d'énergie solaire du monde. Les compagnies forestières, de produits chimiques ou d'aluminium au Québec cherchent désormais à soigner leur image pour concurrencer leurs rivaux. Décidément, l'évolution éthique des entreprises se fera conformément aux impératifs du marché, dont les pressions des militants modifient les perspectives. D'autres moyens plus draconiens ont cependant été mis en œuvre pour secouer la torpeur des multinationales ou des gouvernements.

La résistance pacifique

L'impact généré par les activités altermondialistes, en particulier les manifestations, dépend souvent de la

7. Kathy Noël, « Envers et contre tout », *Commerce*, septembre 2004.

couverture médiatique reçue. Au Canada et au Québec, les médias ont largement couvert et commenté les événements altermondialistes : Marche mondiale des femmes, Sommet du G6B, campagnes contre les rencontres de l'OMC ou du G8, etc. Mais les actes de violence ou de dissidence entraînent une couverture encore plus abondante. Les activistes qui optent pour la résistance pacifique atteignent souvent leur objectif : diffuser un point de vue critique pour susciter la polémique et favoriser le débat. La désobéissance civile est définie comme « une action directe non violente et symbolique exécutée pour désavouer l'autorité, une transgression intentionnelle pour contester l'inacceptable[8] ». Devant les minces résultats obtenus par la négociation, certaines centrales syndicales se sont initiées aux techniques de désobéissance civile afin d'élargir la gamme de leurs tactiques d'affrontement stratégique et non violent. La Confédération des syndicats du Québec, le Syndicat des travailleuses et travailleurs des postes, le Syndicat canadien de la fonction publique et les syndicats d'infirmières et infirmiers du pays ont notamment exploré cette avenue.

En choisissant la stratégie de la désobéissance civile, les activistes réussissent souvent à rendre publiques leurs doléances par le biais des médias qui s'intéressent au spectaculaire. Leur écho est sans conteste moins important lorsqu'ils choisissent d'inscrire leur action dans un cadre plus traditionnel de participation politique. Mais en bout de ligne, la stratégie de la désobéissance civile vise à faire infléchir les politiques. Malheureusement, l'appui du public à certaines des requêtes militantes se traduit rarement par un changement de politique au niveau gouvernemental. Le caractère irrationnel de la désobéissance irrite plus qu'il n'intéresse les politiques. Il faut avouer aussi que ce type d'inter-

8. Selon Philippe Duhamel, ex-membre fondateur de SalAMI.

vention requiert beaucoup d'abnégation de la part des militants. À la suite d'actes jugés illégaux, ceux-ci peuvent être traduits en justice, avec toutes les conséquences judiciaires que cela signifie, ce qui entraîne à court ou moyen terme leur démobilisation[9].

Les militants les plus déterminés accomplissent des actions d'éclat, à la limite de la légalité. Mais les bénéfices de cette stratégie ne sont pas toujours évidents. Les manifestants qui se sont dénudés à Calgary par exemple, lors du Sommet du G6B en 2002, ont bravé les lois albertaines pour inciter les médias à couvrir leurs actions et commenter leurs revendications. Ils ont obtenu une importante couverture d'un bout à l'autre du pays, mais les journaux et la télévision ont à peine effleuré la nature de leurs réclamations. Greenpeace Canada met aussi en scène des actions d'éclat pour attirer l'attention des décideurs. Le responsable de la campagne Énergie et changements climatiques, Steven Guilbault, avait pour sa part grimpé sur la tour du CN pour revendiquer la ratification du Protocole de Kyoto, ce qui lui a valu une presse abondante. L'ONG avait en outre convoqué les médias à assister à l'installation d'écrans solaires sur la demeure du premier ministre albertain, Ralph Klein, en raison de son opposition au Protocole de Kyoto. À cette occasion, les environnementalistes ont été accusés d'intrusion sur une propriété privée, mais aucune poursuite n'a été engagée contre eux. « Certains membres nous ont blâmés d'avoir violé le droit à la vie privée, évoque Steven Guilbault. D'autres nous ont assuré qu'ils étaient fiers de contribuer financièrement à l'organisation. Mais comme nous ne dépendons pas des fonds gouvernementaux, nous sommes très indépendants dans le choix de nos actions et nos campagnes », résume-t-il.

9. Plusieurs groupes dont Opération SalAMI et Mob4Glob sont maintenant dissous.

Ce qui n'est pas le cas de plusieurs organisations canadiennes.

Opération SalAMI était, pour sa part, spécialisée dans les actes de désobéissance civile. En mai 1998, durant la 4e Conférence de Montréal, SalAMI avait organisé des manifestations pacifiques contre l'Accord multilatéral sur l'investissement. Lors d'un dîner à l'hôtel Sheraton, les manifestants s'étaient servis des petits fours pour symboliser la faim ressentie par les moins nantis. Amplement couvertes par la presse, ces activités de dissidence civile ont contribué à freiner l'adoption du controversé projet de l'OCDE. Cependant, une centaine de manifestants ont été arrêtés à la suite de ces actions. Accusés d'avoir porté atteinte au bon déroulement de la réunion, les militants ont tenté durant plusieurs mois de se servir de la Cour municipale de Montréal comme tremplin pour faire le procès de la mondialisation marchande. Le procès s'est toutefois soldé par un verdict de culpabilité et presque tous les accusés ont été condamnés à exécuter des travaux communautaires.

SalAMI a par ailleurs organisé une perquisition citoyenne pour protester contre le manque de transparence dans le dossier de la ZLEA. Le 1er avril 2001, une foule militante a investi le Parlement pour obtenir le contenu des textes de négociation de la ZLEA. À la suite de ce siège, 90 personnes avaient été emprisonnées mais aucune accusation n'a été portée contre elles. Par contre, cette action a reçu une large couverture de la part des médias. « En réalité, nous voulions seulement informer la population des dangers de la ZLEA », indique Philippe Duhamel, ex-membre fondateur de l'organisation. Cette fois, le coup a porté. Le ministre du Commerce international, Pierre Pettigrew, a prié ses homologues avant le Sommet de Québec de rendre publics les textes de négociation. Ces textes ont été diffusés sur Internet depuis le Sommet de Québec en 2001.

Face au renforcement des dispositifs de sécurité et à la criminalisation de la dissidence, les organisations civiles cherchent à renouveler leurs stratégies. « Il est dangereux de croire qu'on peut constamment répéter les mêmes tactiques. Nous devons déplacer les agendas et choisir le terrain d'affrontement, de façon à passer un message plus clair de façon imaginative », croit Karine Triolet[10], ex-collaboratrice chez SalAMI. Dans cette perspective, les militants privilégient maintenant les actions locales pour empêcher, par exemple, l'implantation d'une mégaporcherie ou d'une usine polluante aux abords d'une ville ou d'un village.

La diversité des tactiques

L'une des tactiques employées par les militants radicaux est le Black Bloc, une forme d'action collective réalisée lors d'une manifestation et incluant le recours éventuel à la violence. Cette tactique de contestation héritée du mouvement autonome allemand de Berlin-Ouest, au début des années 1980, vise à radicaliser le débat et à stimuler une prise de conscience chez les citoyens. L'usage de la force permet aux partisans du Black Bloc de signifier aux plus défavorisés qu'ils sont prêts à mettre leur corps en péril pour exprimer leur solidarité envers eux. Afin de justifier leurs interventions violentes face à la mondialisation libérale, les militants anarchistes soutiennent que le capitalisme est infiniment plus destructeur qu'aucune de leurs actions directes. Leurs actes de vandalisme – condamnables juridiquement parce qu'ils constituent des agressions contre la propriété privée – ciblent ainsi des symboles de la société capitaliste, comme McDonald, Gap ou les succursales des grandes banques. Selon eux, « l'État libéral et l'autorité des policiers reposent sur l'illusion que la volonté politique du peuple peut être

10. Entrevue réalisée en septembre 2002.

représentée. Or un individu ou un groupe d'individus ne peut représenter la volonté et les intérêts d'un ensemble sans qu'il y ait une distorsion importante qui avantage le représentant plutôt que le représenté[11] ». Ils s'appuient donc sur cette position pour légitimer leurs attaques à l'encontre de l'ordre établi.

Ce recours aux actions violentes n'est pas sans poser problème aux militants du Black Bloc. Il les force à maintenir une certaine distance face aux autres mouvements sociaux qui, dans l'ensemble, rejettent la violence. Les actes de violence perpétrés chez certains groupes radicaux risquent en effet de mettre en jeu la crédibilité de l'ensemble du mouvement. Les militants anarchistes prêtent également le flan au jugement des médias, qui interprètent le recours à la violence comme un signe d'apolitisme et d'irrationalité. Selon certains experts, cela fait indirectement l'affaire des gouvernements, qui ont intérêt à voir les manifestants discrédités pour ne pas avoir à négocier avec eux et pour justifier l'appareil répressif qu'ils mettent en place. De plus, la couverture médiatique, parce que trop fragmentaire, conditionne à une lecture manichéenne du mouvement social. Une ligne de partage sépare ainsi « les bons des méchants, scindant la dissidence en deux clans qui se contredisent[12] ». Le démantèlement d'une clôture qui sépare l'État du peuple est vu comme un acte de violence, mais pourrait pourtant être interprété comme un acte symbolique illustrant le ras-le-bol de citoyens face au manque d'écoute des gouvernants. Par ailleurs, connaissant l'attrait des médias pour le spectaculaire, les militants ont tendance à planifier davantage d'actes violents dans le seul but d'assurer à leurs revendications un écho médiatique, même partiel.

---

11. Francis Dupuis-Déri, *Les Black Blocs. La liberté et l'égalité se manifestent*, Montréal, Lux Éditeur et Francis Dupuis-Déri, 2003, p. 22.

12. Nicolas Renaud, « Entre le Black Bloc et le White Bloc », *Hors Champ*, septembre 2001 (www.horschamp.qc.ca).

La stratégie de la violence évacue également les réels enjeux que les militants du Black Bloc cherchent pourtant à soulever. En dépit des problèmes qu'elle entraîne, certains observateurs prétendent que la violence permet tout de même d'élargir le débat[13]. Parce qu'ils sont associés à un large mouvement social, la couverture médiatique dont jouissent les Black Blocs profite en partie aux autres intervenants de ce même mouvement. Paradoxalement, elle permet de rendre plus légitimes les acteurs non violents auprès des autorités gouvernementales[14]. Cependant, le recours à la violence rend les militants radicaux plus vulnérables à l'infiltration policière, comme l'a démontré l'arrestation des membres du groupe Germinal en 2001 après infiltration. Leurs objectifs ne pouvaient pourtant en aucun cas être associés au terrorisme[15].

La répression des manifestants anarchistes a d'ailleurs forcé ces derniers à se battre dans l'arène judiciaire, où ils dépensent temps et argent à se défendre d'accusations souvent exagérées par les forces de l'ordre pour les discréditer. Un point en leur faveur : au plan judiciaire, la répression des militants les plus actifs lors des manifestations mène rarement à des accusations formelles. La plupart des procès se soldent à leur profit. Les méthodes d'intimidation policière sont d'ailleurs

13. Andréa Langlois, *Mediating Transgressions*, mémoire de maîtrise 2004, Université Concordia.

14. Francis Dupuis-Déri, *op. cit.*

15. Sept militants appartenant au groupe Germinal ont été arrêtés après infiltration par la GRC. Ils étaient en possession, lors de la perquisition qui visait le véhicule à bord duquel ils se rendaient au Sommet de Québec en 2001, de boucliers artisanaux, de lance-pierres, de projectiles d'acier, de bombes lacrymogènes et de simulateur d'artillerie (qui sert aux militaires canadiens lors de l'entraînement). Ces objets ne sont pas des armes. Ils ont tous subi une période de détention de quelques jours et ont été condamnés à des peines d'emprisonnement à purger dans la collectivité. La détention des « prisonniers politiques du Mouvement Germinal » a mobilisé bon nombre de militants qui ont organisé des manifestations et des pétitions contre leur détention préventive qui dura quelques jours.

fortement questionnées par les organismes de défense des droits humains et autres observateurs. Le cas des protestataires aspergés de poivre de cayenne par les agents de la Gendarmerie royale du Canada lors du Sommet de l'APEC à Vancouver est célèbre. Après un procès retentissant ayant duré plusieurs mois, les manifestants – pour la plupart des étudiants – ont eu gain de cause et la GRC a été blâmée pour sa réaction excessive. Un autre cas est éloquent. Arrêtées le 26 avril 2002 lors d'une manifestation contre le G8 à Montréal, 115 personnes ont été acquittées lors de leur procès. Le jugement était fort critique à l'égard du comportement abusif de certains policiers, qui ont interpellé un grand nombre de militants sans fondement légal[16]. Le militant Jaggi Singh, arrêté à plusieurs occasions lors de manifestions pacifiques, n'a pas non plus fait l'objet d'aucune condamnation.

Depuis le 11 septembre 2001, les mesures accrues de répression policière et la « criminalisation » relative des militants ont eu un effet dissuasif sur les mouvements sociaux et la société civile dans son ensemble : elles ont poussé certains groupes à se dissoudre et d'autres à revoir la stratégie de la diversité des tactiques. Le lien indirect établi entre militants altermondialistes, antimondialistes et terroristes a également incité la plupart des militants à adopter des méthodes de contestation plus pacifiques. Ainsi, c'est pour satisfaire le « voyeurisme médiatique » que les manifestants se sont dénudés à Calgary en 2002. D'autres, sous la bannière du Comité canadien de la Marche mondiale des femmes, ont organisé à l'occasion de la réunion du G8 un Tricot révolutionnaire à Ottawa : des femmes se sont postées en face du Conseil canadien des chefs d'entreprise pour tricoter ou crocheter de larges pièces carrées

16. Clairandrée Cauchy, « Un juge acquitte 115 manifestants antimondialisation arrêtés à Montréal », *Le Devoir*, 28 septembre 2004.

dans le but de former un gigantesque « filet de sécurité sociale ». Dans les deux cas, il semble que l'originalité des gestes ait réussi à attirer l'attention. Mais, comme pour les interventions violentes, est-ce suffisant pour que ces actions débouchent sur un réel débat public plutôt que sur une simple chronique médiatique ? À cet effet, les altermondialistes doivent non seulement jouer la carte de la créativité, mais aussi mieux informer le public des options qu'ils proposent en matière de politique économique. Car celles-ci sont acheminées aux dirigeants politiques et doivent favoriser une discussion constructive.

La recherche d'un front social régional et international

La combinaison des stratégies institutionnelle, réformiste et radicale accentue l'impact de la société civile sur plusieurs fronts. Cette diversité de stratégies, qui caractérise le mouvement altermondialiste, donne aux organisations civiles une flexibilité et une présence remarquable qui leur a permis d'avancer sur plusieurs plans. « Les mouvements sociaux et les acteurs collectifs ne sont pas ordonnés, rationnels et unitaires : ils contiennent et expriment plutôt une multiplicité de sens, variant selon le contexte et la conjoncture historique[17]. » En raison de cette variété d'intérêts et de discours, des tensions existent au Canada et au Québec non seulement entre les organisations optant pour ces diverses stratégies, mais aussi entre les organisations composant les divers réseaux ou coalitions. La grande diversité des organisations civiles canadiennes constitue à la fois leur force et leur talon d'Achille. Éparpillées aux quatre

17. Elizabeth Jelin, « Emergent Citizenship or Exclusion? Social Movements and Non-Governmental Organizations in the 1990's », dans William C. Smith et Roberto P. Korzeniewicz (dir.), *Politics, Social Change and Economic Restructuring in Latin America*, University of Miami, North-South Center, 1997, p. 80.

coins du pays, elles doivent s'entendre entre elles et cibler leurs interventions afin d'en accentuer l'impact à l'échelle nationale et internationale. Ce qui n'est pas chose facile, encore moins lorsqu'il est question du dialogue au sein des coalitions mondiales. On se souviendra de la désapprobation qu'avait suscitée les déclarations d'Oxfam sur le commerce dans les rangs altermondialistes.

Pour accentuer sa présence, le mouvement syndical a opté pour la concertation avec des groupes d'autres secteurs au sein de diverses coalitions. Cependant, certaines dissensions persistent entre syndicats et groupes communautaires ou radicaux, comme nous l'avons constaté. Même au sein du mouvement syndical, les différentes centrales – notamment la Fédération des travailleurs du Québec (FTQ) – n'adoptent pas nécessairement les mêmes positions. Par exemple, la FTQ, qui est partenaire du Réseau québécois sur l'intégration continentale, ne s'est pas jointe à ses alliés durant la consultation populaire sur la ZLEA. « Les principaux obstacles auxquels nous faisons face sont l'ignorance des enjeux et la difficulté de développer des solidarités dans le cadre d'une compétition organisationnelle », évoque Dominique Savoie, de la FTQ. Elle plaide pour une meilleure concertation autour d'éléments concrets, tels la santé et la sécurité au travail, les délocalisations ou les congés parentaux. Cependant, des rapprochements entre groupes institutionnels et réformistes ont eu lieu et des liens existent aussi entre ces derniers et les groupes radicaux lorsqu'il s'agit de mener des débats intellectuels excluant toute action violente.

Devant la menace d'un ALENA approfondi, le Partenariat pour la sécurité et la prospérité, les altermondialistes serrent les rangs. Les défis communs (droits du travail, pollution environnementale, impérialisme américain) favorisent la coopération et la formation d'alliances. L'idée d'un Forum parlementaire trinational, incluant des représentants de la société civile, fait son chemin. Cette structure politique, composée de représentants du gouvernement, du secteur privé et de la société civile, constituerait un lieu d'échange entre les trois pays membres de l'ALENA sur les questions frontalières et transnationales, notamment sur les disparités salariales et régionales, la pollution environnementale ou la migration. La formation de cette confédération d'organisations à l'échelle régionale pourrait aider la société civile à mettre de l'avant ses revendications, en suggérant notamment le regroupement des différentes agences de régulation nationales et en ciblant l'organe régional de règlement des différends pour améliorer son efficacité.

Au plan hémisphérique, l'Alliance sociale continentale poursuit ses travaux dans un contexte tout à fait singulier. L'arrivée au pouvoir de plusieurs gouvernements de gauche en Amérique latine (Argentine, Brésil, Uruguay, Venezuela) a changé la donne politique. Le président Hugo Chavez fait maintenant la promotion d'une zone de libre-échange socialiste, l'Alternative bolivarienne pour les Amériques, qui inclut Cuba. Cette initiative a teinté le Forum social des Amériques tenu en 2006 à Caracas, au Venezuela. Les revendications des réseaux sociaux canadiens et québécois seront-elles compatibles avec celles de leurs partenaires latino-américains dans cette nouvelle dynamique ? Rien n'est moins sûr. L'Alliance ne constitue pas un lieu d'échange permanent, car seules deux ou trois rencontres hémisphériques par année sont organisées. Les principaux thèmes qu'on y traite – annulation de la dette internationale, lutte contre l'impérialisme, entre autres – n'ont pas jusqu'ici permis de trouver une réponse commune aux intérêts souvent divergents du Nord et du Sud.

Au plan international, le Forum social mondial demeure une formule originale sur les plans politique et social. La prolifération des forums thématiques et régionaux a démontré l'engouement des citoyens pour ce type de débats ouverts et horizontaux. Victime de sa popularité, le Forum social mondial s'est toutefois éloigné de son idée originale, qui consistait à faire contrepoids au Forum économique mondial. De fait, aucun projet commun Nord-Sud n'a émergé de ces rencontres internationales. Par contre, le processus de fusion de la Confédération internationale des syndicats libres et de la Confédération mondiale du travail, annoncé en septembre 2005, représente un espoir pour les travailleurs du monde. Cette nouvelle « internationale socialiste » s'ouvrira à d'autres organisations syndicales démocratiques et indépendantes, dont la Confédération européenne des syndicats et la Confédération internationale des syndicats arabes. Deux longues années de négociations auront été nécessaires pour accoucher de ce regroupement des forces syndicales, une première dans l'histoire. Le mouvement syndical pourra-t-il rattraper son retard et faire valoir ses doléances auprès des décideurs ? Cela reste à voir. Nous nous pencherons dans le prochain chapitre sur le degré de participation de la société civile dans les instances décisionnelles.

4

Une présence marginale

L'une des revendications majeures de la société civile canadienne est sans contredit la participation citoyenne aux instances décisionnelles. Selon Jan Aart Scholte, « une vraie gouvernance est une régulation qui, certes, maintient l'ordre et l'efficacité, mais assure aussi la participation et garantit l'imputabilité. Dans l'établissement de la gouvernance propre à l'expansion des espaces mondiaux du monde contemporain, les critères technocratiques ont jusqu'à maintenant retenu beaucoup plus l'attention que les normes démocratiques[1]. » Malgré ce constat pessimiste, des améliorations notables se sont fait sentir au chapitre de la participation, tant à l'échelle municipale que nationale et internationale. Cependant, les résultats des consultations sont rarement jugés satisfaisants par les groupes participants.

En effet, le type de participation de la société civile se décline la plupart du temps en quatre formules de statut distinctes qui ne lui donnent aucun pouvoir décisionnel, d'après Diego Carrasco, de la Plataforma continental de derechos humanos du Chili[2]. Dans l'élaboration des divers traités internationaux, les organisations de la société civile peuvent ainsi avoir soit le statut d'observateur ou d'*observandi*, comme à l'ONU ; soit celui de consultant (*consultandi* ou *concurrendi*) lorsqu'elles sont invitées à donner leur opinion ou à prendre

1. Jan Aart Scholte, *La société civile et la démocratie dans la mondialité de la gouvernance*, Document de travail du Centre for the Study of Globalisation and Regionalisation, n° 65/01, janvier 2001, p. 1.

2. En ligne : http://www.ftaa-alca.org/spcomm/soc/Contributions/BAires/csw151a1_e.asp

part à une entente ; soit celui de proposant (*proponendi*), lorsqu'elles sont invitées à prendre place au sein de comités administratifs et à proposer des clauses spécifiques, notamment sur le travail, l'environnement et la démocratie ; soit celui de résolvant (*resolutio*), le plus haut niveau, lorsqu'elles peuvent mandater un représentant – sans pouvoir de décision – qui peut participer à la résolution d'un différend régulé par un traité[3].

Le rôle joué par les acteurs de la société civile au sein de la plupart des forums officiels mondiaux, de l'OMC au G8, en passant par le Forum économique mondial de Davos, est ainsi minimal. Sauf dans certaines institutions et conférences des Nations Unies, aucun mécanisme formel n'assure la prise en compte des opinions exprimées lors des diverses consultations. Il est vrai que de nombreux États occidentaux, notamment ceux du G8, ont aujourd'hui recours à l'expertise des différents secteurs sociaux dans la définition de leurs politiques. Mais en matière de commerce international, ce sont généralement les intérêts des milieux d'affaires qui priment. Cela étant dit, les organisations de la société civile ont une influence apparente dans l'évolution de certains grands dossiers internationaux. C'est en partie pour donner suite aux efforts de l'organisation Jubilée 2000 que l'Initiative pour les pays pauvres très endettés, lancée au Sommet du G8 de Lyon en 1996, a été approfondie au Sommet de Cologne en 1999. La création du Fonds mondial Santé a aussi été annoncée au Sommet du G8 de Gênes, en 2001, en réponse à la demande de nombreuses ONG[4]. Au Sommet du G8 de Kananaskis en 2002, l'accent a été

3. Dorval Brunelle et Sylvie Dugas, « Trinational Mobilizations Against NAFTA : An Assessment of Cross-Border Developments », *dans* Jeffrey Ayres et Laura Macdonald (dir.), *Contentious Politics in North America : National Protest and Transnational Collaboration under Continental Integration*, University of Minnesota Press (à paraître en 2006).

4. « Questions sur le G8 », à l'adresse http://www.g8.fr/evian/francais

placé sur l'assistance aux pays africains et, plus récemment, sur la lutte contre la pauvreté, conformément aux requêtes de nombreux militants.

Au niveau national, même si la consultation de la société civile constitue désormais un *modus vivendi* des pouvoirs publics, le pouvoir décisionnel demeure entre les mains des fonctionnaires et des représentants gouvernementaux. Par exemple, des projets de budget élaborés en collaboration avec la société civile sont à l'ordre du jour dans plusieurs grandes villes canadiennes. Au troisième Sommet des citoyens sur l'avenir de Montréal, en septembre 2004, l'idée d'un budget participatif à Montréal, appuyée par le maire Gérald Tremblay, a fait l'unanimité. Mais si la société civile est autorisée à faire des propositions, il n'est toujours pas question de lui permettre un droit décisionnel. Quoi qu'il en soit, la majeure partie des organisations sociales poursuivent leurs démarches auprès des différents paliers de gouvernements et des organismes internationaux pour faire entendre leurs voix. Analysons dans quel contexte ce dialogue s'établit et quelles en sont les suites.

L'écoute du gouvernement canadien

Les autorités fédérales font depuis plusieurs années la promotion de la participation de la société civile aux grandes orientations politiques et socioéconomiques canadiennes. Fidèles aux principes modernes de gouvernance, elles associent maintenant la société civile aux délibérations en matière de politiques environnementales, de travail, d'éducation et de justice. Le gouvernement canadien a lancé des consultations et organisé des rencontres avec les organisations civiles sur plusieurs thèmes relatifs à l'intégration hémisphérique et à la mondialisation, notamment sur la ZLEA et sur le processus d'engagement des citoyens. Les porte-parole gouvernementaux affirment que la transparence et l'engagement des citoyens contribuent à donner de la légitimité, de la cohérence et de la durabilité aux décisions stratégiques prises à la suite de consultations. La participation du public était même devenue une priorité pour l'ex-ministre des Affaires étrangères, Pierre Pettigrew. Pourtant, ce même ministre refusait de prêter l'oreille aux manifestants altermondialistes réunis à l'occasion du Sommet du G8 d'Évian en 2003, en proclamant la mort de ce mouvement. « Leur agitation n'a servi à rien et leur ton a beaucoup changé, disait-il. Le mouvement antimondialisation a réalisé que la mondialisation pourrait venir en aide à tous, même aux populations pauvres du Sud. »

Le gouvernement fédéral se veut inclusif, disant vouloir tenir compte dans l'élaboration de ses politiques tant des besoins du secteur privé que des doléances de la société civile. Mais est-ce bien le cas ? Les ministères des Affaires étrangères, du Commerce international, de l'Environnement, de la Justice et du Travail, de même que l'ACDI effectuent des consultations auprès des ONG ou autres organisations civiles. Le Canada a en outre initié ou parrainé plusieurs résolutions en vue de la participation citoyenne à l'OEA. Au cours des dernières années, il a appuyé financièrement des forums parallèles, des conférences et des processus de consultation menés par différents groupes du Canada et de l'hémisphère[5]. Dans le cadre du Sommet des Amériques, le Canada[6] a même joué un rôle de premier plan en favorisant une politique d'ouverture et de transparence avec les groupes de la société civile. Des séances régulières d'échange d'information ont

5. La Fondation canadienne pour l'Amérique, Corporation Participa au Chili et Esquel Group Foundation aux États-Unis, et le Forum des peuples autochtones, entre autres.

6. Tel qu'indiqué dans *La société civile et le Sommet des Amériques : qu'est-ce que la société civile ?* Voir http://www.americascanada.org/politics/civilsociety/parallel-f.asp

été tenues pour familiariser les organisations de la société civile avec les processus des Sommets des Amériques. « Depuis quelques années, c'est un réflexe d'entendre les points de vue des groupes qui s'intéressent aux questions traitées », souligne Marc Lortie, ex-sherpa canadien du Sommet des Amériques, affirmant que « la croissance seule, surtout si elle est sporadique, ne suffit pas à garantir l'équité sociale[7] ».

Les relations avec la société civile se sont intensifiées ces dernières années, mais elles avaient débuté de façon informelle pendant les années 1970. Dans un premier temps, les discussions se faisaient principalement avec des groupes d'affaires. Avec l'élection du gouvernement conservateur de Bryan Mulroney en 1984, ce processus s'est formalisé et élargi. Un groupe formé de comités représentant plus d'une quinzaine de secteurs de la société (gens d'affaires, syndicats, centres de recherche, etc.) a été mis sur pied. Ces comités, chapeautés par le Comité consultatif sur le commerce international, conseillaient le gouvernement en matière de commerce international. Après l'arrivée du gouvernement libéral de Jean Chrétien, en 1993, ces consultations multisectorielles se sont ouvertes pour inclure des représentants des secteurs du travail (syndicats), des groupes environnementaux et de défense des droits humains. Ceux-ci ont été intégrés à l'intérieur de délégations canadiennes dans le cadre des négociations commerciales, notamment lors du Sommet des femmes de l'ONU à Beijing (1995), du Sommet de l'environnement à Kyoto (1997), des rencontres de l'OMC à Seattle (1999) et à Doha (2001), et du Sommet des Amériques de Québec (2001).

---

7. Conférence de Marc Lortie donnée lors du Colloque du CEIM « Construire les Amériques », dans le cadre du Séminaire sur la dimension sociale de l'intégration des Amériques.

Le dialogue avec les institutions internationales

La qualité de la contribution des ONG à l'évolution du débat sur des dossiers litigieux, comme l'accès aux médicaments ou l'abolition des subventions à l'agriculture, a été reconnue au sein des instances internationales. L'excellente connaissance qu'ont les ONG de ces dossiers leur permet d'évaluer avec justesse la portée des ententes et de proposer des avenues de solution réalisables. La Banque mondiale, par exemple, a mis à profit le professionnalisme et l'expertise de la société civile dans le cadre de la réalisation de multiples programmes de développement. Mais jusqu'à quel point les organisations de la société civile ont-elles pu intervenir et se faire entendre dans les officines de l'ONU, l'OMC, de la Banque mondiale, du FMI, de l'OCDE ou de l'OEA ? Nous verrons que leurs idées sont parfois reprises dans les forums les plus importants, comme le Forum économique mondial de Davos, qui a axé sa rencontre de janvier 2005 sur les thèmes de la pauvreté et de la mondialisation équilibrée. Mais si le discours de l'élite politique s'aligne à l'occasion sur celui de la société civile mondiale, les deux visions sont encore loin de se rejoindre en pratique.

L'Organisation des Nations Unies

Depuis plusieurs décennies, les ONG sont conviées aux différents sommets des Nations Unies et leurs voix sont prises en considération. À l'ONU, les organisations de la société civile ont réussi à orienter d'importantes décisions politiques. Certaines revendications pour la paix et les droits humains ont eu des résultats positifs : la conviction inébranlable d'une coalition formée d'un millier d'ONG réparties dans 60 pays[8] a notamment mené à la ratification de la Convention d'Ottawa sur

8. « ONG à l'œuvre : le fer de lance de la campagne pour la sécurité humaine », *Regard sur le monde*, gouvernement du Canada, 1999.

l'interdiction des mines terrestres en 1997. Cette coalition d'ONG, dans laquelle les Canadiens ont joué un rôle important, a d'ailleurs été couronnée par le prix Nobel de la paix en 1997. Une autre coalition mondiale, comprenant notamment des groupes canadiens, a contribué à la naissance de la Cour pénale internationale, qui a vu le jour en 1998. Malheureusement, la Chine, Israël et les États-Unis n'ont toujours pas adhéré au Traité de Rome qui a instauré cette cour internationale.

Sous l'influence des groupes écologistes, le Protocole de Cartagena sur la prévention des risques biotechnologiques, qui vise à protéger la population contre les impacts des OGM et à conserver la biodiversité, a également été signé en janvier 2000, à Montréal, dans le cadre de la Convention sur la diversité biologique. Encore une fois, malgré le fait qu'ils soient d'importants producteurs d'OGM, les États-Unis ont été exclus d'emblée des négociations parce qu'ils n'avaient pas signé en 1992 le Protocole sur la biodiversité lors du Sommet de Rio. En matière d'environnement, l'action des organisations civiles canadiennes a également été déterminante en ce qui a trait à l'entrée en vigueur du Protocole de Kyoto en février 2005, boudé à nouveau par les États-Unis. Lors de la Conférence sur les changements climatiques de décembre 2005, à Montréal, les nombreuses ONG présentes, qui avaient droit de parole en plénière, ont joué un rôle conjoint de diplomate et d'expert en favorisant les alliances entre pays et en faisant pression sur eux à travers les médias.

Faisant face à une crise de crédibilité à la suite des opérations en Somalie et en Bosnie, l'ONU a entamé une réforme de ses structures et activités. Elle a tenté de bâtir des ponts avec les populations, en faisant l'analyse de ses échecs et en mettant en place une véritable politique pour répondre aux plaintes formulées. Dans ses velléités de réforme, elle a promis de s'ouvrir à une plus grande participation de la société civile. « L'amélioration des échanges entre l'ONU et les nombreux acteurs de la société civile est une étape essentielle sur la voie de la réforme de l'organisation. Les objectifs de l'ONU ne pourront être atteints que si la pleine mobilisation de la société civile, ainsi que celle des gouvernements et des institutions internationales est assurée[9] », a déclaré le secrétaire général Kofi Annan. Ces dernières années, l'ONU a donc mis l'accent sur un rapprochement entre le secteur privé et la société civile. Kofi Annan veut établir des liens forts avec le milieu des affaires pour le convaincre de respecter l'environnement et les droits humains. Cette délicate initiative s'est attirée les foudres des ONG, qui accusent l'ONU de promouvoir l'action des firmes multinationales dans le contexte de la globalisation. Cependant, c'est sans doute en partie pour répondre aux pressions des ONG que le Pacte mondial a été mis sur pied en 2000. La création de ce Pacte, auquel se sont ralliés aussi bien des entreprises que des dirigeants d'ONG et de syndicats, a le potentiel d'induire une responsabilité sociale majeure de la part des sociétés qui y adhèrent et d'élargir le rôle de l'entreprise dans les pays en développement.

Un groupe de personnalités, présidé par l'ex-président brésilien Fernando Enrique Cardoso, a été mis sur pied en 2003 pour examiner les liens entre l'ONU et la société civile. Le groupe, qui a réalisé une série de consultations avec les parties concernées, a proposé la mise en place d'auditions informelles pour la société civile. Cela dans l'espoir de forger des alliances entre entreprises et ONG. Cette pratique a été inaugurée en juin 2005, lors de l'Assemblée générale tenue dans le cadre des activités préliminaires condui-

---

9. *Le secrétaire général, M. Kofi Annan, annonce la création du groupe de personnalités chargé d'examiner les liens entre l'ONU et la société civile*, communiqué de presse, ONU, 21 février 2003.

sant au prochain sommet. Selon certains experts[10], le rapport Cardoso tente de dépolitiser l'admission des ONG au sein des instances onusiennes. Mais bon nombre d'États s'y opposent toujours, notamment au sein de la Commission des droits de l'Homme. Le Conseil de sécurité s'est montré pour sa part ouvert à une collaboration plus étroite avec les ONG, appréciées pour leur forte présence locale et leur large expérience, ainsi que pour leur capacité à fournir une analyse indépendante d'une situation donnée. En période de conflit, les ONG sont en mesure d'identifier rapidement les menaces et les tensions et de forger des partenariats bénéficiant à l'application des décisions de l'ONU. Pour toutes ces raisons, les délégués du Conseil ont admis qu'une place revenait de droit aux ONG dans la future Commission de consolidation de la paix. La situation évolue donc positivement.

L'Organisation mondiale du commerce

Les ONG s'intéressent à la mondialisation depuis la mise sur pied du GATT en 1947. Leur intérêt s'est toutefois manifesté plus clairement depuis la création de l'OMC, le 1er janvier 1995. Depuis cette date, elles ont assisté à diverses conférences sur les pays les moins avancés, le commerce, l'environnement et le développement durable. Certaines ONG canadiennes suivent de près l'évolution des discussions et comptent parmi celles accréditées aux grandes conférences de l'OMC. En vertu de lignes directrices adoptées en 1996, l'OMC reconnaît le rôle que peuvent jouer les ONG pour mieux informer le public de ses activités. Lors des réunions ministérielles de l'OMC, celles-ci sont donc autorisées à participer aux séances plénières. Des sessions d'information sont organisées à leur intention à la veille

10. Tel Frédéric Mégret, professeur à la Faculté de droit de l'Université de Toronto. Ces propos ont été tenus dans le cadre de la conférence *Réformer ou reformer l'ONU*, le 6 octobre 2005.

des conférences pour les tenir au courant des questions qui les concernent. Elles peuvent s'informer à distance sur les avancées des négociations multilatérales : outre la publication d'un bulletin mensuel sur les travaux ou activités du Secrétariat de l'OMC, environ 65 % du matériel produit au sein de l'organisation est accessible au public, dans un délai de 6 à 12 semaines. Un forum de discussion électronique a également été ouvert pour permettre aux ONG de converser en ligne sur divers thèmes. Néanmoins, ces progrès demeurent insuffisants, selon les ONG.

Depuis la Conférence ministérielle de Singapour, tenue en décembre 1996, environ les deux tiers des ONG accréditées représentent les intérêts de gens d'affaires. Les firmes transnationales constituent ainsi une force active et dominante dans les actuelles négociations commerciales. Au mieux, les ONG se voient octroyer le statut d'observatrices. Elles ne définissent donc ni l'ordre du jour, ni le contenu des négociations, mais peuvent influencer les délégués par le biais de rapports informels ou en coulisses. Les ONG fournissent aussi une expertise aux pays en développement sur des questions cruciales concernant la négociation. La faible qualité d'écoute de l'institution, particulièrement en matière d'agriculture[11], a motivé la mobilisation de nombreux groupes réformistes et stimulé la résistance des radicaux à Seattle et à Cancun, en particulier.

Par souci d'éviter la reproduction des manifestations houleuses de Seattle, le nouveau cycle de l'OMC a débuté en novembre 2001 à Doha, au Qatar, un pays fort peu démocratique dont les frontières sont restées inaccessibles pour les manifestants. Malgré toutes ces précautions, des manifestations ont eu lieu dans une soixantaine de pays, dont le Canada. Les ONG autorisées à Doha étaient en nombre nettement inférieur que précé-

11. *Idem.*

demment, soit moins de 450 en tout. Cependant, seulement une soixantaine de ces organisations ne représentaient ni des intérêts gouvernementaux ni d'affaires, donc parlaient au nom de la société au sens large. Une dizaine d'associations canadiennes y étaient accréditées, dont le Conseil des Canadiens et le Conseil canadien pour la coopération internationale[12]. À Cancun, en novembre 2003, près d'un millier d'ONG étaient accréditées, dont une trentaine venant du Canada[13]. Même scénario à Hong Kong, avec un plus grand nombre d'ONG encore, y compris canadiennes.

Les dirigeants de l'OMC ont tenté d'améliorer le dialogue en organisant un Symposium des ONG en juillet 2001. Cependant, les participants ont été déçus du peu de réformes concrètes entreprises par l'organisme et ont associé cette initiative à un simple exercice de relations publiques. De pair avec les pays du tiers-monde, les ONG avaient en effet demandé que les discussions au sein de l'OMC ne portent que sur la mise en place de mesures déjà entérinées. Elles avaient aussi exigé un moratoire sur toute nouvelle ronde de négociations. Ces réclamations n'ont pas eu de suites, comme il est facile de le présumer. La diffusion des manifestes *WTO Shrink or Sink* et *Our World is Not For Sale*, signés par des centaines d'ONG en mars 2000, n'a pas empêché les États-Unis, le Japon et d'autres pays de proposer des négociations sur les investissements, la concurrence et les fournitures gouvernementales. La Déclaration ministérielle précédant la réunion de l'OMC

---

12. D'autres organisations canadiennes étaient présentes, tels le Center for International Sustainable Development Law, le Center for Trade Policy and Law, Greenpeace-Canada, le International Institute for Sustainable Development, le International Network for Cultural Diversity, Oxfam-Canada et Oxfam-Québec.

13. Outre plusieurs associations de producteurs, de travailleurs et du patronat, l'Institut Polaris, Droits et démocratie, Développement et Paix, Oxfam-Canada, Oxfam-Québec, le Sierra Club du Canada, l'Union des consommateurs et l'Union des producteurs agricoles faisaient notamment partie de la délégation canadienne d'ONG.

de Doha ne faisait non plus aucune mention des questions soulevées par la société civile mondiale : biopiratage, normes du travail, environnement, sécurité alimentaire, nécessité d'exclure des négociations certains domaines tels les soins de santé, l'éducation et l'eau. Le seul engagement pris dans ce texte qui concordait avec les demandes des ONG ? Accorder, lors de la prochaine rencontre ministérielle, une « attention spéciale » à l'étiquetage, à la propriété intellectuelle et au lien entre le système multilatéral de commerce et les accords multilatéraux sur l'environnement.

Les responsables de l'OMC, relayés par les ministres nationaux du Commerce et leurs fonctionnaires, ont tout de même tenté d'obtenir l'appui des ONG pour entreprendre un nouveau cycle de négociations sur un thème rassembleur, celui de la croissance et du développement. Malgré cela, les observateurs estiment que « l'OMC est une organisation fermée et exclusive, dont le mandat consiste à promouvoir les droits du capital[14] ». L'OMC a tendance à dialoguer davantage avec les mouvements sociaux qui « parlent le même langage » qu'elle et qui possèdent l'expertise économique ou juridique dont elle a besoin[15]. En dépit d'une ouverture apparente à la société civile, l'organisation continue de privilégier ses rapports avec les intervenants du secteur privé. Même si l'OMC a pris des initiatives en vue d'assurer une plus grande transparence, les militants déplorent le maintien de la confidentialité dans les délibérations ministérielles. En dépit des recommandations du gouvernement canadien visant une plus grande accessibilité de l'OMC au public, les citoyens n'ont toujours pas accès aux instances de règlement des différends et ne

14. Propos recueillis lors du Forum international de Montréal en octobre 2002.

15. Annette Amélie Desmarais, *The WTO… will meet somewhere, sometime. And we'll be there !*, Ottawa, Institut Nord-Sud, septembre 2003.

peuvent participer aux processus de négociation[16]. Pour faciliter leur accès à l'institution, les ONG canadiennes tentent ainsi d'influencer les membres de la délégation du Canada lors des forums de l'OMC. Mais elles estiment que les positions gouvernementales ont un faible apport démocratique, car elles sont élaborées à l'abri du regard du public.

La canalisation des oppositions de la société civile vers l'OMC fait cependant sourire certains analystes[17] pour qui l'OMC est une organisation démocratique, peut-être la plus démocratique de toutes les institutions internationales. En effet, ce sont les représentants de l'exécutif national qui sont appelés à ratifier les accords. Au sein même de la construction institutionnelle de l'OMC, le principe « un État, une voix » met tous les pays sur un pied d'égalité, ce à quoi s'ajoute le principe du consensus. Les pays membres sont obligés d'en arriver à un compromis négocié : cet échange permanent de discussions et de confrontation de points de vue est à la base même du fonctionnement de l'OMC. Le processus utilisé pour établir les projets de déclaration ministérielle a toutefois donné lieu à un affrontement épistolaire entre les ONG et les dirigeants de l'OMC. Dans le cadre de la négociation sur le commerce des services, les ONG ont affirmé que le processus de négociation était antidémocratique et trompeur, allégations que le directeur général de l'OMC, Pascal Lamy, a aussitôt réfutées[18].

---

16. Michelle Swenarchuk, *Civilizing Globalisation : Trade and Environment, Thirteen Years on*, Association canadienne du droit de l'environnement, 7 mars 2001.

17. Notamment Mehdi Abbas, maître de conférence en économie, Université Pierre-Mendès-France, Grenoble.

18. Voir la lettre de Pascal Lamy aux ONG, datant du 18 novembre 2005.

La Banque mondiale

La Banque internationale de reconstruction et de développement, maintenant appelée la Banque mondiale, s'intéresse depuis plus de 50 ans à la réduction de la pauvreté. Depuis quelques décennies, elle conditionne l'aide internationale à la mise en place des mesures d'ajustement structurel, de développement durable et de bonne gouvernance. À partir des années 1980, la Banque mondiale a aménagé un espace aux ONG afin de s'assurer de leur collaboration et d'éviter l'affrontement. L'expertise détenue sur le terrain par les ONG était en effet considérée comme un avantage pour planifier la mise en œuvre de projets, améliorer le potentiel de performance et atténuer les risques de mécontentement à l'échelle locale. Mais devant la montée en force des politiques économiques néolibérales au sein de la Banque, de nombreuses ONG se sont alliées avec des universitaires (non économistes, pour la plupart) pour contester ce virage. Avant la manifestation d'avril 2000 devant ses bureaux à Washington, la Banque croyait que ses relations privilégiées avec la société civile – qu'elle avait à toutes fins utiles cooptée – la mettaient à l'abri des grands mouvements de contestation[19]. Mais les ONG, qui avaient accepté les gestes d'ouverture très médiatisés de la Banque, n'étaient pas dupes de sa stratégie de cooptation.

La Banque mondiale a en effet cherché à promouvoir la participation de la société civile à la vie nationale dans le cadre de son programme de réforme de la gouvernance et de l'élaboration de plans d'action environnementaux nationaux. Comme le sous-développement est souvent aggravé par les détournements de l'aide, la participation active d'un tissu d'ONG locales peut

19. Paul Nelson, *Access and Influence: Tensions and Ambiguities in the World Bank's Expanding Relationship with Civil Society Organisations*, Ottawa, Institut Nord-Sud, avril 2002, p. 29.

assurer un développement plus démocratique dans le pays receveur[20]. Le financement accordé aux ONG des pays en développement s'est donc accru et la Banque mondiale a eu davantage recours à elles dans ses programmes d'aide. La participation des organisations de la société civile dans les projets de la Banque est passée de 21,5 % en 1990 à 72 % en 2004. Les échanges entre la Banque mondiale et les ONG se sont également intensifiés durant les années 1990, tant à l'intérieur qu'à l'extérieur des cadres institutionnels. Mis sur pied en 1993, le Panel d'inspection est devenu le mécanisme le plus institutionnalisé en matière de participation des ONG. Cette entité tripartite consiste en un forum indépendant qui donne la parole aux citoyens dont les intérêts sont menacés par des projets financés par la Banque. En 2005, le Panel avait reçu 27 demandes d'enquêtes dont la plupart ont mené à la révision des projets contestés, quoique l'Inde et le Brésil aient réclamé et obtenu la réduction des pouvoirs d'enquête de ce groupe en 1999.

À la demande d'ONG américaines, la Banque avait aussi lancé une évaluation internationale des programmes d'ajustements structurels, effectuée par le réseau Structural Adjustment Participatory Review Initiative (SAPRI). Ce projet, initié par des ONG américaines et financé par les États-Unis, l'ONU, cinq gouvernements européens et plusieurs fondations, a démarré en 1997. L'initiative visait à évaluer l'impact réel des programmes d'ajustements structurels au Ghana, en Ouganda, au Zimbabwe, au Mali, en Hongrie, en Équateur, au Salvador, aux Philippines et au Bangladesh. Malgré ses promesses, la Banque n'a pas réorienté ses politiques d'aide aux pays en développement tel que suggéré dans le rapport du réseau SAPRI. Elle a toutefois adopté certaines politiques de protection contre les

20. Thierry Pech et Marc-Olivier Padis, *op. cit.*, p. 24.

effets pervers de ses politiques et mis sur pied un nouveau programme de financement pour des projets reliés à un travail de promotion de la justice sociale.

Plus récemment, la Banque a encouragé une meilleure interaction entre les gouvernements et les ONG dans le cadre des dialogues nationaux sur la réduction de la pauvreté et du développement. En 1999, la Banque mondiale et le FMI ont mis conjointement sur pied cette nouvelle stratégie à l'intention des pays pauvres très endettés, connue sous le nom de Programme stratégique de réduction de la pauvreté. L'objectif du programme est d'encourager les pays à élaborer des stratégies nationales de lutte contre la pauvreté pouvant servir à appliquer les plans de réduction de la dette, d'acheminement de l'aide internationale ou de prêts conditionnels. L'application de ce programme, vu comme une deuxième génération d'ajustements structurels, a suscité des tensions tant chez les gouvernements chargés de sa mise en œuvre que chez les communautés pauvres, qui n'arrivent pas toujours à se faire entendre lors des consultations. Certains experts estiment que la coopération entre la Banque mondiale et la société civile est factice, puisque ceux qui s'opposent aux réformes néolibérales sont exclus des discussions[21]. D'autre part, il est impossible d'évaluer le degré d'influence des ONG sur ces programmes, car aucun mécanisme ne permet de prendre en compte leurs priorités[22].

En réponse aux multiples critiques formulées par la société civile mondiale face à la dégradation environnementale et aux abus en matière de droits humains de la part des compagnies minières, la Banque a lancé, en septembre 2001, un Examen sur les activités des industries extractives (projets d'extraction de pétrole, de gaz

21. *Qu'allons-nous faire des pauvres? Réformes institutionnelles et espaces politiques ou les pièges de la gouvernance pour les pauvres*, sous la direction de Bonnie Campbell, Paris, L'Harmattan, 2005, 208 p.

22. Paul Nelson, *op. cit.*

et de produits miniers) et sur les investissements réalisés par la Banque dans ces secteurs. Cet examen a notamment donné lieu à la consultation des parties concernées dans le but de réorienter les interventions de la Banque, de telle sorte que les populations locales puissent bénéficier de façon durable des activités minières. Un groupe consultatif de 10 experts a été chargé de mener à bien cette tâche, qui a nécessité l'organisation de 5 forums régionaux et de nombreuses rencontres. Cependant, cette consultation a été qualifiée une nouvelle fois par la société civile d'exercice de relations publiques, l'enquête ayant été effectuée en un court laps de temps et sans les fonds nécessaires, d'après plusieurs organismes[23]. Dans son ensemble, l'examen a toutefois duré deux ans et coûté quelques millions de dollars.

Malgré les blâmes formulés par les évaluateurs indépendants contre la Banque dans l'industrie pétrolière, gazière et minière, celle-ci a maintenu ses investissements dans ces secteurs, considérés comme des moteurs essentiels du développement d'un grand nombre de pays pauvres. Elle a toutefois résolu de prendre des mesures afin que ces projets aient une incidence positive sur les populations concernées. La Banque a également promis d'améliorer la qualité de la gouvernance dans les pays d'accueil, de favoriser la participation des intervenants locaux, d'accroître la transparence de la gestion des projets et de promouvoir l'utilisation de sources d'énergie renouvelables et de combustibles moins polluants. Des engagements plutôt encourageants pour les ONG, du moins sur papier ! Car ceux-ci ne sont pas encore traduits en actions concrètes, selon l'Initiative d'Halifax.

Il faut spécifier que la Banque a fait de la consultation avec la société civile la norme plutôt que l'exception,

23. Voir la déclaration de Carol Welch, des Ami(e)s de la terre, en date du 24 septembre 2002, à l'adresse http://www.foe.org/camps/intl/worldbank/902wbreveiw.html

mais rien ne l'oblige à se conformer aux propositions recueillies. Les ONG ont contribué, par exemple, à déterminer les critères d'admissibilité des pays receveurs de l'aide et les échéances à respecter. Mais elles ont été écartées des décisions concernant la plupart des normes imposées par les programmes d'ajustements structurels. Les résultats de ces consultations, souvent initiées à la suite de campagnes d'ONG sur divers sujets (politiques d'éducation, peuples indigènes, forêts, mines, prêts aux microentreprises, programmes d'ajustements structurels, gouvernance, dette), n'ont jamais engagés la Banque. Celle-ci n'est redevable qu'envers les ONG auxquelles elle est liée par contrats. D'ailleurs, aucune règle n'est fixée dans le déroulement du dialogue. « Nous sommes soumis à la bonne volonté des institutions financières internationales et des délégations gouvernementales », commente Derek MacCuish, du Comité pour la justice, en se plaignant d'un manque flagrant de qualité et de rétroaction dans les communications. Même le choix des ONG qui participent au processus est discrétionnaire. Les gouvernements procèdent aussi à des consultations avec les ONG sur les mesures promues par la Banque mondiale. Ces consultations peuvent soit être destinées à des experts, soit être ouvertes au public en général. Mais « dans les deux cas, la Banque limite de façon prudente sa responsabilité à considérer les positions exprimées[24] ». Cette ambiguïté a engendré la mésentente et la frustration. En outre, l'accès à l'information pour les citoyens n'est pas considéré comme un droit par la Banque mais plutôt comme une façon de faire souhaitable. L'institution n'est imputable qu'envers ses propres politiques et procédures[25].

Depuis le début du siècle, la Banque mondiale a tenté de rajuster le tir. Un site Internet spécifiquement

24. Paul Nelson, *op. cit.*, p. 10.
25. *Ibid.*, p. 16.

consacré à la société civile a été mis sur pied. Comme la Banque n'avait pas mis en place un canal unique pour entendre les revendications citoyennes, la société civile faisait valoir ses préoccupations par le biais des médias, de manifestations, ou encore en communiquant avec les dirigeants de la Banque ou les personnes responsables de projets. Un Comité d'ONG composé de 25 participants avait été mis sur pied en 1982, mais celui-ci n'avait jamais fonctionné de façon efficace, d'après les ONG[26]. À leur demande, ce comité a été transformé à la fin de 2000 en une réunion thématique annuelle[27]. Ce forum a permis la participation d'un plus grand nombre d'organisations, incluant des organisations communautaires, des groupes religieux et de femmes, etc. L'objectif de ce dialogue officiel est non seulement de favoriser une collaboration croissante des ONG mais aussi de permettre aux ONG spécialisées en développement de jouer un rôle de contrepoids face aux ONG environnementales, qui avaient pris le devant de la scène[28]. Il reste qu'au cœur des instances décisionnelles de la Banque, les citoyens canadiens ne peuvent pas facilement faire valoir leur point : le Canada ne possède que 2,5 % de l'actionnariat de la Banque, et donc des votes, contre 17 % pour les États-Unis. Ce sont eux qui mènent au sein de cette instance, tout comme au sein du FMI.

Le Fonds monétaire international

Fondé lors de la Conférence de Bretton Woods en 1944, le FMI est responsable de la gouvernance économique mondiale. Il est composé de 184 États membres qui détiennent une proportion inégale d'actions dans le

---

26. *Ibid.*, p. 7.

27. Cette réunion est appelée « Forum de la Banque mondiale et la société civile ».

28. Jan Aart Scholte, *Civil Society Voices and the International Monetary Fund*, Institut Nord-Sud, 2002, p. 8.

Fonds. Au départ, les objectifs du Fonds étaient notamment de promouvoir la coopération monétaire internationale et de faciliter la croissance équilibrée du commerce international. Cette mission devait être effectuée en corrigeant les déséquilibres dans les balances de paiement de pays membres et en réduisant la durée ou l'importance des déséquilibres. Mais au cours des années, le FMI est devenu un acteur incontournable en matière de développement économique et social ainsi que de régulation des marchés financiers.

Durant les années 1990, le FMI est devenu le point de mire des diverses organisations altermondialistes. La société civile internationale s'est mobilisée au sujet de la crise de la dette du tiers-monde et de l'expansion des programmes d'ajustements structurels. Les ONG ont blâmé le FMI pour son rôle dans les crises économiques successives en Asie, en Amérique latine et en Russie. Pour répondre aux incessantes attaques des organisations civiles, les dirigeants du FMI ont reconnu l'importance de ces nouveaux acteurs sociaux dans la politique mondiale du XXIe siècle. À tel point que « la société civile est maintenant perçue comme ayant un impact significatif sur les processus politique du FMI et leurs résultats[29] ».

Le FMI s'est graduellement rapproché de la société civile, en particulier du secteur privé. Quoique cette relation soit moins étroite qu'à la Banque mondiale, elle est plus importante qu'à l'OMC ou à l'OCDE. Outre les forums de gens d'affaires, le FMI a des rapports directs ou indirects avec plusieurs groupes de la société civile, comme des instituts de recherche, des fondations philanthropiques, des ONG[30], des groupes religieux, des centrales syndicales régionales ou autres associations. Durant les années 1980, le FMI publiait à l'intention de

29. *Ibid.*

30. Oxfam, Care, Vision du monde, Résultats, Jubilée 2002, ATTAC et la coalition Fifty Years Is Enough, notamment.

la société civile des écrits divers, des communiqués de presse et organisait des séminaires académiques. À partir des années 1990, les échanges entre le FMI et la société civile se sont multipliés, notamment à l'occasion de rencontres dans les pays membres ou d'entrevues durant les assemblées annuelles. Depuis 1999, les rapports entre les deux groupes se sont intensifiés dans le cadre de la redéfinition des programmes d'ajustements structurels et du lancement des Programmes stratégiques de réduction de la pauvreté dans les pays pauvres très endettés. Le Fonds s'est également efforcé de rejoindre la société civile à travers les médias et par le biais de son site Internet. Cependant, ces liens considérés comme secondaires sont demeurés relativement ténus, quoique certains gestionnaires – tel Michel Camdessus, ancien directeur général du FMI – aient démontré un réel intérêt pour connaître la position des groupes de la société civile[31].

La fragilité des liens qui unissent les deux groupes s'explique par le fait que le FMI, contrairement à la Banque mondiale ou au Programme des Nations Unies pour le développement (PNUD), n'a pas désigné d'agents de liaison locaux provenant de la société civile. Contrairement à l'OIT, à la Banque mondiale et à l'OMC, aucun article des documents constitutifs du Fonds ne peut servir de base juridique à ces liens. Toutefois, le FMI a entrepris en 2003 un examen approfondi de ses relations avec la société civile (ONG, syndicats, instituts de réflexion), qui a conduit à l'élaboration d'un *Guide des relations des services du FMI avec la société civile*. L'organisme considère désormais qu'il est essentiel d'établir un dialogue avec les organisations de la société civile pour « assurer la transparence de son travail, favoriser une culture d'écoute et de savoir, et renforcer l'internalisation des politiques par les pays,

31. Jan Aart Scholte, *op. cit.*, p. 20-21.

gage de stabilisation et de réforme[32] ». L'ouverture de l'institution s'explique par son besoin de recueillir de l'information, de contrer les campagnes de dénigrement dont elle fait l'objet et de susciter l'adhésion à ses politiques, en s'assurant du coup le soutien financier des États.

Malgré ces innovations, le FMI a toujours maintenu davantage de contacts avec les associations qui lui sont sympathiques qu'avec les organisations plus critiques, comme les syndicats et les ONG. Depuis la création de l'organisme, des tables de dialogue formelles ont été établies avec des firmes de consultants en économie et le milieu des affaires en général. Le FMI entretient également des relations étroites avec le personnel des départements universitaires et les groupes de réflexion économiques (*think tank*). Cette proximité lui permet de glaner de l'information pertinente en vue de l'élaboration de ses programmes.

De leur côté, les organisations civiles ont tenté la plupart du temps d'influer sur les politiques du Fonds par le biais de tierces parties : les gouvernements nationaux, les médias ou les sommets du G8 ainsi que les conférences des Nations Unies sur le financement du développement[33]. Dans la mise en œuvre de ses politiques, le FMI encourage d'ailleurs le dialogue entre les États et leur société civile afin de mieux faire accepter les mesures imposées. Officiellement, le FMI exhorte ces parties au dialogue par souci de non-ingérence afin de préserver la souveraineté des États. Depuis quelques années, l'impact de la société civile sur les politiques du FMI est devenu indéniable. Le militantisme des opposants au libéralisme tous azimuts a incité le FMI à réviser son discours libéral, certains de ses processus institutionnels de même que le contenu de certaines

32. Voir le site Internet du FMI à l'adresse www.imf.org/external/np/exr/facts/fre/civf.htm

33. Jan Aart Scholte, *op. cit*, p. 8 et 22.

politiques. La participation, la transparence et la réduction de la pauvreté en font maintenant partie. Au niveau institutionnel, des processus de consultation, des mesures de transparence et des mécanismes visant à évaluer les actions réalisées et les politiques appliquées ont été mis en place.

Parmi les succès remportés par la société civile, on peut noter une plus grande ouverture du Fonds au public[34], la mise sur pied d'un processus de consultation auprès des communautés dans le cadre de l'Initiative pour les pays pauvres très endettés et des Programmes stratégiques de réduction de la pauvreté. Mais comme on l'a vu plus haut, cette consultation est parfois sélective. Au plan des politiques, le FMI a également dû considérer l'effacement de la dette pour les pays les plus pauvres afin de freiner la spirale de l'endettement. Il a aussi dû prendre en compte les inégalités sociales ainsi que les coûts humains des ajustements structurels et de la transition vers l'économie de marché et concevoir une seconde génération de programmes d'ajustements structurels, mettant l'accent sur la supervision financière, la réforme judiciaire et la qualité des services publics.

Même si ce virage social a coïncidé avec l'arrivée d'un certain nombre de gouvernements sociaux-démocrates dans les pays du G7 au milieu des années 1990, il est en bonne partie dû à l'action des ONG, des syndicats ainsi que de plusieurs institutions de l'ONU, selon les observateurs[35]. Les organisations de la société civile ont aussi encouragé le FMI à prêter davantage attention aux questions de corruption et de bonne

34. Depuis 1995, le FMI publie un grand nombre de documents officiels, tels la liste du personnel, les ententes de prêts avec les différents États, les résumés des délibérations du Conseil exécutif ou les rapports d'évaluation externe ou interne. Voir Jan Arte Scholte, *op. cit.*, p. 43.

35. *Idem*, p. 47.

gouvernance. Cependant, le Fonds n'a pas changé ses pratiques en matière de défense des droits humains : aucune étude d'impact n'est exigée à cet égard des bénéficiaires du Fonds. En matière d'environnement, les militants sont restés sur leur faim : malgré un appui au processus de Kyoto, une partie minime des ententes de prêts font mention des dommages écologiques potentiels que pourraient causer les projets appuyés. Les groupes de femmes, qui réclament la prise en compte du genre dans l'application des programmes d'ajustements structurels, ont eu encore moins de succès.

L'Organisation pour la coopération et le développement économique

L'OCDE regroupe une trentaine de pays membres caractérisés par leur adhésion à la démocratie et l'économie de marché. L'organisme entretient des relations de travail avec plus de 70 autres pays, de même qu'avec la société civile organisée, ce qui lui confère une envergure mondiale. En gros, l'OCDE favorise la bonne gouvernance des secteurs public et privé et permet aux gouvernements, grâce à ses outils de surveillance, de maintenir la compétitivité de leurs secteurs économiques clés. L'OCDE promeut également de nouvelles règles du jeu dans le cadre des accords multilatéraux. C'est dans le contexte de ses opérations qu'a été élaboré l'AMI, retiré de l'agenda multilatéral en 1998, mais qui a refait surface dans le cadre d'accords bilatéraux ou régionaux.

Devant le tollé suscité par ce projet, ébruité par une ONG de Vancouver, l'OCDE a tenté d'établir ces dernières années un meilleur dialogue avec la société civile. En décembre 2001, un Groupe d'experts sur les relations de l'administration avec les citoyens et la société civile a été mis sur pied. « Cette participation de la société civile permet aux délégations de l'OCDE ainsi qu'aux secrétariats d'échanger des idées », dit Matt Brosius, responsable des affaires publiques et des communications de l'OCDE à Washington. Notons toutefois que l'OCDE a établi depuis longtemps déjà le dialogue avec la société civile, principalement avec le Comité consultatif économique et industriel auprès de l'OCDE et la Commission syndicale consultative auprès de l'OCDE. Depuis sa fondation en 1960, l'organisme a conclu une entente institutionnelle avec le monde des affaires et du travail. Les représentants de ces milieux peuvent discuter des questions qui les préoccupent au sein du Comité de conseil sur l'entreprise et l'industrie. Ils peuvent également le faire au sein de la Commission syndicale consultative auprès de l'OCDE. L'organisme dialogue aussi avec les représentants de la société civile lors de consultations menées par divers comités[36] et forums[37] de l'OCDE. À l'occasion de la tenue du Forum annuel de l'organisme, plusieurs ONG et autres organisations sont invitées et autorisées à prendre la parole. Ce forum annuel rassemble plus d'un millier de représentants d'entreprises, d'ONG et de gouvernements pour discuter de l'ordre du jour du prochain sommet ministériel annuel.

De plus en plus de comités de l'OCDE s'adressent aux groupes de la société civile afin de prendre le pouls de l'opinion publique. Selon Will Davis, porte-parole de l'OCDE, l'influence de la société civile s'est fait sentir à plusieurs reprises. Malgré sa position très critique à l'égard des politiques jugées écocides de

36. Des consultations avec les organisations de la société civile sont organisées régulièrement par le Comité des échanges, le Groupe de travail sur les échanges et l'environnement, le Groupe de travail des crédits à l'exportation et garanties de crédits à l'exportation.

37. Ces consultations se déroulent dans des domaines tels que le système de commerce multilatéral, les Principes directeurs pour les entreprises multinationales, le gouvernement d'entreprise, la lutte contre la corruption, l'environnement, le développement, la biotechnologie, l'agriculture et l'alimentation, l'information et la communication, et le développement territorial.

l'OCDE, l'ONG internationale Les Amis de la Terre a été invitée à participer à la révision du Guide des entreprises multinationales. Cette opération a mené à la réforme des lignes directrices réglementant les sociétés transnationales de l'OCDE en 2003. Transparency International, la principale ONG internationale vouée à la lutte contre la corruption, a en outre été engagée dans les travaux en vue de l'implantation de la convention anticorruption de l'OCDE. Des consultations en ligne ont par ailleurs été établies avec les militants de la société civile, permettant de mieux exploiter le flux régulier des réactions spontanées des citoyens et représentants d'ONG, des PME et des autres intervenants qui réagissent. Cependant, ce type de consultation électronique est confronté à des problèmes d'analyse et de rétroinformation. Il est encore prématuré de conclure à l'efficacité de ce mécanisme ou de présumer de la réelle volonté de l'OCDE de tenir compte des opinions émises.

L'OEA et la négociation de la ZLEA

Depuis le début des années 1990, l'OEA s'est ouverte formellement à la participation citoyenne afin d'améliorer le processus démocratique de prise de décision. Les États-Unis et le Canada[38] – lequel a réintégré l'institution en 1990 après l'avoir boudée pendant des décennies – sont les pays qui, avec l'apport notoire de la République dominicaine, de la Jamaïque et du Chili, ont le plus contribué à l'intégration de la société civile dans les discussions hémisphériques. Deux processus ont été institués dans le cadre de la construction de la

38. Selon Yasmine Shamsie, « le Canada s'est vu attribuer le crédit d'atténuer les tensions traditionnelles entre les États-Unis et les autres membres de l'OEA, et, grâce à sa relation historique avec les Caraïbes anglophones, le Canada a aussi servi de pont avec le reste de l'Amérique latine ». Voir *Engaging with Civil Society. Lessons from the OAS, FTAA, and Summits of the Americas*, *op. cit.*

ZLEA : les Sommets des Amériques et les négociations ministérielles. Depuis le premier Sommet des Amériques à Miami, en 1994, les consultations civiles effectuées dans ce cadre ont constitué pour la société civile une occasion unique de s'exprimer. Toutefois, en l'absence de mécanismes officiels de consultation, la participation civile est demeurée « filtrée » par les gouvernements nationaux[39].

Les recommandations des organisations civiles ont en effet eu une portée limitée en raison des compromis que ces dernières ont dû faire lors des réunions préparatoires avec les représentants gouvernementaux. À la veille du Sommet des Amériques de Québec, par exemple, un vaste processus de consultation hémisphérique a été mis en œuvre. Une vague de consultation, lancée par le gouvernement canadien, a aussi été menée à l'échelle nationale. En 1999 et 2000, près d'un millier d'organisations civiles ont acheminé quelque 250 propositions[40] en matière d'environnement, de développement durable, de corruption, de participation de la société civile, d'éducation, de droits humains, de femmes, d'Autochtones et de commerce. Le rapport final de ces suggestions a été présenté au Comité des négociations commerciales lors de la rencontre de Buenos Aires, en avril 2001. Malgré l'effort des ONG pour intégrer à l'ordre du jour le commerce et la ZLEA, le rapport final n'en faisait pratiquement pas mention. En outre, ces consultations ont rejoint une faible part de la société civile à l'échelle hémisphérique. Les membres de l'Alliance sociale continentale ont en effet refusé d'y participer, jugeant la consultation factice. Le processus a aussi été affaibli par l'exclusion du commerce des sujets de discussion.

---

39. Comme le corroborent les chercheurs de l'Institut québécois des hautes études internationales, à l'Université Laval, et ceux de l'Observatoire des Amériques, à l'UQAM.

40. Voir http://www.summit-americas.org/documents

Consciente du problème, l'OEA a tenté d'améliorer l'accès des ONG aux rencontres de chefs d'État. Plusieurs forums[41] de la société civile ont été organisés en prévision du Sommet des Amériques de Mar del Plata, en Argentine, en novembre 2005. Ce quatrième Sommet s'est déroulé cette fois sur le thème de la création d'emploi et du renforcement de la gouvernance démocratique. Une table ronde avec la société civile, tenue sous l'égide de l'OEA à Washington en janvier 2005, visait « à améliorer la communication entre les organisations de la société civile de l'hémisphère et à engager la société civile dans les préparatifs du sommet[42] ». Les groupes de la société civile ont aussi été invités par le gouvernement canadien à commenter l'ébauche de la déclaration et du plan d'action du Sommet. Pour renforcer la crédibilité du Sommet, la Déclaration et le Plan d'action adoptés à Mar del Plata ont intégré différentes propositions de la société civile canadienne, notamment en matière de sciences et technologie, de corruption, d'égalité des sexes, de droits humains et de peuples autochtones[43].

Contrairement au Sommet des Amériques, le processus de négociation de la ZLEA, monopolisé par les ministres des Finances et du Commerce de l'hémisphère, est caractérisé par son opacité. Au début des négociations, la société civile, à l'exception du milieu des affaires, était exclue du processus. En effet, le

---

41. Mentionnons le Forum des femmes (7-9 avril 2005, Buenos Aires, Argentine), le Forum sur le travail (juillet 2005, Argentine), le Forum sur les droits de la personne (août 2005, Costa Rica), le Forum de réflexion visant le secteur académique (août 2005), le Sommet des peuples autochtones (octobre 2005, Argentine) et le Forum de la jeunesse. Source : Gouvernement du Canada à l'adresse : www.dfait-maeci.gc.ca

42. Source : Gouvernement du Canada à l'adresse : www.dfait-maeci.gc.ca

43. D'après une allocution de Sarah Fontain Smith, directrice, Brésil, cône sud et affaires interaméricaines, Affaires étrangères Canada, prononcée le 24 novembre 2005 à l'UQAM.

Forum des gens d'affaires des Amériques s'était vu pour sa part accorder un statut consultatif officiel dès la réunion ministérielle de Denver, en 1995. Plusieurs de ses recommandations se sont d'ailleurs reflétées dans le mandat des équipes de négociation de la ZLEA, notamment dans le Plan d'action issu du Sommet des Amériques de Santiago en 1998. Cette coopération n'est pas sans raisons : des entrecroisements stratégiques et financiers se sont opérés entre les milieux politiques et d'affaires, qui ont parfois défrayé les coûts des rencontres officielles par le biais de commandites[44].

Devant cette exclusion manifeste des ONG aux négociations économiques, il n'est pas surprenant que les organisations de la société civile aient adopté une attitude de confrontation à l'égard des représentants officiels[45]. En réaction à cette stratégie, les ministres du Commerce ont plié en partie aux requêtes des divers organismes en créant, en 1998, le Comité de représentants gouvernementaux pour la participation de la société civile. Le mandat de ce comité est d'encourager les ONG à transmettre leurs points de vue concernant la ZLEA. Pour faire taire les protestations des militants, les ministres ont par ailleurs adopté plusieurs mesures en vue de combler le manque de transparence qui leur était reproché. Ils se sont engagés à rendre public l'avant-projet de la ZLEA[46] dans les quatre grandes langues du continent et ont convenu de transmettre aux comités appropriés les doléances des ONG concernant les politiques d'échange commercial. « C'est notre seule victoire en termes politiques dans le dossier de la ZLEA », confesse Diana Bronson, de l'organisme canadien Droits et démocratie. Les textes des négociations

---

44. Dorval Brunelle, « Société civile. Consultation et légitimité », *Le Devoir*, 1er et 2 novembre 2003.

45. *Idem*, p. 11.

46. Le texte des négociations n'a été rendu disponible qu'après le Sommet des Amériques de Québec, en avril 2001.

subséquentes ont également été partiellement rendus publics, permettant en théorie à la société civile d'analyser les orientations du projet. Toutefois, les points encore en négociation ont été laissés en blanc, ce qu'ont dénoncé les ONG et les universitaires. Cette absence d'information les a empêchés de se forger un jugement sur la teneur réelle des discussions. Aujourd'hui, les organisations de la société civile sont invitées à présenter des mémoires, à participer à des réunions thématiques avant et après les rencontres ministérielles et à tenir des tribunes en parallèle. Mais les gouvernements sont conscients qu'il reste beaucoup à faire pour améliorer la diffusion de l'information vers la société civile et sa participation au processus de la ZLEA[47].

La réaction des organisations civiles

En général, les organisations de la société civile se disent déçues de leurs rapports tant avec les gouvernements canadien et québécois qu'avec les institutions internationales, lorsqu'elles participent à leurs consultations. Bon nombre de représentants de groupes, tant institutionnels que solidaires, déplorent les carences du processus de consultation fédéral et constatent l'absence d'un réel dialogue. « Les consultations nationales réalisées par le ministère des Affaires étrangères et du Commerce dans le cadre du Sommet des Amériques n'étaient pas bien organisées ni bien structurées. Trop peu de groupes et trop souvent les mêmes ont été consultés sur un trop grand nombre de sujets[48] », rapporte Laurie Cole, analyste à la Fondation canadienne pour les Amériques. Diana Bronson, de Droits et démocratie, fait part de sa méfiance à l'égard de l'actuel processus de consultation gouvernemental. « C'est de

47. *Déclaration de la huitième réunion ministérielle de la ZLEA à Miami*, 20 novembre 2003, à l'adresse http://www.alca-ftaa.org/Ministerials/Miami/Miami_f.asp#SOC

48. Entrevue réalisée en mars 2004.

la frime en grande partie[49] », estime-t-elle. « Pour près de 70 % des Canadiens, le respect des droits humains est d'une importance équivalente au commerce. Pourtant, le gouvernement du Canada fait preuve de mollesse dans la défense des droits des travailleurs au sein de l'OCDE, en prétextant que la libéralisation assure le respect des droits humains par le biais de la croissance économique. » La création des forums de consultation constitue toutefois une victoire en soi. « Lorsqu'on a commencé à travailler sur ces dossiers en 1996-1997, il n'y avait ni consultation ni mécanisme pour en parler », se remémore Mme Bronson.

John W. Foster, chercheur principal sur le thème de la société civile à l'Institut Nord-Sud et cofondateur de Common Frontiers, critique l'ex-ministre des Affaires étrangères, Pierre Pettigrew, pour son refus d'admettre la société civile aux discussions internationales. « Le gouvernement canadien fait preuve d'hypocrisie, car la société civile n'est admise ni aux discussions de la ZLEA ni à celles de l'OMC[50] », dit-il. Selon M. Foster, les fonctionnaires canadiens responsables de l'application des ententes paraphées par Ottawa ont été autorisés par leurs supérieurs à prioriser les accords de l'OMC et de l'ALENA sur tout autre accord. Il rappelle aussi que la bataille pour forcer l'application de la Charte des droits universels de l'ONU et inciter le Canada à signer la Convention américaine relative aux droits de l'homme de 1969, comme le recommande un rapport du Comité sénatorial permanent des droits de la personne en mai 2003, se poursuit jour après jour[51].

49. Entrevue réalisée en juillet 2001.

50. Allocution donnée au Colloque « Bilan social de l'ALENA », 18 et 19 septembre 2004.

51. Voir les conclusions et recommandations du Comité à l'adresse http://www.parl.gc.ca/37/2/parlbus/commbus/senate/com-f/huma-f/rep-f/rep04may03part1-f.htm.Lesconclusionsetrecommandations-duComite.

Vincent Dagenais, ex-directeur de relations internationales de la CSN et membre du Réseau québécois sur l'intégration continentale, est outré de l'intransigeance du gouvernement fédéral. Selon lui, la consultation menée par le gouvernement canadien est un dialogue de sourds. L'opinion des intervenants de la société civile a en effet été sollicitée alors que les textes de négociation de la ZLEA n'avaient pas été rendus publics. La CSN s'est abstenue de participer à plusieurs rencontres pour cette raison. « Lors d'une réunion tenue le 28 mars 2001, une cinquantaine d'organismes ont été autorisés à ne poser qu'une seule question d'une durée de trois minutes, rappelle-t-il. Ils n'ont obtenu que des réponses dans une langue de bois[52]. » Les fonctionnaires ont également refusé d'inscrire et de rendre opérantes les définitions des termes « démocratie » (incluant le droit à l'alimentation, au logement, au travail, etc.) et « droits fondamentaux du travail » proposées par les représentants syndicaux.

Les représentants du Sommet des peuples de Québec avaient par ailleurs suggéré la tenue d'un débat télévisé entre les porte-parole des deux sommets, sans plus de succès. À cette occasion, une rencontre a bel et bien eu lieu entre une délégation de dirigeants d'ONG et les élus concernés. Mais pas un représentant gouvernemental n'a accepté de recevoir en main propre la déclaration finale du sommet. « En pratique, ils nous entendent, mais nous sommes pour eux comme de la musique. Le site Internet du ministère des Affaires étrangères et du Commerce international s'est transformé en une caisse de résonance des doléances du public. Mais il n'y a eu aucun suivi. Nos demandes n'ont eu aucun effet sur le contenu des politiques du ministère », déplore Vincent Dagenais, de la CSN. Son successeur, Jacques Létourneau[53], tem-

52. Entrevue réalisée en août 2001.
53. Entrevue réalisée en octobre 2005.

père toutefois ces remarques après avoir assisté à une rencontre entre syndicats et représentants gouvernementaux pour discuter des améliorations à apporter à l'Accord parallèle sur le travail de l'ALENA. « J'ai été étonné de l'ouverture du gouvernement, mais les délégués syndicaux n'ont pas su sauter sur l'occasion. Nous avons aussi notre part de responsabilité », indique-t-il.

Cependant, un représentant du Congrès du travail du Canada invité à se joindre au Comité ministériel sur le chapitre 11 s'est montré plutôt déçu des discussions. « Les modifications consenties ont été mineures à comparer aux changements suggérés », rapporte Pierre Laliberté[54], économiste en chef au Congrès du travail du Canada. C'est toutefois en réponse à la demande générale que les ministres canadiens sont intervenus auprès de leurs homologues latino-américains pour faire publier les textes de négociation de la ZLEA. Il reste que cette initiative n'a pas non plus satisfait entièrement les représentants sociaux : les points encore en tractation ne font pas mention des positions des différents pays impliqués. Sur la question du règlement des différends dans les institutions internationales, la société civile et le gouvernement canadien font cependant cause commune de l'immobilisme de l'OMC. Le Canada privilégie l'introduction de procédures normatives qui permettraient aux panels et aux cours d'appel de prendre en compte les mémoires *amicus curiæ*, présentés par des représentants de la société civile. Il encourage également la publication des soumissions des États membres de l'OMC aux panels de négociation et aux cours d'appel. Malheureusement, la position du Canada n'a pas encore été entendue.

Gauri Sreevanisan[55], du Conseil canadien pour la coopération internationale, reconnaît que l'accès des

54. Entrevue réalisée en mars 2004.
55. Entrevue réalisée à l'automne 2005.

ONG aux gouvernants est meilleur au Canada que dans d'autres pays. Mais elle ajoute que les ONG n'ont pas d'influence directe sur l'agenda officiel, contrairement aux groupes d'exportateurs. De plus, la relation entre la société civile et l'OMC est ardue. « Il est très difficile d'être présent à Genève. Devant l'importance d'obtenir un texte à tout prix, les négociations prennent une tournure de moins en moins démocratique », assure-t-elle.

John Bennett, directeur de la campagne Énergie et atmosphère au Sierra Club du Canada et représentant du Réseau Action Climat, était l'un des 300 membres de la délégation canadienne qui s'est rendue à Kyoto en 1997. Le Réseau a tenté d'influencer l'équipe de négociateurs formée de représentants du ministère des Affaires étrangères, de délégués provinciaux, d'experts scientifiques d'Environnement Canada et du ministère des Ressources naturelles. « Nous n'avons eu aucune influence sur le gouvernement canadien », a résumé John Bennett avec dépit. Si la délégation d'ONG était présente aux séances d'information, elle était exclue des discussions sur les répercussions économiques de Kyoto. « Nous étions comme des semi-délégués », déplore-t-il. En effet, les ONG faisant partie d'une délégation gouvernementale ne peuvent s'adresser aux médias. « Nous pouvions seulement passer le message à d'autres ONG, ce qui facilitait bien sûr le réseautage », conclut M. Bennett. Cependant, certains environnementalistes entretiennent des relations cordiales et régulières avec des fonctionnaires fédéraux et provinciaux, échangeant de l'information pertinente.

L'ouverture limitée des discussions avec le ministère des Affaires étrangères et l'ACDI a toutefois déçu les ONG œuvrant dans le domaine de la coopération internationale. Malgré des demandes répétées visant à faire augmenter le budget canadien de l'aide internationale, le Canada a peu progressé en ce sens. Les ONG ont également dénoncé le peu de place accordée à la société civile dans la conception canadienne de l'aide internationale. En 2001, l'ACDI avait en effet entamé son processus de réforme politique sans consulter les ONG. Informées du projet par une fuite, celles-ci ont pratiquement forcé l'ACDI à recueillir leurs propositions. Le choix discrétionnaire des ONG qui participent aux discussions est de surcroît contesté. « Cette situation a résulté en des politiques inconsistantes ayant des impacts contradictoires sur la vie quotidienne de millions de gens pauvres du monde[56] », selon le Conseil canadien pour la coopération internationale. Elles somment ainsi l'ACDI de reconnaître et d'intégrer l'apport de la société civile à l'élaboration des politiques et des programmes de développement, en particulier la vaste expertise des organismes de coopération internationale. « L'expérience des dernières années nous a démontré que, lorsque la société civile et la population visée par les projets de développement n'est pas impliquée dans la définition de son avenir, il n'y a pas de développement équitable possible[57]. »

À sa création en 1968, les organisations de la société civile étaient vues par l'ACDI et le gouvernement canadien comme des organisations de service social. Peu à peu, celles-ci ont façonné le rôle de l'ACDI, devenue créatrice de projets et programmes. Mais aujourd'hui, elles sont considérées comme des agents de livraison de services. « La place de la société civile dans la gouvernance et dans l'élaboration des politiques au Canada et dans le Sud est devenue secondaire », déclare John Saxby, ex-fonctionnaire en charge des relations avec la société civile à l'ACDI[58]. Lors de la Conférence de Monterrey sur le financement du développement en mars 2002, le

56. Voir le site Internet du Conseil canadien pour la coopération internationale à l'adresse www.ccci.ca

57. *Idem.*

58. Entrevue réalisée au printemps 2003.

Canada – contrairement à sa tradition d'inclusion de la communauté non gouvernementale – a omis d'inclure la société civile dans le processus de travail. Pendant l'élaboration du texte final de la Conférence, Ottawa n'a opposé aucune résistance à l'exclusion des ONG à titre d'observatrices lors des réunions[59].

Devant la difficulté de se faire entendre par les gouvernements, les groupes ecclésiastiques sont tout aussi amers. « Notre voix était davantage considérée il y a 10 ans », déplore July Graham, de Kairos. Elle mentionne qu'un rapport produit par l'ONG faisant des recommandations concernant les Autochtones du Canada a été tabletté et ignoré. L'organisme a aussi sollicité en vain une rencontre avec le premier ministre de l'époque, Jean Chrétien, et le ministre des Affaires autochtones pour leur remettre une pétition de 50 000 noms concernant les revendications territoriales des Autochtones. Face à cette indifférence, July Graham fait un constat désolant : « L'Église a peut-être perdu du terrain, mais force est d'admettre que l'intérêt du gouvernement pour les revendications citoyennes a beaucoup diminué[60] », estime-t-elle. Comme nous pouvons le constater, le gouvernement canadien adopte une attitude ambivalente à l'égard de la société civile. En principe, il se montre favorable à la participation de la société civile, mais les résultats de ce dialogue ardu semblent infructueux à bien des égards. De leur côté, les organisations de la société civile ont enregistré plusieurs victoires et reculs, que nous nous proposons d'analyser au prochain chapitre.

---

59. Voir la lettre envoyée par Droits et démocratie au premier ministre du Canada, Jean Chrétien, datée du 14 mars 2002.

60. Entrevue réalisée à l'hiver 2002.

5

La portée des revendications citoyennes

Les arguments et la mobilisation des organisations sociales canadiennes ont forcé le dialogue avec les instances internationales et les gouvernements. À certaines occasions, les militants ont réussi à faire changer la donne en obligeant les décideurs à réviser leurs discours ou à réajuster leur stratégie. Le report de la conclusion du cycle de Doha à l'OMC, par exemple, ainsi que celui de l'accord hémisphérique des Amériques, dont l'échéance était prévue pour janvier 2005, ne sont pas étrangers aux protestations citoyennes. Au Québec et au Canada, les gouvernements Charest et Martin – le premier affaibli par une faible popularité, le second par un gouvernement minoritaire et le scandale des commandites – ont dû prendre note des fortes pressions exercées par les mouvements de gauche. Québec, qui tente de maintenir le cap sur ses réformes étatiques et ses restrictions budgétaires dans un contexte de déséquilibre fiscal, fait face à la fois à la colère des syndicats, des groupes sociaux et des environnementalistes en matière de changements climatiques. Du côté du secteur privé, les codes de conduite, l'investissement responsable et les campagnes de dénigrement ont incité les compagnies transnationales à se mettre au diapason des préoccupations environnementales, davantage que de celui du respect des droits humains.

Les militants ont de plus contribué à mobiliser la population face aux grands enjeux de l'heure. Les multiples manifestations ont alimenté la critique à l'égard des préceptes néolibéraux. Un sondage Léger-

Marketing[1] effectué un an après le Sommet des Amériques révélait que moins de la moitié des Québécois (48 %) estimaient que la mondialisation de l'économie assurait de nombreux marchés aux entreprises québécoises. Mais 40 % d'entre eux y voyaient plutôt une menace pour les emplois et les entreprises nationales. Quoique le Canada et le Québec adhèrent à l'économie de marché, les messages libéraux ou libertariens ont eu beaucoup moins d'écho populaire, à l'exclusion des intellectuels, des journalistes et des gens d'affaires. L'attachement d'une majorité de la population aux institutions étatiques est ici évidente.

Les interventions des groupes de la société civile ont-elles eu un véritable impact démocratique ? Ont-elles permis d'approfondir la réflexion sur les grandes orientations économiques ? Ont-elles contribué à édifier un nouveau type de gouvernance mondiale ? L'apport démocratique de la société civile se révèle par sa capacité à éduquer le public, à alimenter le débat, à instaurer une culture de transparence et d'imputabilité dans les institutions et à rehausser leur légitimité dans un monde déréglementé. Sa contribution dans la gouvernance mondiale dépend également de l'ouverture des institutions internationales et de leur impact sur les marchés[2]. Nous verrons que, dans cette perspective, il reste beaucoup de chemin à parcourir.

Les percées de la société civile au niveau international

Au niveau international, les ONG et autres organisations sociales ont contribué à l'évolution des questions sociales, environnementales et des droits humains. La

1. Voir « Le Québec se méfie de la mondialisation », *Le Devoir*, 12 octobre 2002.

2. Jan Aart Scholte, *La société civile et la démocratie dans la mondialité de la gouvernance*, Document de travail du Centre for the Study of Globalisation and Regionalisation, nº 65/01, janvier 2001, 25 p.

Cour pénale internationale et le Protocole de Kyoto, entre autres, ont vu le jour en bonne partie grâce aux pressions citoyennes et aux cris d'alarme de la communauté scientifique. Mais si les groupes sociaux ont une influence sur les discours, ils ont un faible impact sur l'ordre du jour. Cela dit, les États ont corroboré dans plusieurs cas leurs positions en s'engageant à lier le commerce au développement humain. Prises en défaut par les ONG nationales et internationales, sommées par les pays en développement d'améliorer les règles du jeu, les institutions multilatérales ont tenté de réajuster leurs politiques.

Les ministres du Commerce de l'OMC ont ainsi reconnu que l'augmentation de la facture alimentaire des pays en développement était une conséquence directe du cycle de négociations de l'Uruguay et ont voté, en 1994, une décision spéciale visant à les dédommager. Cette promesse est toutefois restée lettre morte. Plusieurs clauses de l'OMC reconnaissent pourtant la position spéciale des pays en développement dans les échanges internationaux[3]. Le principe du traitement spécial et différencié, qui fait partie intégrante de l'Accord sur l'agriculture de l'OMC, devait permettre « aux pays en développement de tenir effectivement compte de leurs besoins de développement, y compris en matière de sécurité alimentaire et de développement rural[4] ». Mais le consensus devant émerger des pourparlers se fait toujours attendre. Il faut souligner cependant que les revendications des ONG visant à rendre accessible les médicaments aux sidéens et aux populations du tiers-monde ont fait fléchir l'OMC et convaincu le gouvernement canadien de légiférer en faveur d'une

3. Daniel Holly, « Commerce et développement : de la Charte de La Havane à l'OMC », *in OMC. Où s'en va la mondialisation ?*, sous la direction de Christian Deblock, Fides et *La Presse*, Collection Points chauds, 2002, p. 205 à 229.

4. Voir le paragraphe 13 de cet accord.

meilleure distribution des médicaments pour combattre le VIH-sida.

L'engagement de l'OMC envers les pays en développement a été réitéré maintes fois lors des déclarations de Genève en 1998, de Seattle en 1999 et de Doha en 2001. La croissance des pays en développement est en tout cas au centre des discussions de la dernière ronde de négociations de l'OMC, dont la conclusion a été repoussée en 2006. Après les échecs de Seattle et de Cancun, le programme de négociation demeure plus général, comprenant notamment les services, les tarifs industriels, l'agriculture et la facilitation des échanges. Les chefs de gouvernement semblent avoir pris conscience de l'importance politique de faire du droit au développement une réalité pour tous et de s'attaquer au problème de la pauvreté mondiale. Ils ont pris l'engagement de réduire de moitié la pauvreté extrême dans le monde d'ici 2015 lors du Sommet du Millénaire et au Sommet du G8 à Évian en juin 2003. Sous l'impulsion du Canada et de sa société civile, l'Afrique est dans la mire des efforts planétaires depuis le Sommet du G8 de Kananaskis. Même le thème du Forum économique de Davos de 2005 portait sur la pauvreté et la mondialisation équilibrée. Pourtant, l'agenda pour le développement de l'OMC consolide l'orientation de l'Uruguay Round, qui réduisait les marges de manœuvre politiques des pays en développement autorisées par le traitement spécial et différencié[5]. Paradoxalement, les pays développés tardent à jeter du lest quant aux quotas à l'importation, aux subventions et autres aides à leurs producteurs pour s'engager dans la libéralisation qu'ils prônent pour les autres. La volonté politique des pays développés de permettre un réel accès à leurs marchés et d'abolir leurs aides agricoles peut être questionnée. La crédibilité américaine en matière de commerce

5. Daniel Holly, *op. cit.*

international a d'ailleurs fortement été ébranlée par le refus de Washington de se conformer aux conclusions de l'organe de règlement des différends de l'ALENA dans le cas du conflit canado-américain sur le bois d'œuvre. Cette attitude est toutefois tributaire des pressions de leurs producteurs agricoles qui souhaitent conserver leurs revenus et leur sécurité d'emploi.

Dans le combat contre la pauvreté, les Nations Unies pointent du doigt le prix exorbitant des denrées alimentaires importées et l'insuffisance de la coopération internationale, à l'instar des ONG. Au Sommet sur le financement du développement à Monterrey 2002, les États du G8 ont certes promis d'augmenter l'aide publique au développement de 12 milliards $ par an d'ici 2006, mais on est encore loin du 0,7 % du PIB national des pays donateurs réclamé par les ONG. En 2004, l'APD ne constituait en moyenne que 0,42 % du PIB des pays riches. Parmi les pays de l'OCDE, seuls la Suède, la Norvège, les Pays-Bas, le Danemark, le Luxembourg, la France, le Royaume-Uni, la Finlande, l'Espagne et la Belgique ont honoré leurs engagements en matière d'aide étrangère ou adopté un échéancier en vue de le faire d'ici 2015[6]. Les pays les plus riches refusent toujours de se lier par un traité international et invoquent les problèmes de corruption de la distribution de l'aide pour déroger à leurs engagements. Le Canada, qui ne consacre que 0,28 % de son PIB à l'aide internationale, n'a toujours pas fixé d'échéancier pour atteindre la cible fixée. Il a cependant promis d'accroître ce montant de 8 % annuellement pour les prochaines années à venir, ce qui lui permettra d'atteindre 0,33 % en 2010.

Par ailleurs, les ONG canadiennes réclament sans succès l'annulation intégrale de la dette internationale des pays pauvres et des conditions imposées par le FMI

6. Voir la campagne *Abolissons la pauvreté* à l'adresse www.makepovertyhistory.ca

et la Banque mondiale. Mais les pressions exercées par les groupes civils et l'envoi de lettres de milliers de Canadiens réclamant l'effacement de la dette ont en partie porté fruits. Ottawa a été l'un des premiers pays à procéder, en janvier 2001, à l'arrêt de perception des paiements de remboursement de la dette de 11 pays pauvres très endettés. Au Sommet de Kananaskis, en juin 2002, les autres nations du G8 ont décidé de lui emboîter le pas en accordant à 22 pays africains un allègement de leur dette dans le cadre de l'Initiative pour les pays pauvres très endettés. En tout, 27 pays – dont 23 en Afrique – avaient eu droit en septembre 2004 à un allègement de leur dette dans le cadre de cette initiative, représentant une somme de 32 milliards $ US. Inspirés par les mouvements altermondialistes, les présidents français et brésilien, Jacques Chirac et Ignacio Lula da Silva, font la promotion au G8 d'une forme de taxation internationale (sur les armes, notamment) qui permettrait de réunir les sommes requises au développement et d'amenuiser le fléau du VIH-sida.

Quant aux violations des droits de la personne commises dans le marché global, le défi des militants altermondialistes consiste à la fois à déterminer la responsabilité des acteurs privés et celle de l'État[7]. Comme la pénalisation des entreprises semble impensable dans le droit international actuel, les organisations de la société civile peuvent tenter d'élargir et de généraliser les règles juridiques des codes de conduite adoptés par la communauté des ONG, les Nations Unies[8] ou les entreprises. Mais au plan de la pénalisation des États, des recours individuels sont maintenant

7. Lucie Lamarche, « Les droits de la personne à l'heure de la mondialisation », *in L'OMC. Où s'en va la mondialisation ?*, *op. cit.*, p. 181-204.

8. Par exemple, le Code de conduite pour une alimentation adéquate adopté au Sommet de Rome en 1997.

possibles aux Nations Unies, à l'OIT et à la Cour interaméricaine des droits humains de l'OEA pour inciter les gouvernants à respecter les droits économiques, sociaux et culturels. « Il existe des recours imparfaits de poids politiques inégaux », indique Lucie Lamarche, rappelant que le potentiel de coercition des organes de règlement des différends de l'OMC et de l'ALENA s'est avéré plus faible que prévu. En effet, les sanctions autorisées par ces organes ont souvent cédé la place à une nouvelle vague de négociations entre les pays impliqués dans des querelles commerciales.

Un groupe de travail des Nations Unies est en train d'élaborer un protocole qui sera annexé au Pacte sur les droits sociaux, économiques et culturels, du même type que celui déjà rattaché au Pacte des droits civils et politiques. Ce protocole permettra à un individu ou un groupe dont les droits ont été violés par un État d'intenter un recours juridique auprès de l'ONU. Pour calmer l'opposition farouche de l'Afrique, des notions de progressivité et de coopération internationale seraient introduites dans les dispositions de ce protocole afin d'en assurer le respect. Le même type de procédure existe également au plan régional. Depuis 1999, un protocole additionnel à la Convention américaine relative aux droits de l'homme traitant des droits économiques, sociaux et culturels est entré en vigueur à l'OEA. La Cour interaméricaine des droits humains de l'OEA a ainsi le pouvoir de juger les États qui ont commis des infractions dans ce domaine. « Les populations des pays en développement ont déjà gagné plusieurs causes reliées aux droits économiques, sociaux et culturels à l'OEA, notamment en Colombie et au Nicaragua. Mais faute de réclamation de la part de la société civile canadienne, la justiciabilité des droits économiques, sociaux et culturels est pratiquement nulle au Canada et au Québec », résume la juriste et environnementaliste québécoise Sylvie Paquerot.

Selon elle, 90 % du droit international est respecté et peut entraîner la mise en place d'initiatives aussi bien publiques que privées, mixtes ou communautaires.

Par ailleurs, le Comité de la liberté syndicale de l'OIT, qui existe depuis 1951, permet aux représentants syndicaux de porter plainte en cas de violations des principes de liberté syndicale, même si l'État en cause n'a pas ratifié les conventions qui s'y rapportent. Un recours a d'ailleurs été intenté par les syndicats québécois au Bureau international du travail contre la fusion des accréditations syndicales imposées par le gouvernement Charest. Enfin, les États conservent aussi le pouvoir de réglementer en fonction de l'intérêt public et de légitimer des entorses aux règles du commerce dans un contexte d'urgence, d'après les règles de l'OMC. Les ONG ont donc le pouvoir d'assumer un rôle de chien de garde pour faire respecter les droits de la personne qu'elles jugent appropriés.

Du côté environnemental, certaines avancées doivent être célébrées avec réserve. L'adoption du Protocole de Kyoto et de sa bourse du carbone ne représente qu'un premier pas vers une société plus respectueuse de l'environnement : les scientifiques estiment qu'il faudrait réduire en fait de 60 % à 80 % les émissions de gaz à effet de serre produites à l'échelle mondiale d'ici 2050 pour avoir un impact satisfaisant, ce qui est loin d'être acquis. L'apport des pays développés devrait être majoritaire, alors que le Protocole de Kyoto n'exige qu'une baisse de 5,2 % de leurs émissions d'ici 2012. Les États-Unis ont certes conclu, dans le cadre du Partenariat de l'Asie-Pacifique pour un développement propre et sur le climat, une alliance avec les grandes puissances émergentes (Australie, Japon, Corée du Sud, Chine et Inde) pour réduire les gaz à effet de serre grâce à des transferts de technologies. Mais Washington a maintenu sa politique énergétique pétrolière, alors que les États américains s'affairaient à diminuer leurs niveaux d'émission. De son côté, le Canada est à la traîne en matière de développement durable, avec une production de gaz à effet de serre de 24 % plus grande qu'en 1990, d'après un rapport de l'OCDE.

Par ailleurs, à l'encontre des prévisions libérales, la Commission de coopération environnementale de l'ALENA a constaté, 10 ans après la signature de l'accord, une augmentation de la pollution au Mexique en raison d'un transfert technologique moins important que prévu. L'exploitation de vastes espaces agricoles pour l'exportation a aussi entraîné une utilisation majeure de pesticides. L'opiniâtreté des groupes opposés à la marchandisation de l'eau a toutefois contribué à l'inclusion de l'eau en tant que droit humain justiciable aux Nations Unies et à la volte-face du Conseil mondial de l'eau. Contrairement aux positions affichées jusque-là, le Conseil a décrété en mars 2004 que l'eau était un droit fondamental devant être protégé par une Charte de l'ONU. Mais cette dernière position aura peu d'impact : ce sont les délibérations du Sommet mondial de l'eau en 2006 qui décideront des orientations futures en matière d'eau.

L'impact de la société civile au niveau régional

Les interventions de la société civile organisée ont eu un impact indéniable à l'échelle régionale. John Curtis[9], coordinateur de la Direction de l'analyse commerciale et économique au ministère du Commerce international, estime que le Canada chemine maintenant vers un nouveau consensus en matière de commerce. D'après lui, les opinions recueillies lors des consultations ont été écoutées dans plusieurs cas, comme dans le cas des accords parallèles de l'ALENA. L'idée d'établir un processus formel d'évaluation environnementale pour tous les traités commerciaux, formulée par les groupes

9. Entrevue réalisée en 2002.

environnementaux, a été retenue. Les demandes répétées des représentants syndicaux, préoccupés par les impacts des accords commerciaux sur le respect des normes du travail, ont incité les gouvernements américain et canadien à jeter du lest, en adoptant un accord parallèle sur le travail dans l'ALENA. Au terme des délibérations d'un comité multisectoriel sur le chapitre 11 de l'ALENA, le public a aussi été autorisé en 2003 à assister aux causes débattues devant les tribunaux de l'ALENA.

Les syndicalistes et environnementalistes du Canada et d'Amérique du Nord s'étaient réjouis de l'adoption des accords parallèles de l'ALENA sur le travail et l'environnement, entrés en vigueur en 1994. Mais 10 ans après, le bilan social de ces deux accords est peu reluisant, selon les porte-parole réformistes. Le commerce a toujours la préséance sur les droits environnementaux et ceux des travailleurs. Globalement, les normes régissant les conditions de travail, le syndicalisme et l'environnement sont à la baisse dans les trois pays. Le revenu moyen individuel a diminué et les écarts entre riches et pauvres se sont creusés[10]. Sur la cinquantaine de plaintes acheminées à la Commission nord-américaine de coopération environnementale, huit seulement ont mené à la tenue d'enquêtes et au dévoilement public de résultats. Dans le domaine du travail, seulement 29 plaintes ont été admises par les bureaux administratifs nationaux de chaque pays. Aucune amende n'a toutefois été imposée en matière de santé et de sécurité, de salaire minimum ou encore de travail infantile. Pourtant, les violations commises par les sociétés transnationales en cause constituaient de graves atteintes aux droits des travailleurs, sans compter les violations aux droits d'association et de négociation

10. Voir la Déclaration finale du Colloque *Les dix ans de l'ALENA : bilan social et perspectives* à l'adresse www.ameriques.uqam.ca

collective ou les mauvais traitements dont ont été victimes les travailleurs migrants, même au Canada[11].

Pendant que le mouvement altermondialiste détournait son attention de l'ALENA pour s'opposer à la ZLEA, l'idée d'un ALENA approfondi entre le Canada et les États-Unis aux plans politique, économique, militaire et culturel surgissait pour faire face à la compétition chinoise. Promu par un groupe de travail trilatéral parrainé par le Council of Foreign Relations – dont fait partie le Conseil canadien des chefs d'entreprise –, le Partenariat nord-américain pour la sécurité et la prospérité vise à rapprocher davantage les économies canadienne et américaine en assurant la sécurité physique des biens échangés et en accroissant l'efficacité des échanges. Pour pallier les incohérences entre les lois et règlements de part et d'autre de la frontière, les milieux d'affaires suggèrent d'harmoniser la réglementation nord-américaine, d'adopter un tarif commun extérieur par secteur d'activité, de négocier des politiques communes au chapitre de la sécurité énergétique et de créer un périmètre de sécurité nord-américain. Selon les groupes sociaux canadiens, cette initiative pourrait signifier l'américanisation des politiques d'immigration, devenues plus restrictives depuis le 11 septembre 2001[12].

Il faut néanmoins spécifier qu'à l'échelle hémisphérique, les revendications de nature sociale soulevées par les gouvernements de gauche et les mouvements populaires ont contribué à ralentir le processus d'intégration économique régional. La contestation altermondialiste, de pair avec l'opposition des pays du Marché commun du Cône Sud (MERCOSUR) et le Venezuela, ont contribué à l'abandon d'une ZLEA intégrale pour une ZLEA

11. Éric Desrosiers, « Les promesses oubliées de l'ALENA », *Le Devoir*, 18 août 2004.

12. François Normand, « Une Amérique du Nord plus efficace pour faire face à l'Asie », *Les Affaires*, 26 mars 2005.

à la carte. La ZLEA étant mise au rancart pour un temps indéterminé, les États-Unis et le Canada poursuivent toutefois leurs objectifs de libéralisation commerciale par le biais de négociations bilatérales ou régionales, qui permettent aux pays réfractaires de rejeter les clauses controversées. Cette formule affaiblit cependant le rapport de force des petits pays latino-américains. À preuve, les pays d'Amérique centrale et de République dominicaine, désireux d'exporter davantage sur le marché américain, ont conclu un accord de libre-échange avec les États-Unis qui inquiète vivement les agriculteurs de cette région. Cet accord a d'ailleurs été adopté de justesse au Congrès, parce qu'une majorité de travailleurs américains craignaient les délocalisations vers les zones franches du Sud. Ajoutons que les termes de l'AMI, qui avaient provoqué une levée de boucliers des mouvements altermondialistes à l'échelle nationale et internationale, ont été reconduits dans ces accords commerciaux bilatéraux ou régionaux.

En écho aux demandes citoyennes, le Sommet spécial des Amériques, tenu les 12 et 13 janvier 2004 à Monterrey pour relancer le processus de négociation de la ZLEA, a toutefois traité de thèmes sociaux tels la croissance et l'équité (par le biais du microcrédit et de l'appui aux PME, entre autres), le développement social (justice, santé, éducation) ainsi que la gouvernance démocratique. Pour intéresser à la ZLEA les pays latino-américains, dont une large part de la population vit dans la plus grande indigence, le Sommet des Amériques de Mar del Plata, en novembre 2005, a porté principalement sur la création d'emplois pour combattre la pauvreté. Une déclaration visant à créer des emplois décents, à stimuler le développement social et à renforcer la gouvernance démocratique a été paraphée par les participants. Les principes de base des engagements pris par les 34 pays de l'hémisphère reposent sur le respect des normes du travail de l'OIT, l'appui au secteur privé (notamment les micros, petites et moyennes entreprises) en tant que générateur de richesses et d'emplois, et le rôle joué par l'État pour créer un environnement propice à l'expansion de l'entreprenariat. Bien que ce type de déclaration n'ait pas force de loi, elle constitue un incitatif régional en vue d'une intégration qui prendrait en compte les dimensions sociales du développement. Et elle représente peut-être une étape vers l'adoption d'une Charte sociale pour les Amériques, réclamée par les organisations sociales[13] laquelle renforcerait les instruments existants à l'OEA en matière de démocratie, développement social intégré, lutte contre la pauvreté et respect des droits fondamentaux du travail[14]. La situation financière alarmante de l'OEA lui permettra-t-elle de mener à bien ce projet?

Les résultats au Canada et au Québec

Les succès des nouveaux mouvements sociaux sont loin d'être systématiques, puisque les gouvernements canadien et québécois adhèrent en principe à la philosophie libérale d'intégration au marché mondial. Celle-ci entre en contradiction avec de nombreuses requêtes réformistes, non seulement au plan de la taille et du rôle de l'État, de l'équité sociale et de la primauté des droits humains, mais aussi de la protection environnementale sur les activités économiques. Sur le plan commercial, la stratégie gouvernementale de libéralisation heurte de front les positions altermondialistes. Paradoxalement, le Canada n'a pas non plus écouté les demandes libertariennes, exigeant l'élargissement du concept de droit de propriété pour stimuler la croissance et protéger l'environnement. En vertu de leur nature

13. Sylvie Dugas, *Vers une prise en compte des dimensions sociales de l'intégration?*, Chronique des Amériques, CEIM, UQAM, novembre 2005.

14. *Idem.*

sociale-démocrate, les gouvernements canadien et québécois sont davantage portés vers l'interventionnisme et hésitent à renforcer les droits individuels, ce qui constituerait un ambitieux programme de réduction de la taille de l'État. Le système judiciaire prendrait en effet une place prépondérante dans cette nouvelle donne, à la suite de l'adoption de législations adéquates.

L'intervention des réformistes canadiens et québécois a toutefois donné dans le mille au chapitre des décisions militaires et de la coopération internationale, en partie pour des raisons électorales. L'ampleur des manifestations contre la guerre en Irak, organisées en février et mars 2003 par des coalitions sociales québécoises et canadiennes, ont convaincu le gouvernement canadien – à la veille des élections fédérales – de ne pas participer au plan de guerre britanno-américain contre l'Irak. Pour ne pas se mettre à dos les électeurs, qui s'étaient prononcés majoritairement contre la participation du Canada au bouclier antimissile, le gouvernement minoritaire de Paul Martin a aussi décliné l'invitation des Américains.

Malgré les craintes soulevées par la société civile canadienne et québécoise, le gouvernement canadien continue pourtant d'appuyer l'Accord sur le commerce des services à l'OMC. Selon lui, un marché des services plus ouvert encouragera l'innovation et la compétitivité, ce qui signifiera un meilleur choix et des prix plus bas pour les Canadiens. D'après Ottawa, la croissance du commerce des services dans les secteurs des services financiers, des affaires, des communications, de la construction, de la distribution, du tourisme et du transport se traduira aussi par une hausse des emplois rémunérateurs et de qualité pour les Canadiens[15]. Le

15. Voir le site Internet du ministère du Commerce international à l'adresse : www.itcan-cican.gc.ca

gouvernement affirme que les domaines sensibles de la culture, de l'environnement, de la santé, de l'éducation ou des services sociaux ont été exclus de ces ententes. Cependant, tout est encore possible en raison de la frontière parfois floue entre services privés et publics.

Dans les faits, le virage du partenariat public-privé est déjà bien entamé au pays afin de pallier le sous-financement du système de santé. Une nouvelle législation en Alberta permet en effet aux hôpitaux privés de bénéficier de subventions publiques. Certains services de santé ont aussi été ouverts aux fournisseurs privés en Ontario. Des régimes d'assurances privées ont été autorisés dans quatre provinces canadiennes. Au Québec, le gouvernement Charest a annoncé une profonde réorganisation des structures étatiques, privilégiant le partenariat public-privé pour financer l'amélioration des services d'eau et de santé. À la suite du jugement Chaoulli, qui ouvre la porte à l'assurance maladie privée, le ministre québécois de la Santé, Philippe Couillard, s'est engagé à faire des aménagements au système d'assurance maladie. Sans un contrôle serré de l'État, selon certains analystes, une autorisation des assurances privées pourrait non seulement paver la voie à un système à deux vitesses, mais à la libéralisation du marché des services financiers dans le domaine de la santé, en vertu des chapitres 11 et 14 de l'ALENA[16]. D'autre part, en vertu de l'existence d'un important réseau d'écoles privées au Canada et au Québec, l'éducation pourrait figurer à l'ordre du jour des services susceptibles d'être libéralisés par l'OMC.

À l'encontre des réclamations des groupes sociaux, le Canada continue en outre à protéger ses propres investisseurs à l'étranger par l'introduction de clauses

16. Richard Ouellet, « Le ministre Couillard et le jugement Chaoulli », *Le Devoir*, 15 juin 2005.

État-investisseur dans plus d'une vingtaine d'ententes bilatérales signées avec des pays en développement. Contrairement aux États-Unis qui insèrent maintenant les clauses du travail et de l'environnement dans leurs accords commerciaux, le Canada a choisi de garder la formule des accords parallèles, favorisant plutôt la coopération entre les pays signataires. Dans ce contexte, le Canada a refusé de resserrer son contrôle en matière de responsabilité sociale et environnementale sur les firmes minières canadiennes œuvrant à l'étranger. Les ONG sollicitaient l'établissement de normes juridiques minimales qui auraient obligé les compagnies à rendre des comptes au gouvernement. En cas de violation de ces normes, elles se seraient vu refuser le financement public d'Ottawa. Le gouvernement fédéral a motivé sa décision en soutenant que la défense des droits sociaux et environnementaux était essentiellement du ressort des pays hôtes[17]. Les ONG n'ont pas non plus réussi à convaincre le gouvernement canadien d'imposer l'étiquetage obligatoire sur la provenance des produits importés, qui aurait permis l'identification des ateliers de misère.

S'il est encore loin de consacrer 0,7 % de son PIB à l'aide au développement, le Canada a toutefois négocié un meilleur accès à son marché aux produits provenant des pays pauvres, un geste visant l'insertion des pays en développement dans l'économie mondiale. En ce qui a trait aux questions d'aide internationale, le gouvernement canadien se situe sur la même longueur d'ondes que les institutions internationales : l'appui au secteur privé demeure la meilleure garantie de croissance. L'Énoncé de politique internationale du Canada de 2005 fait en effet la part belle à la défense nationale et au commerce au détriment du développement et de

17. Éric Desrosiers, « Rendre des comptes », *Le Devoir*, 24 octobre 2005.

la lutte contre la pauvreté, selon les organisations sociales. Pendant ce temps, un enfant sur six vit toujours dans la pauvreté sur le territoire canadien. Par ailleurs, la Chambre des communes avait fait adopter, le 23 mars 1999, une motion en faveur d'une taxe de type Tobin appliquée exclusivement sur les transactions spéculatives. Le Parti québécois avait également entériné une motion en ce sens lors de son Conseil national, en février 2002. Mais lors de la Conférence de Monterrey en 2002 sur le financement du développement, Ottawa n'a fait aucune mention de cette initiative comme source éventuelle de financement des pays pauvres.

Dans le secteur environnemental, les gouvernements demeurent soucieux de ne pas freiner l'activité entrepreneuriale, quoique la clameur populaire les oblige parfois à faire marche arrière. Une coalition d'ONG[18] avait réussi au milieu des années 1990 à empêcher l'adoption d'une loi sur l'exportation de l'eau au Canada et à Montréal. Mais cette victoire demeure fragile, comme nous l'avons vu plus haut. « Nous subissons une pression constante de la part des compagnies d'eau embouteillée pour la privatisation des eaux municipales. L'absence de politique nationale sur l'eau nous rend vulnérables à l'immense menace que représente la diversion et la vente des eaux », indique Susan Howatt, chargée de la campagne nationale sur l'eau au Conseil des Canadiens. À ce jour, le Canada refuse de considérer cette ressource comme un bien essentiel et n'a toujours pas imposé de redevances à ses utilisateurs industriels. Une entente conclue entre le Québec, l'Ontario et huit États américains empêchera toutefois les déviations d'eau des Grands Lacs pour alimenter les États américains du Sud, si elle est respectée par Washington.

18. Au Québec, la Coalition Eau-Secours a contribué à freiner la privatisation de l'eau dans la municipalité de Montréal.

Au Québec, le projet de loi 134 permettant aux municipalités de confier à l'entreprise privée non seulement la gestion, mais aussi le financement de l'eau, des parcs et des matières résiduelles, a suscité l'inquiétude des groupes de citoyens opposés aux privatisations. Selon eux, Québec ouvre la voie à la privatisation des infrastructures en cédant la gestion de l'eau au plus offrant. Les contrats d'une durée de 25 ans sont trop longs pour permettre une véritable concurrence. Cependant, la ministre des Affaires municipales, Nathalie Normandeau, allègue que la propriété publique des infrastructures demeurera entre les mains des villes et que le gouvernement conservera son pouvoir de taxation ou tarification de ses contribuables. Plus d'une quarantaine de municipalités du Québec ont déjà recours au secteur privé pour divers services.

Dans le domaine agricole, le Conseil des Canadiens et la Coalition canadienne de la santé, qui avaient énergiquement milité contre la vente des hormones de croissance bovine dans le système agricole canadien, ont pu crier victoire. Au terme de neuf ans de recherche, Santé Canada a interdit l'usage de cette hormone au pays en 1999. Le gouvernement Martin avait cependant refusé d'imposer l'étiquetage obligatoire des OGM. En dépit du souhait exprimé par 84 % de la population canadienne de rendre l'étiquetage obligatoire, Ottawa ne requiert que l'étiquetage volontaire pour des produits contenant des OGM dans une proportion supérieure à 5 %. Le retard face à l'Union européenne, où cette proportion n'est que de 1 %, se creuse. Les grands groupes alimentaires et les supermarchés refusent ainsi d'étiqueter leurs produits, alors que l'étiquetage est déjà obligatoire dans plus de 35 pays, notamment l'Australie et la Chine.

Et si les groupes civils canadiens ont influé sur le gouvernement canadien qui a ratifié le Protocole de Kyoto, Ottawa fait preuve de laxisme à l'égard des principaux pollueurs au pays, les entreprises. Les contribuables écopent de la plus grande part de la facture avec le défi d'une tonne. Le gouvernement pourra même acquérir des crédits verts pour permettre aux industries de prendre davantage de temps pour s'ajuster aux exigences du protocole. À la veille de la Conférence des Nations Unies sur les changements climatiques à Montréal, en novembre 2005, le gouvernement du Québec n'avait toujours pas de plan d'action à ce sujet.

Le cas des revendications féministes, laissées quasiment lettre morte, illustre aussi la part congrue faite à la promotion de l'égalité entre les sexes. La Marche mondiale des femmes, effectuée en octobre 2000, a eu une certaine ampleur au Canada : quelque 50 000 personnes s'étaient rassemblées devant le Parlement à Ottawa pour réclamer du gouvernement fédéral une allocation de 1 % de son budget au logement social et 50 millions $ à des services de première ligne aux femmes victimes de violence. Les manifestants avaient aussi demandé des subventions de 30 millions $ pour les groupes faisant la promotion de l'égalité des femmes, ainsi que des améliorations aux régimes de retraite et d'assurance-emploi dont dépendent de nombreuses femmes. Les suites données à ces demandes, formulées aussi lors des marches locales et régionales, ont été bien minces. Les représentantes de la Marche n'ont obtenu qu'une brève audience avec le premier ministre de l'époque, Jean Chrétien, de laquelle elles sont revenues les mains vides. Au Québec, le gouvernement de Lucien Bouchard a lancé une campagne d'éducation sur la violence faite aux femmes et décrété une hausse du salaire minimum de 10 cents, un gain estimé minime par la Fédération des femmes du Québec après un an de tractations menées auprès de plusieurs ministres. Pour réduire la pauvreté, le budget fédéral de 2004 a toutefois prévu un financement de 100 millions $ pour des projets d'économie sociale sur une période de 5 ans et de 32 millions $ pour la recherche et le renforcement des capacités dans ce domaine.

Au Québec, les relations entre le gouvernement et les organisations de la société civile demeurent passablement tendues en raison de l'imposition d'une série de politiques antisociales et antisyndicales. L'intention de procéder aux partenariats public-privé, l'autorisation plus extensive de la sous-traitance, les augmentations de tarifs dans les services de garde, la réforme des Centres de la petite enfance et de l'aide sociale sont quelques-unes des mesures contestées par les groupes de pression. L'administration Charest, affaiblie par une baisse de popularité, a donc dû rebrousser chemin à plusieurs reprises pour ne pas perdre trop d'appuis, comme dans le cas du financement des écoles juives et du dégel des frais de scolarité. Les étudiants, qui s'opposaient à la réforme de l'aide financière aux études pour ne pas accroître leur endettement et nuire ainsi à leurs études, ont gagné leur cause avec l'appui d'une majorité de la population.

Le combat vigoureux de la Coalition Québec-Vert-Kyoto[19] contre le projet de centrale de gaz naturel du Suroît a aussi fait reculer le gouvernement, l'incitant à prendre le virage éolien. Le projet aurait entraîné une hausse de 3 % des émissions de gaz à effet de serre produites sur le territoire. Ce geste a satisfait temporairement les environnementalistes, mais ceux-ci ont repris la hache de guerre devant la lenteur de Québec à rendre public son plan d'action sur Kyoto. La levée du moratoire sur l'établissement de mégaporcheries risque aussi de faire de nombreux mécontents parmi la population. Par ailleurs, en matière de déforestation, un seul individu – le chanteur, poète et documentariste Richard Desjardins – est parvenu, avec son documentaire *L'erreur boréale*, à forcer le gouvernement à tenir une

19. Voir à l'adresse www.quebec-vert-kyoto.org

commission d'enquête sur la gestion des forêts au Québec et à imposer une restriction de 20 % des droits de coupe. Ces quelques expériences démontrent à quel point un gouvernement minoritaire ou dont la popularité est en chute libre peut devenir perméable aux revendications citoyennes, lorsqu'elles réussissent à mobiliser l'opinion publique. Mais elles nous renseignent également sur la faible capacité d'éducation et de persuasion des pouvoirs publics dans la mise en place des mesures libérales allant à l'encontre d'une philosophie social-démocrate bien établie.

Des progrès graduels dans les entreprises

Les pressions de la société civile ont eu pour effet d'inciter les entreprises à adopter un comportement plus responsable. Selon une étude de l'Institut C. D. Howe, les ONG sont intervenues pour combler le vide en matière d'information et assument maintenant un rôle prépondérant dans la formulation de normes qui sont directement liées aux activités commerciales des entreprises. En collaborant avec ces ONG, les entreprises sont ainsi poussées à promouvoir le changement dans leurs exploitations[20]. Le regard critique des ONG leur permet sans aucun doute de jouer un rôle de vigile face aux excès des entreprises. Ces dernières ne peuvent se permettre de les ignorer dans la mesure où la croissance de leurs profits est en cause. Car leur comportement en matière de gouvernance, de respect de l'environnement et de relations avec la communauté et les travailleurs a une incidence directe sur leur réputation et, en bout de ligne, sur leur valeur et leur viabilité à long terme. Étant donnée la popularité croissante de l'investissement éthique, faire fi des demandes d'une minorité d'actionnaires activistes est de plus en plus risqué[21].

---

20. *Bien s'entendre avec les ONG : cadre pour un partenariat commercial rentable*, Institut C. D. Howe, communiqué du 17 décembre 2002.
21. Kathy Noël, « Sweatshop blues », *op. cit.*, p. 53.

Les critiques des investisseurs activistes contraignent progressivement les entreprises à des pratiques plus responsables socialement. La lutte des syndicats canadiens contre l'apartheid en Afrique du Sud, menée en coordination avec des partenaires internationaux vers le milieu des années 1980, a incité plusieurs compagnies faisant affaires en Afrique du Sud à retirer leurs investissements de ce pays. Blâmée pour avoir contribué à exacerber la guerre civile au Soudan, Talisman annonçait en mars 2003 la vente de l'ensemble des ses actifs soudanais. En 2000, la société Novartis, l'une des plus grandes compagnies pharmaceutiques au monde, devenait la première société transnationale à se prononcer en faveur d'une alimentation exempte d'OGM. Par crainte de perdre de précieux clients en Europe et au Canada, la compagnie McCain retirait de sa production les pommes de terre transgéniques. Elle continuait toutefois à utiliser de l'huile de canola transgénique pour faire frire les pommes de terres qu'elle vend congelées. Accumulant les poursuites et les critiques, Monsanto repoussait à plus tard la commercialisation de ses semences Terminator, qui empêchent la reproduction des plantations et obligent les cultivateurs à racheter chaque année de nouvelles semences. La compagnie annonçait même en 2004 la suspension de tout autre développement ou essai à champs ouverts de son blé génétiquement modifié, le Roundup Ready.

L'un des plus importants succès de Greenpeace Canada fut d'empêcher la première opération de coupe sélective au Canada par la compagnie MacMillan Bloedel, dans la forêt du Grand Ours en Colombie-Britannique. En 2001, un accord historique signé avec les communautés autochtones assurait la conservation de cette zone. La même année, la pétrolière Suncore cédait aux pressions des militants canadiens et australiens de Greenpeace et se retirait d'un projet de schistes bitumineux en Australie. Même recul en 2002 de la part de la compagnie Ecowaste, qui projetait d'implanter une usine de traitement de sols contaminés à la dioxine à Richmond, en Colombie-Britannique. Les ONG canadiennes et latino-américaines ont aussi contribué à la suspension en 2004 du mégaprojet Alumysa, une fonderie d'aluminium que l'entreprise transnationale canadienne Noranda s'apprêtait à installer dans la région d'Aysen, en Patagonie chilienne[22]. Ce projet d'aluminerie aurait pu déverser dans l'environnement plus de 1,5 million de tonnes par année de déchets solides et gazeux, contenant notamment de l'arsenic. Les compagnies canadiennes Alcan et Ascendant Copper Company ont pour leur part dû faire d'importants réajustements à la suite des accusations portées en 2005 contre elles par la communauté internationale. La mobilisation se poursuit toutefois pour empêcher l'installation de l'usine de traitement des déchets de la compagnie Bennett à Belledune, au Nouveau-Brunswik, et d'un pipeline pour le transport du gaz dans la vallée McKenzie, dans les territoires du Nord-Ouest.

Si les multinationales n'ont plus le choix de prêter l'oreille aux dénonciations des ONG et à la censure des consommateurs éthiques pour protéger leur marque de commerce, les mesures que les sociétés mettent en place sont parfois superficielles et opportunistes. Les résultats de la campagne menée par Greenpeace sur la compagnie Esso, par exemple, ont été mineurs. Accusée par les environnementalistes de miner le processus de Kyoto, la compagnie Esso a pris certains engagements en matière d'énergie renouvelable, sans plus. Mais cette décision est davantage due à l'attitude des actionnaires, dont 20 % ont voté en faveur des propositions de Greenpeace. Habituellement, seulement 4 % à 5 % des actionnaires appuient les résolutions environnementales.

22. Source : Interamerican Association for Environmental Defense, à l'adresse http ://www.aida-americas.org/aida.php ?page=alumysa

Cependant, une nouvelle approche environnementale, mise de l'avant par la communauté scientifique et le programme des Nations Unies pour l'environnement, suscite depuis quelques années un engouement majeur de la part des entreprises et des gouvernements : l'analyse du cycle de vie des produits, qui vise à minimiser les répercussions négatives de la production sur l'environnement et les ressources tout en maintenant ou en accroissant positivement ses retombées économiques et sociales. Il s'agit de comptabiliser les impacts sociaux, économiques et environnementaux de la vie d'un produit ou d'un service, de l'extraction des matières premières jusqu'à sa dégradation. Certains centres universitaires se penchent même sur l'élaboration de normes sociales et environnementales dans la production. De grands fabricants ont déjà adhéré à cette approche volontaire, tels Volkswagen, Daimler Chrysler, Toyota et Unilever. La raison est toute simple : l'emploi de matières non renouvelables et de procédés qui ne font que déplacer les problèmes environnementaux s'avèrent coûteux à long terme. Toutefois, le nombre d'entreprises utilisant l'approche « cycle de vie » est encore limité au Canada, malgré l'intérêt grandissant des gouvernements qui financent de plus en plus de projets de recherche en relation directe avec l'industrie sur ce sujet.

En matière de droits humains, la Compagnie de la Baie d'Hudson, qui avait remporté en 2002 le titre peu enviable d'« atelier de misère de l'année », s'est depuis donné un code de conduite. Même chose du côté de La Senza, montrée du doigt à la suite de la détection de problèmes dans ses usines de fabrication de soutiens-gorge en Thaïlande. Après avoir commandé une étude réalisée par des ONG indépendantes, la multinationale Gap a de son côté admis avoir mis fin, en 2003, à ses partenariats d'affaires avec 136 ateliers ayant dérogé de manière sérieuse à son code de conduite[23]. Ces quelques succès illustrent le rôle primordial que jouent les organisations de la société civile dans le respect des droits des travailleurs. Cependant, en raison du manque de transparence des entreprises, les informations sur les ateliers de fabrication sont difficiles à obtenir et les résultats espérés ne se concrétisent pas toujours.

Malgré une forte mobilisation internationale en faveur du droit des travailleurs des *maquiladoras*, l'influence des ONG sur les politiques sociales internes des entreprises reste limitée. La compagnie Nike a par exemple rejeté le principe d'une évaluation indépendante de l'application des codes de conduite proposée dans le cadre de la campagne « Les personnes d'abord », lancée par Développement et Paix. L'indignation populaire des citoyens québécois n'a pas non plus encore réussi à faire changer d'idée la compagnie Wal-Mart, qui refuse la syndicalisation de ses employés afin de donner aux consommateurs les meilleurs prix au monde. Wal-Mart a en effet fermé son établissement de Jonquière le 9 février 2005, le premier magasin syndiqué de la chaîne en Amérique du Nord. En pratique, les codes de conduite adoptés par les entreprises au sein de l'OCDE demeurent volontaires, font rarement l'objet d'un suivi systématique et n'entraînent aucune sanction.

La responsabilité sociale des entreprises ne va souvent pas au-delà d'une simple opération de relations publiques. Selon une étude du Conference Board[24] réalisée en 2004, 72 % des entreprises canadiennes se sont engagées à respecter les droits humains, mais seulement 51 % d'entre elles ont mis en place de véritables politiques à cet égard. En outre, très peu rapportent

---

23. Tristan Péloquin, « Ateliers de misère : Gap se met à nu », *La Presse*, 18 mai 2004.

24. *The National Corporate Social Responsability Report. Managing Risks, Leveraging Opportunities*, Conference Board, juin 2004.

publiquement leur performance dans ce domaine. Les indicateurs et les matrices nécessaires pour évaluer leur bilan social n'ont toujours pas été élaborés[25]. En matière d'environnement, seulement 24 % des entreprises sont certifiées ISO 14001, la norme internationale de gestion environnementale, alors que 79 % disent prendre en considération les impacts environnementaux dans leurs décisions[26].

Malgré la susceptibilité croissante des investisseurs, une bonne part des entreprises canadiennes ne croit pas que la violation des droits humains constitue pour elles un risque d'affaires. Pour faire taire les critiques environnementalistes, « les compagnies minières mettent souvent sur pied des services de relations publiques qui leur permettent d'intégrer le discours des ONG et d'afficher la volonté de s'y conformer, tout en procédant à des changements mineurs », affirme Catherine Coumans, coordonnatrice de recherche à Mines Alerte Canada. Qui plus est, elles agissent parfois de connivence avec les gouvernements des pays pauvres, qui s'opposent à l'inclusion de règles se rapportant à l'environnement, à la santé ou au travail et ayant une incidence sur le commerce. Pour ces pays, une généralisation des codes de conduite serait vue comme du protectionnisme. Enfin, malgré les normes de gouvernance mises de l'avant par les autorités réglementaires, les dirigeants de compagnies se voient encore octroyer des salaires et des bonis faramineux, même lorsqu'ils enregistrent des pertes au détriment des petits actionnaires. Au Canada et au Québec, les fraudes financières se sont multipliées, sans pour autant que les législateurs n'aient adopté de véritables mesures pour dissuader les fraudeurs et protéger les investisseurs.

25. Éric Desrosiers, « Bilan social des entreprises : les investisseurs devront attendre », *Le Devoir*, 20 septembre 2004.

26. Kathy Noël, « Sweatshop blues », *op. cit.*

CONCLUSION

Les défis citoyens

Le libéralisme, théorie sur laquelle repose l'économie de marché, est un processus à long terme. Il suppose la constitution du marché mondial par la libéralisation progressive de tous les secteurs économiques des divers pays du globe, ce qui est encore loin d'être le cas. Mais ce processus est déjà bien engagé, notamment par l'internationalisation de la production à travers les échanges intrafirmes. En dépit de l'insécurité et de la précarité qu'il génère et qu'il continuera de générer chez les producteurs et les travailleurs, les consommateurs sont à même d'en apprécier les bénéfices. On estime que le prix du matériel informatique a baissé de 30 % grâce à la concurrence et à la libéralisation des investissements. La libéralisation des services, qui nécessite une large main-d'œuvre, incitera aussi de nombreuses compagnies à sous-traiter leurs opérations administratives dans des pays en développement.

La spécialisation permet aux nations libéralisées de profiter de leurs avantages comparatifs. Ce processus génère une croissance accrue mais a toutefois d'importants revers au plan social. L'emploi est de plus en plus précaire en raison des délocalisations, les conditions de travail sont parfois déplorables dans les pays du tiers-monde, et la dégradation de l'environnement menace l'avenir de la planète. Alors qu'il constituait autrefois un rempart pour les populations en assurant une égalité de fait entre les citoyens, l'État n'est plus l'instance de régulation prédominante en matière de gouvernance mondiale et son désengagement s'accentue. Ce sont les forums et les agences privées, régionales ou supranationales de régulation qui ont pris le relais. Dans le cadre des accords régionaux ou multilatéraux, chaque pays est responsable, avec la coopération de ses partenaires, d'honorer ses propres lois du travail et de l'environnement. Cependant, ces règles auront tendance à s'harmoniser dans l'avenir pour le meilleur ou pour le pire. Malgré leurs limites, les codes de conduite sectoriels et internationaux sont pour leur part devenus d'importants incitatifs en matière d'éthique sociale et environnementale.

Dans ce contexte, le rôle de la société civile est crucial. En prenant une place croissante dans l'arène sociale et politique, les organisations civiles canadiennes et québécoises contribuent à démocratiser le débat sur la mondialisation, grâce à leurs analyses et à leurs campagnes d'information. Elles favorisent également l'engagement des citoyens qui se mobilisent de plus en plus pour défendre les causes qui leur tiennent à cœur, par le biais de mobilisations factuelles, et de projets de démocratie participative et d'autogestion, entre autres. Elles informent la population des choix qui s'offrent à elle, avec les moyens dont elles disposent et selon l'idéologie qu'elles privilégient. En incitant les Canadiens et les Québécois à agir à titre de citoyens, consommateurs, travailleurs et actionnaires responsables, elles détiennent un pouvoir indéniable : les coalitions de groupes sociaux sont parfois capables de contraindre les entreprises et les gouvernements à modifier leurs pratiques, tout dépendant de leur capacité de mobilisation, de la force de leurs arguments et de leurs répercussions dans les médias et l'opinion publique. Le secteur privé répond aux impératifs du marché, alors que les gouvernements sont souvent incités, pour des motifs politiques ou électoralistes, à donner raison aux manifestants.

En optant pour la coopération et la confrontation avec les pouvoirs publics et privés, ces organisations travaillent à établir de nouveaux rapports entre les citoyens, le marché, l'État et les instances supraétatiques. En faisant pression sur les dirigeants d'entreprise et les politiciens, en faisant entendre leurs revendications au sein des instances décisionnelles supranationales, elles participent à l'avènement d'une nouvelle gouvernance nationale et internationale. Un grand nombre de revendications citoyennes concernent le respect d'engagements déjà pris par les États dans le cadre de traités internationaux non coercitifs. Comme ces ententes ne prévoient aucune sanction, la pression morale et la solidarité militante sont souvent indispensables pour faire bouger les gouvernements signataires. La société civile réformiste réclame par ailleurs l'instauration d'un parlement mondial, où son apport pourrait être reconnu. Mais bien qu'elle soit possible à l'échelle régionale, cette solution serait difficilement viable à l'échelle mondiale selon les experts, notamment en raison de l'absence d'une formule de représentativité largement acceptable et du manque de préparation des citoyens. Au plan national, l'expansion de l'économie sociale requiert pour sa part une démocratie délibérative pour définir des initiatives allant dans le sens de l'intérêt général.

Les groupes sociaux, qui reçoivent toutefois un apport financier important des populations ou des gouvernements, ont la responsabilité d'exercer une vigie efficace pour défendre les intérêts de la collectivité. Ils tablent cependant sur une confiance déjà bien établie : les Canadiens et les Québécois comptent sur eux pour faire entendre leur voix sur la scène provinciale, nationale et internationale. Cependant, ils n'ont pas toujours les moyens d'agir efficacement. Les dénonciations des pratiques industrielles abusives, violant les codes de conduite en vigueur, incitent les sociétés transnationales à adopter des comportements plus responsables. Mais l'information disponible à cet égard fait cruellement défaut, en l'absence de mécanismes favorisant une plus grande transparence. D'autant plus que les États, qui continuent d'accorder des subventions aux grandes entreprises, hésitent à mettre en place des mesures plus contraignantes à leur égard. En revendiquant de meilleurs outils pour accomplir leurs tâches, les associations civiles jouent un rôle de précurseurs dans la société globalisée. Néanmoins, elles doivent s'assurer des impacts sociaux et environnementaux de leurs demandes et établir un dialogue fructueux à ces fins avec les décideurs.

Leur message étant de plus en plus répercuté par les médias, les organisations de la société civile ont suscité un véritable mouvement de solidarité internationale. Mais leur apport démocratique est parfois affaibli par certaines réalités. D'un côté, les institutions internationales et les autorités gouvernementales, qui préfèrent l'opinion d'experts ou de groupes sympathiques à leur vision, leur font souvent une place marginale. La cooptation des discours et des arguments de la dissidence a parfois pour effet d'évacuer les bénéfices potentiels d'un débat réel. Au Canada, par exemple, les commissions parlementaires ou les organes de consultation publique permettent aux citoyens et aux groupes associatifs d'exprimer leurs opinions ou de donner leurs suggestions face aux projets controversés du gouvernement. Cependant, au-delà de 90 % des recommandations faites à l'issue de commissions parlementaires sont laissées en plan et tablettées, selon l'Observatoire de la démocratie de l'UQAM[1]. Le tablettage des rapports sur la caisse de l'assurance-emploi ou sur l'aide sociale, entre autres, illustre le peu de suivi des recommanda-

1. Selon l'Observatoire de la démocratie, affilié à la Chaire de recherche du Canada en mondialisation, citoyenneté et démocratie de l'UQAM.

tions citoyennes aux plans national et provincial. À tous les paliers de gouvernement, la prise en compte des opinions exprimées demeure discrétionnaire.

D'un autre côté, les organisations de la société civile ont un immense travail à accomplir pour légitimer leur présence, pourtant essentielle dans le débat international. Leur représentativité dans les coalitions internationales laisse à désirer. Les organisations occidentales, composées de Blancs éduqués, sont majoritaires. La fragilité de l'unité Nord-Sud au sein des mouvements transnationaux demeure une faiblesse à surmonter pour éviter la cooptation. Les intérêts des organisations sociales locales, provinciales, nationales, transnationales sont-ils conciliables ? Rien n'est moins sûr. Pendant que les ONG canadiennes vouées à la coopération internationale blâment les pays développés pour leurs pratiques agricoles protectionnistes, les syndicats d'agriculteurs réclament le maintien du système de gestion de l'offre. Des mécanismes plus solides doivent être établis entre elles afin de favoriser la prise de position commune face aux enjeux de la mondialisation actuelle. La difficulté pour les organismes à but non lucratif de trouver des sources de financement, tant publiques que privées, constitue aussi un obstacle à la réalisation de leur mission. Afin d'accroître leur crédibilité, les organisations de la société civile doivent en outre donner l'exemple en adoptant des procédures plus démocratiques et des comportements plus responsables. Elles doivent notamment accorder à leurs employés des conditions de travail honnêtes et compétitives, car certaines d'entre elles exploitent une main-d'œuvre à bon marché et bénévole pour mener à bien leurs tâches. Enfin, les actions violentes des groupes plus radicaux, on l'a vu, ont tendance à discréditer le mouvement altermondialiste, même s'il suscite une importante couverture médiatique.

Des contradictions improductives

Si les organisations réformistes ONG identifient avec acuité les problèmes les plus percutants dans le contexte global, elles en font souvent un diagnostic tendancieux. Avec ses alliés transnationaux, la société civile de gauche, canadienne et québécoise, s'attaque au pilier de l'architecture économique actuelle, le Consensus de Washington. Elle remet en cause la réduction de la taille de l'État et son retrait de la sphère économique par le biais des partenariats public-privé et de la privatisation, en demandant un renforcement des prérogatives étatiques. Dans une perspective de développement, l'État est appelé à jouer un rôle de catalyseur pour favoriser les ententes entre partenaires économiques et non économiques, selon les promoteurs de l'économie sociale. Cependant, dans une économie libérale, l'État se veut davantage le défenseur des libertés individuelles que collectives. Son rôle vise à accorder à tous une égalité de chance plutôt qu'une égalité de fait. Ce nouveau paradigme, plus stimulant pour l'entreprenariat, a aussi le mérite de forcer la responsabilisation citoyenne.

Le secteur public peut sans doute jouer un rôle important dans la redistribution des richesses collectives. Conformément aux principes libéraux, il doit mettre en place les conditions propices à l'expansion du secteur privé et des entreprises d'économie sociale (infrastructures, allègement des procédures administratives, etc.) et prendre des mesures en vue d'un développement social garant de stabilité (capital social, communautés d'apprentissage, milieux innovateurs, respect et harmonisation des normes du travail et de l'environnement). Mais un excès d'intervention étatique peut en bout de ligne mener à un endettement majeur de la société et des générations futures ou, pire encore, à la planification centralisatrice et au totalitarisme. Un protectionnisme exacerbé peut aussi priver les entrepreneurs de l'aiguillon de la concurrence et entraîner un recul de leur productivité.

En ce sens, le protectionnisme appelé en renfort pour permettre aux pays en difficulté de se développer ne représente pas nécessairement une solution gagnante. L'appui financier des pays développés à leurs producteurs agricoles, qui se traduit par un dumping préjudiciable aux cultivateurs locaux du Sud, va aussi à l'encontre de la philosophie libérale. Appelant l'État à la rescousse, les organisations civiles questionnent également les vertus du marché et les mécanismes de prix, contrôlés – il est vrai – par quelques grands joueurs dans chaque secteur d'activité soumis toutefois à la loi de l'offre et de la demande. Mais comme on l'a mentionné dans cet ouvrage, le marché a un pouvoir de persuasion beaucoup plus grand que la réglementation coercitive des États, dont le coût est parfois prohibitif. Il n'est donc pas surprenant que ces positions, qui vont à rebours des ambitions du milieu des affaires et des orientations politico-économiques adoptées par les grandes puissances, rencontrent de la résistance.

Les ONG touchent toutefois une corde sensible en ciblant les graves problèmes de pauvreté vécus par les deux tiers de l'humanité. Par contre, en blâmant les institutions internationales et les pays riches pour le rapport de force inégal établi avec les pays en développement, les organismes de coopération internationale passent parfois sous silence la responsabilité des États en matière de développement. En effet, le développement n'est pas lié qu'à l'accroissement des exportations mais aussi au mieux-être des populations, assuré par l'expansion de la demande interne sur le marché domestique[2]. Dans cette perspective, la corruption et l'absence de vision des dirigeants des nations pauvres sont

2. Mehdi Abbas, « La place des pays en développement dans le système multilatéral », *Asymétries*, Montréal, Athéna, 2006.

également à déplorer. La migration internationale et la liberté de circulation pourraient en outre susciter un débat plus animé, puisque les immigrants illégaux traversent aujourd'hui les frontières dans des conditions pénibles, voire mortelles. Une fois dans les pays développés, les transferts de fonds qu'ils envoient dans leurs pays d'origine contribuent davantage au développement que l'aide internationale, selon certains experts[3].

Les organisations de la société civile réclament également un système de droit international qui mette de l'avant la suprématie des droits de la personne et de l'environnement sur le commerce. En ce sens, elles ont fait pression sur les institutions régionales ou supranationales pour qu'elles exercent une surveillance accrue des États afin de les inciter à respecter les principes fondamentaux du travail et les droits économiques, sociaux et culturels. La justiciabilité de ces droits dans les instances internationales incite les gouvernements à agir avec prudence pour assurer une meilleure égalité des chances pour leurs citoyens. Sous la pression de l'opinion publique, l'insertion de mesures sociales et environnementales dans les chartes des grands ensembles régionaux et le renforcement des codes de conduites à l'échelle nationale et internationale contribueront aussi à réguler l'activité économique. Mais dans une perspective économique, il faut aussi tenir compte des dépenses générées par ces mesures.

Les clauses inscrites dans les accords commerciaux s'étant avérées insuffisantes, les ONG incitent l'OIT et l'OMC à mieux collaborer pour introduire des mesures visant à assurer le respect des droits fondamentaux du travail. Par contre, tout comme les campagnes de boycott, l'établissement de normes trop contraignantes

3. El Mouhoud Mouhoub, « L'évolution des mouvements migratoires au sein de l'Union européenne », *Asymétries*, Montréal, Athéna, 2006.

pour les entrepreneurs pourrait nuire à l'emploi dans les pays pauvres. Rappelons de plus que les hausses des coûts de production sont généralement refilées par les entreprises aux consommateurs. Seuls des liens étroits entre les travailleurs du Nord et du Sud, unis dans une bataille commune, pourrait entraîner une majoration des conditions de travail de tous les citoyens de la planète. Mais les ressources énergétiques du globe le permettront-elles ? Par ailleurs, le mouvement syndical, qui n'a pas rallié les milliers de travailleurs du secteur informel dans les pays pauvres, n'a pas non plus repris à son compte les pertinentes propositions du libéral Hernando de Soto visant à réduire la complexité et la lenteur des procédures administratives.

La société civile milite aussi contre les politiques néolibérales qui se traduiraient notamment par la dégradation des garanties d'universalité de la santé et de l'éducation y compris de l'accès à l'eau. Pour elle, il est nécessaire de limiter la portée, voire d'interdire la libéralisation des secteurs publics afin de maintenir l'accessibilité pour tous. Mais la protection des acquis sociaux est-elle compatible avec les moyens financiers dont peut raisonnablement disposer notre société? Plus encore, est-elle conciliable avec les impératifs de développement durable et la préservation des réserves énergétiques pour les générations futures ? L'application intégrale du droit de propriété dans la Common Law et son renforcement dans le Code civil ne pourraient-ils pas permettre une meilleure conservation des ressources ? Les libertariens optent pour cette voie. Ils croient en outre qu'il n'y a aucun gain démocratique à empêcher les gens de se soigner et de s'éduquer librement dans le secteur privé.

Dans un monde idéal, la gauche et la droite pourraient s'unir pour envisager des stratégies de marché et de nouvelles définitions juridiques visant à renforcer le respect des droits humains et de l'environnement.

En ce sens, la réticence de la classe politique à appliquer intégralement les préceptes de droite inspirés du libertarisme, qui préconisent le libre marché grâce au renforcement du droit de propriété dans tous les domaines, est révélatrice. L'État refuse de se saborder en prétextant qu'il peut, mieux que les citoyens pris individuellement, contribuer à l'avènement d'une société juste. Mais est-ce vraiment le cas ? Malheureusement, les cas de corruption et de négligence sont fréquents dans le secteur public. Malgré les requêtes citoyennes à cet effet, le déficit démocratique existe toujours au Canada et dans les institutions internationales. Nonobstant la doctrine libérale à laquelle les États membres de l'OCDE ont adhéré, les revenus gouvernementaux – et la taille de l'État – ont augmenté depuis 40 ans en Amérique du Nord.

Perspectives d'avenir politiques

En dépit de ces considérations, il reste que la société civile est en train d'humaniser les échanges marchands. L'engouement pour le commerce équitable, le microcrédit, l'économie sociale et l'investissement responsable, pour ne mentionner que ces initiatives, prouve que le capitalisme de demain pourrait intégrer les propositions de ses opposants pour poursuivre son expansion, comme il l'a fait depuis 200 ans[4]. Devant la réaction mitigée des autorités canadiennes face à leurs réclamations, certains acteurs de la société civile ont toutefois choisi de s'investir dans la vie politique pour promouvoir la justice sociale et le respect de l'environnement.

C'est notamment ce qui a inspiré la création de l'Union des forces progressistes, de la Nouvelle initiative démocratique, du mouvement Option citoyenne et Syndicalistes et progressistes pour un Québec libre

4. Pascal Bruckner, *Misères de la prospérité*, Paris, Grasset, 2002, 242 p.

(SPQ Libre). Au niveau fédéral, la Nouvelle Initiative politique, qui n'est pas un véritable parti politique, veut soutenir et nourrir les mouvements en faveur de la justice sociale et leur servir de lieu de rassemblement. Ce regroupement souhaite revitaliser le débat au sein du Nouveau Parti démocratique. Au plan québécois, l'Union des forces progressistes, un parti politique de gauche fondée en juin 2002 qui a fusionné avec l'Option citoyenne de Françoise David, s'oppose ouvertement à la mondialisation des marchés et à la pauvreté qu'elle engendre. Le parti agit sur le front politique, en continuité avec les luttes sociales menées sur les terrains économique et social. Créé en février 2005 à l'initiative de Pierre Dubuc et de Monique Richard, le club politique SPQ Libre a pour objectif la formation et le développement d'un courant syndicaliste et progressiste organisé sur la scène politique québécoise, plus particulièrement au sein du Parti québécois.

Cette incursion dans l'univers politique est positive : elle pourrait permettre à la société civile de concrétiser un jour, advenant une réforme du mode de scrutin, ses revendications par l'adoption de lois plus ou moins progressistes, selon le point de vue que l'on adapte. En attendant l'instauration de mécanismes de démocratie participative plus évolués, la démocratie représentative demeure une porte d'entrée obligée pour les mouvements sociaux. Mais il ne faut pas se leurrer. Les partis politiques, principalement les grands partis, ont par définition une vision électoraliste : leurs programmes sont souvent conçus pour favoriser à court terme l'élection de leurs candidats. La société civile devra donc poursuivre ses démarches en renforçant ses liens avec les parlementaires et les gouvernements, tout en maintenant son indépendance face aux pouvoirs exécutif et législatif.

Les militants québécois et canadiens ont du pain sur la planche. Pour éviter l'éparpillement, ils devront améliorer leurs mécanismes de concertation et consacrer leurs énergies à des causes communes prioritaires. Ils devront reconquérir un espace médiatique qui leur fait parfois défaut, non seulement en raison de la nature de leurs messages, mais aussi des impératifs de la concurrence et de la concentration des médias entre les mains d'une élite privée. Chose sûre, la participation citoyenne, en particulier dans les gouvernements locaux, est l'un des moyens de parvenir au développement démocratique. Mais la première mission que se sont donnée les organisations militantes, c'est de faire échec à l'individualisme en mettant sur pied des initiatives qui permettent aux citoyens de s'engager concrètement. À cette fin, elles devront se montrer capables d'intéresser davantage de gens à leurs activités, pour générer une conscience sociale indispensable vu les transformations engendrées par la mondialisation libérale. Quant aux organisations libérales et libertariennes, elles devront faire entendre davantage leurs messages et expliquer leurs positions au cours de débats plus fréquents. Car en cette ère de globalisation, l'information est devenue le principal outil citoyen.

Bibliographie

Shay Aba, Wolfe D. Goodman et Jack M. Mintz, « Funding Public Provision of Private Health : The Case for a Copayment Contribution through the Tax System », *Commentaire de l'Institut C. D. Howe*, nº 163, mai 2002.

Mehdi Abbas, « La place des pays en développement dans le système multilatéral », *Asymétrie*, Montréal, Athéna, 2006.

Christophe Aguiton, *Le monde nous appartient*, Paris, Plon, 2001, 251 p.

Christophe Aguiton *et al.*, *Où va le mouvement altermondialisation ? et autres questions pour comprendre son histoire, ses débats, ses stratégies, ses divergences*, Paris, La Découverte, 2003, 127 p.

Sous la direction de Alison Van Rooy, *La société civile et le changement mondial*, Rapport canadien sur le développement 1999, Ottawa, Institut Nord-Sud, 2000.

Alliance sociale continentale, *Le Plan d'action des Amériques pour les droits humains : un enjeu continental, une entreprise commune*, Québec, 2001.

ATTAC France, *La réforme des institutions financières internationales*, Conseil scientifique, Paris, juillet 2001.

Maude Barlow et Tony Clarke, *L'or bleu. L'eau, nouvel enjeu stratégique et commercial*, Montréal, Éditions du Boréal, 2005, 398 p.

Ulrich Beck, *Pouvoir et contre-pouvoir à l'ère de la mondialisation*, Paris, Aubier, 2003, 561 p.

Elizabeth Brubaker, *Property Rights in the Defence of Nature*, Toronto, Earthscan Publications Limited and Earthscan Canada, 1995.

Pascal Bruckner, *Misères de la prospérité*, Paris, Éditions Grasset, 2002, 242 p.

Dorval Brunelle, *Démocratie et privatisation dans les Amériques : de l'ALENA à la ZLÉA, en passant par l'ACI*, GRIC, UQAM, 22 août 2000.

Dorval Brunelle et Christian Deblock, *Les mouvements syndicaux et sociaux d'opposition à l'intégration économique par les marchés : de l'ALE à la ZLEA. Vers la constitution d'une Alliance sociale continentale*, Groupe de recherche sur l'intégration continentale, UQAM, novembre 1999.

Sous la direction de Dorval Brunelle et Christian Deblock, *L'ALENA. Le libre-échange en défaut*, Québec, Éditions Fides, 2004, 463 p.

Dorval Brunelle et Sylvie Dugas, « Trinational Mobilizations Against NAFTA : an Assessment of Cross-Border Developments », in Jeffrey Ayres and Laura Macdonald, dir., *Contentious Politics in North America : National Protest and Transnational Collaboration under Continental Integration*, University of Minnesota Press (à venir en 2006).

Sous la direction de Bonnie Campbell, *Qu'allons-nous faire des pauvres ? Réformes institutionnelles et espaces politiques ou les pièges de la gouvernance pour les pauvres*, Paris, L'Harmattan, 2005, 208 p.

Robert Castel, *L'insécurité sociale. Qu'est-ce qu'être protégé?*, Collection La République des Idées, Paris, Seuil, 2003, 95 p.

Centre international de solidarité (CISO), *Réapprendre la démocratie*, Document de formation, 2002.

François Crépeau, *The Foreigner and the Right to Justice in the Aftermath of September 11*, Université de Montréal, 12 mai 2005.

Commission mondiale sur la dimension sociale de la mondialisation, *Une mondialisation juste. Créer des opportunités pour tous*, Rapport, 24 février 2004.

Michel Chossudovsky, *Guerre et mondialisation. La vérité derrière le 11 septembre*, Montréal, Écosociété avec la collaboration du Centre de recherche sur la mondialisation, 2002, 251 p.

Conference Board, *The National Corporate Social Responsability Report. Managing Risks, Leveraging Opportunities*, juin 2004.

Sous la direction de Christian Deblock, *L'OMC. Où s'en va la mondialisation?*, Collection Points chauds, Québec, Éditions Fides et La Presse, 300 p.

Annette Aurélie Desmarais, *The WTO... will meet somewhere, sometime. And we will be there*, Ottawa, Institut Nord-Sud, septembre 2003.

Développement et Paix, *Breveter les semences de la vie : enjeux. La vie n'est pas à vendre*, Dossier thématique, Montréal, 2003.

Droits et démocratie, *Un cadre de référence des droits humains pour le commerce dans les Amériques*, Montréal, mars 2001.

Jules Duchastel, « Légitimité démocratique : représentation ou participation ? », *Éthique publique*, vol. 7, n° 1, 2005.

Sylvie Dugas, *Vers une prise en compte des dimensions sociales de l'intégration*, Chronique des Amériques, CEIM, UQAM, novembre 2005.

Francis Dupuis-Déri, *Les Black Blocs. Quand la liberté et l'égalité se manifestent*, Lux Éditeur et Francis Dupuis-Déri, Montréal, 2003, 209 p.

FAO, *Biotechnologie : réponse aux nécessités des pauvres ?*, Rapport 2004.

Forum mondial des alternatives, Mondialisation des résistances. L'état des luttes, 2004, Paris, Éditions Syllepse, 311 p.

Milton Friedman, avec la collaboration de Rose D. Friedman, *Capitalims and Freedom*, Chicago, University of Chicago Press, 2002, 208 p.

Milton et Rose Friedman, *Free to Choose : a personal statement*, New York, Harcourt, Copyright 1980, 338 p.

Fondation David Suzuki, *The Bottom Line on Kyoto : The Economic Benefits of Canadian Action*, 2002.

Gilbert Gagné, « The Investor-State Provisions in the Aborted MAI and in NAFTA. Issues and Propects », *The Journal of World Investment*, vol. 2, n° 3, septembre 2001.

Josiane Gauthier, « La problématique de l'aide humanitaire : symptôme ou remède », dans *L'aide internationale, à quoi bon ?*, Congrès de l'Entraide missionnaire, septembre 2005.

Jacques B. Gélinas, *La Globalisation du monde. Laisser faire ou faire ?*, Montréal, Les Éditions Écosociété, 2000, 340 p.

Alain Gresh, « Représentants du peuple ? », *Pour changer le monde*, Manière de voir n° 83, octobre-novembre 2005.

James Gwartney, Randall Holcombe et Robert Lawson, *Taille de l'État et richesse des nations*, Cahier de recherche, Institut économique de Montréal, février 2000.

Michael Hardt et Antonio Negri, *Empire*, Paris, Exils, 2000.

— *Multitude. Guerre et démocratie à l'âge de l'Empire*, Montréal, Boréal, 2004.

Robert Howse et Makau Mutua, *Protection des droits humains et mondialisation de l'économie : un défi pour l'OMC*, Droits et démocratie, 2000.

Michael Huberman, "Are Canada's Labor Standards set in Third World ? Historic trends and future prospects", *Commentaires*, Institut C. D. Howe, février 2005.

Douglas A. Irwin, *Free Trade under Fire*, Princeton, Princeton University Press, 2005.

Elizabeth Jelin , « Emergent Citizenship or Exclusion ? Social Movements and Non-Governmental Organizations in the 1990's », in William C. Smith and Roberto P. Korzeniewicz (éditeurs), *Politics, Social Change and Economic Restructuring in Latin America*, University of Miami, North-South Center, 1997.

Naila Kabeer, *Intégration de la dimension genre à la lutte contre la pauvreté et objectifs du Millénaire pour le développement. Manuel à l'intention des instances de décision et d'intervention*, Québec, Les Presses de l'Université Laval/CRDI, 2005, 260 p.

Helena Katz, « Le système de santé américain, le remède au mal canadien ? », *McGill News*, vol. 80, n° 1, printemps 2000.

Margaret Keck et Kathryn Sikkink, *Activists Beyond Borders : Advocacy Networks in International Politics*, Ithaca, N.Y., Cornell University Press, 1998, 227 p.

Naomi Klein, *Fences and Windows. Dispatches front the Front Lines of the Globalization Debate*, Toronto, Vintage Canada Edition, 2002, 267 p.

Roberto Patricio Korzeniewicz et William C. Smith, *Protest and Collaboration : Transnational Civil Society Networks and the Politics of Summitry and Free Trade in the Americas*, The North-South Agenda, article n° 51, University of Miami, North-South Center, septembre 2001, 49 p.

Andrea Langlois et Frédéric Dubois, *Autonomous Media. Activating, Resistance & Dissent*, Montréal, Cumulus Press, 2005, 168 p.

Benoît Lévesque, *Économie sociale et solidaire dans un contexte de mondialisation : pour une démocratie plurielle*, Montréal, CRISES, cahier n° 0115, 2001.

Benoît Lévesque, « Un nouveau paradigme de gouvernance : la relation autorité publique-marché-société civile pour la cohésion sociale », *Les choix solidaires dans le marché : un apport vital*, Tendances de la cohésion sociale n° 14, Strasbourg, Éditions du Conseil de l'Europe, 2005, p. 29-67.

John Madeley, *Le commerce de la faim. La sécurité alimentaire sacrifiée sur l'autel du libre-échange*, Collection Enjeux-Planète, Montréal, Éditions Écosociété, 2002, 259 p.

Marche mondiale des femmes, *2000 bonnes raisons de marcher*, Cahier des revendications mondiales, 2000.

Eric Marclay, « Le virage sécuritaire de l'aide au développement », dans *L'aide internationale, à quoi bon ?*, Montréal, Congrès de l'Entraide missionnaire, 10-11 septembre 2005.

Francine Mestrum, *Mondialisation et pauvreté. L'utilité de la pauvreté dans le nouvel ordre mondial*, Paris, L'Harmattan, 2002, 300 p.

Charles-Albert Michalet, *Qu'est-ce que la globalisation ?* Petit traité à l'usage de ceux et celles qui ne savent pas encore s'il faut être pour ou contre, Paris, La Découverte, 2004, 211 p.

El Mouhoud Mouhoub, « L'évolution des mouvements migratoires au sein de l'Union européenne », Asymétries, Montréal, Athéna, 2006.

Paul Nelson, *Access and Influence: Tensions and Ambiguities in the World Bank's Expanding Relationship with Civil Society Organisations*, Ottawa, Institut Nord-Sud, avril 2002.

Johan Norberg, *Plaidoyer pour la mondialisation capitaliste*, Montréal, Éditions St-Martin et Institut économique de Montréal, 2003, 195 p.

Oxfam, *What happened in Hong Kong. Initial Analysis of the WTO Ministerial. December 2005*, Oxfam Briefing Paper, décembre 2005.

Arvind Panagariya, « The Miracles of Globalization. Free Trade's Proponent Strike Back », *Foreign Affairs*, septembre-octobre 2004.

Thierry Pech et Marc-Olivier Padis, *Les multinationales du cœur. Les ONG, la politique et le marché*, Collection La République des idées, Paris, Seuil, 2004, 95 p.

Riccardo Petrella, *L'eau bien commun public. Alternatives à la « pétrolisation » de l'eau*, Paris, Éditions de l'Aube, 2004.

Raul Pont, « L'expérience du budget participatif de Porto Alegre », *Le Monde diplomatique*, mai 2000.

Lauren Posner, *Récoltes inégales. Le commerce international et le droit à l'alimentation vu par les agriculteurs*, Montréal, Droits et démocratie, 2001.

R.S. Ratner, « Many Davids, One Goliath », *Organizing Dissent. Contemporary Social Movements in Theory and Practice*, William K. Carroll ed., Garamond Press, 1997, p. 271-86.

Sous la direction de Michèle Rioux, *Globalisation et pouvoir des entreprises*, Montréal, Éditions Athéna, 2005, 246 p.

Jan Aart Scholte, *Civil Society Voices and the International Monetary Fund*, Institut Nord-Sud, 2002.

— *La société civile et la démocratie dans la mondialité de la gouvernance*, Document de travail du Centre for the Study of Globalization and Regionalization, nº 65/01, janvier 2001.

Amartya Sen, *Un nouveau modèle économique : développement, justice, liberté*, Paris, Odile Jacob, 2000, 497 p.

Hernando de Soto, *The Mystery of Capital: Why Capitalism Triumphs in the West and Fails Everywhere Else*, New York, Basic Books, 2000, 476 p.

Robert E. Scott, Carlos Salas et Bruce Campbell, *NAFTA at seven: Its impact on workers in all three nations*, avril 2001.

Yasmine Shamsie, *Engaging with Civil Society. Lessons from the OAS, FTAA, and Summits of the Americas*, Ottawa, North South Institute, 2000.

Scott Sinclair et Ken Traynor, *Divide and Conquer. The FTAA, U.S. Trade Strategy and Public Services in the Americas*, Public Services International, novembre 2004.

Jackie Smith, « Bridging Global Divides. Strategic Framing and Solidarity among Transnational Social Movements Organizations », *International Sociology*, vol. 17, n° 4, p. 505-528.

Joseph Stiglitz, *La grande désillusion*, Paris, Fayard, 2003, 324 p.

Michelle Swenarchuk, *Civilizing Globalisation: Trade and Environment, Thirteen Years on*, Association canadienne du droit de l'environnement, mars 2001.

Daniel Tremblay, « L'économie solidaire dans l'univers des relations internationales et transnationales : doser la confiance et la méfiance », *Nouvelles pratiques sociales*, Université du Québec en Outaouais, vol. 15, n° 1, 2002.

Louise Vandelac et Marie Mazalto, « Eau potable ; la ZLEA, un marché de dupes », *Le bouquet écologique*, vol. 14, n° 4, décembre 2001, p. 4 à 7.

Bruce Yandler, *Bootleggers, Baptists and Global Warming*, Political Economy Research Center, 1998, 28 p.

Bruce Yandler, « After Kyoto. A Global Scramble for Advantage », *The Independent Review*, vol. IV, n° 1, été 1999, p. 19–40.

Jean Ziegler, *Les nouveaux maîtres du monde et ceux qui leur résistent*, Paris, Fayard, 2002, 363 p.

Table des matières

Dans la collection

POINTS CHAUDS

Sous la dir. de Sylvain F. Turcotte

L'intégration des Amériques

Pleins feux sur la ZLEA, ses acteurs, ses enjeux

Charles-Philippe David
et la Chaire Raoul-Dandurand

Repenser la sécurité

Nouvelles menaces, nouvelles politiques

Sous la dir. de Christian Deblock

L'Organisation mondiale du commerce

Où s'en va la mondialisation ?

Jean-Guy Prévost

L'extrême droite en Europe

France, Autriche, Italie

Sous la dir. de Dorval Brunelle et de Christian Deblock

L'ALENA

Le libre-échange en défaut

Sous la dir. de Gilbert Gagné

La diversité culturelle

Vers une convention internationale effective ?

Sous la dir. de Dorval Brunelle

Main basse sur l'État

Les partenariats public-privé

au Québec et en Amérique du Nord

Sylvie Dugas

avec la collaboration de Ian Parenteau

Le pouvoir citoyen

La société civile canadienne et québécoise face à la mondialisation

Québec, Canada
2006